Herinner mij

Ann Brashares bij Boekerij:

De laatste zomer
Herinner mij

www.boekerij.nl

Ann Brashares

Herinner mij

ISBN 978-90-225-5522-4
NUR 302

Oorspronkelijke titel: *My Name is Memory* (Hodder & Stoughton)
Vertaling: Ineke de Groot
Omslagontwerp: HildenDesign, München
Omslagbeeld: Kevin Schafer/Getty Images
Zetwerk: Text & Image, Beilen

Voor mijn allerliefste Nate, die zich veel kan herinneren

Not asking the sky to come down to my good will,
Scattering it freely forever.

– WALT WHITMAN, 'Song of Myself'

Ik besta al ruim duizend jaar. Ik ben al talloze keren gestorven. Hoe vaak weet ik niet meer precies. Mijn geheugen is uitzonderlijk, maar niet perfect. Ik ben een mens.

De vroegste levens staan me niet meer zo goed bij. De boog van onze ziel volgt het patroon van elk van onze levens. Het is een macrokosmos. Eerst mijn jeugd. Ik ben heel vaak kind geweest. En zelfs toen mijn ziel nog jong was heb ik vaak de volwassenheid bereikt. Tegenwoordig komen de herinneringen elke keer sneller terug. We volgen het geijkte pad. We kijken bevreemd naar de wereld om ons heen. We herinneren het ons weer.

Met 'wij' bedoel ik mezelf, mijn ziel, mijn ikken, mijn vele levens. Met 'wij' bedoel ik ook de vele anderen die net als ik het geheugen bezitten, het bewustzijn van onze vorige levens dat elk sterfgeval overleeft. Ik weet dat er niet veel van ons zijn. Elke honderd jaar één misschien, één op een miljoen. We komen elkaar slechts zelden tegen, maar neem maar van mij aan dat we er zijn. Er is er in ieder geval één bij wiens geheugen zelfs nog veel uitzonderlijker is dan dat van mij.

Ik ben op veel plaatsen geboren en gestorven. De ruimte ertussen is hetzelfde. Ik was niet in Bethlehem toen Jezus werd geboren. Ik heb Rome nooit in zijn glorietijd gezien. Ik heb nooit geknield voor Karel de Grote. In die tijd zat ik in Anatolië, ploegde ik het land voor een karig maal, en sprak ik een dialect dat in de omringende dorpen niet werd verstaan. Alleen God en de duivel zijn verantwoordelijk voor de spannende gedeelten. De grote gebeurtenissen in de geschiedenis gaan aan de meeste mensen voorbij. Net als ieder ander heb ik erover gelezen.

Soms denk ik dat ik meer gemeen heb met huizen en bomen dan

met mijn medemensen. Ik sta daar en zie mensen komen en gaan. Hun leven is kort, maar dat van mij lang. Soms zie ik mezelf als een paal die in de branding van de oceaan is gedreven.

Ik heb nooit kinderen gehad, en ik ben nooit oud geweest. Ik weet niet waarom niet. Ik heb in vele zaken schoonheid gezien. Ik ben verliefd geweest, en zij duldde dat. Ik heb haar een keer gedood en ben meerdere keren voor haar gestorven, maar daar heb ik niets aan gehad. Ik ben altijd naar haar op zoek; ik kan me haar elke keer weer herinneren. Ik blijf hopen dat zij zich mij ooit ook zal herinneren.

Hopewood (Virginia), 2004

Ze kende hem nog niet zo lang. In de elfde klas dook hij opeens op. Het was een kleine stad en een klein schooldistrict. Elk jaar weer zag je dezelfde kinderen. Ze waren allebei tieners, maar toch leek hij op de een of andere manier ouder.

Ze hoorde verhalen over waar en hoe hij de zeventien jaar van zijn leven had doorgebracht, maar ze had daar haar twijfels bij. Hij had in een inrichting gezeten voordat hij in Hopewood kwam wonen, zei men. Zijn vader zat in de gevangenis en hij woonde op zichzelf. Zijn moeder was vermoord, werd beweerd, waarschijnlijk door zijn vader. Hij had altijd iets met lange mouwen aan, zei iemand, omdat zijn armen onder de brandwonden zaten. Hij ging, voor zover ze wist, nooit op dat soort verhalen in en sprak ze ook nooit tegen.

En hoewel Lucy de geruchten niet geloofde, begreep ze wel wat erachter stak. Daniel was anders, ook al deed hij zijn best dat niet te zijn. Zijn gezicht drukte trots uit, maar hij straalde ook verdriet uit. Zij had het gevoel dat er nooit iemand voor hem had gezorgd en dat hij dat niet eens besefte. Ze zag hem een keer bij het raam van de kantine staan terwijl iedereen, al kletsend, met rinkelende dienbladen om hem heen liep, en hij had er zo verloren uitgezien. Hij trof haar op dat moment als de eenzaamste mens ter wereld.

Hij was nog niet op de school begonnen of er deden al een hoop praatjes de ronde omdat hij zo vreselijk knap was. Hij was lang, had een vierkante kin en was zelfverzekerd, en zijn kleren waren een tikje mooier dan die van de meeste kinderen. De sportleraren wilden hem al inlijven bij hun *football*teams vanwege zijn lengte, maar daar zag hij niets in. Omdat het een klein stadje was en er weinig te doen was, maar men wel steeds hoopte op meer, kletsten de kinderen al snel over hem en kwamen de roddels in de wereld. Aanvankelijk viel het wel mee, maar toen pakte hij een paar dingen verkeerd aan. Hij ging niet naar het Halloweenfeestje van Melody Sanderson, hoewel ze hem in de hal persoonlijk had uitgenodigd en iedereen dat had gezien. Tijdens de jaarlijkse schoolpicknick zat hij de hele tijd met Sonia Frye te praten, hoewel mensen als Melody haar meden als de pest omdat ze zo vreemd was. Op school heerste er een fragiel sociaal ecosysteem, en tegen de tijd dat de winter aanbrak vonden de meeste mensen hem een beetje eigenaardig.

Behalve Lucy. Ze wist zelf ook niet waarom niet. Ze had niets met Melody en haar nalopertjes, maar ze was wel op haar hoede. Om te beginnen stond ze bij haar niet in een goed boekje, en ze wilde niet buitengesloten worden. Dat kon ze haar moeder niet aandoen, niet na wat ze allemaal met haar zus al had doorstaan. En Lucy viel ook niet op foute jongens. Echt niet.

Ze had het vreemde idee opgevat – meer een dagdroom, eigenlijk – dat ze hem kon helpen. Ze wist hoe het er buiten en op school aan toeging en ze wist hoe je je moest gedragen om je te handhaven. Ze had het gevoel dat hij meer had meegemaakt dan de meeste mensen, en daardoor leefde ze met hem mee. Ze maakte zichzelf wijs dat hij haar misschien wel nodig had, dat zij de enige was die hem kon begrijpen.

Hij liet dat echter nooit blijken. In twee jaar tijd had hij nog geen een keer met haar gesproken. Nou ja, een keer had ze op zijn schoenveter gestaan en haar excuses aangeboden en toen had hij haar aangekeken en iets gemompeld. Ze had daar een naar gevoel aan overgehouden en ze kon het een tijdlang niet van zich afzetten, ze wilde weten wat hij had gezegd en wat hij ermee had bedoeld, maar uiteindelijk gaf ze het op. Ze had niets verkeerd gedaan en als hij zo nodig om drie uur 's middags met losse veters in de hal moest rondlopen, was dat zijn probleem.

'Vind je dat ik er te veel in zie?' had ze Marnie gevraagd.

Marnie had haar aangekeken alsof ze het liefst de haren uit haar hoofd had getrokken. 'Ja, dat vind ik wel. Volgens mij zie je er veel te veel in. Als er ooit een film over je zou worden gemaakt, zou de titel *Ik zie er veel te veel in* moeten zijn.'

Ze had op dat moment moeten lachen, maar er daarna over gepiekerd. Marnie was niet gemeen geweest. Marnie hield meer en oprechter van haar dan ieder ander, behalve dan misschien haar moeder, die ook erg veel van haar hield maar minder oprecht. Marnie vond het vreselijk dat ze zich zo op iemand richtte die niets om haar gaf.

Lucy dacht eigenlijk dat hij een genie was. Niet vanwege de dingen die hij deed of zei. Maar ze zat een keer naast hem tijdens de Engelse les en wierp af en toe stiekem een blik op hem terwijl de rest van de klas Shakespeare besprak. Hij zat daar, met zijn brede schouders, gebogen over zijn schrift, uit zijn hoofd sonnetten aan het opschrijven, de een na de ander, in een prachtig schuinschrift dat leek op dat van Thomas Jefferson in de Onafhankelijkheidsverklaring. De blik op zijn gezicht deed haar vermoeden dat hij ver weg was van de kleine vierkante klas met het knipperende tl-licht, het grijze linoleum op de vloer en het enkele raampje. Ik vraag me af waar je vandaan komt, dacht ze. Ik vraag me af hoe je hier terecht bent gekomen.

Op een keer had ze hem, in een vlaag van overmoed, gevraagd wat het huiswerk voor Engels was. Hij had alleen naar het bord gewezen waarop stond dat ze een opstel moesten schrijven over *De storm*, maar ze had de indruk gekregen dat hij iets anders had willen zeggen. Ze wist dat hij kon praten, ze had hem met andere mensen horen spreken. Ze stond op het punt hem bemoedigend aan te kijken, maar toen ze hem in de ogen keek, die donkergroen waren, was ze opeens zo slecht op haar gemak geweest dat ze haar blik neersloeg en pas weer opkeek toen de klas uit ging. Zo was ze anders nooit. Ze was behoorlijk zelfverzekerd. Ze wist wie ze was en waar ze bij hoorde. Ze was opgegroeid tussen bijna allemaal meiden, maar dankzij de leerlingenraad en keramiekles en Marnies twee broers had ze ook zat jongens als vrienden. Maar geen van hen gaf haar hetzelfde gevoel als Daniel.

En dan was er nog het moment aan het einde van het schooljaar toen ze haar kluisje aan het uitruimen was. Ze vond het vreselijk dat ze hem de hele zomer niet zou zien. De roestige witte Blazer van haar vader stond een paar straten verderop slordig met twee wielen op de stoep geparkeerd. Ze had stapels papieren en boeken uit haar kluisje en een kartonnen doos met haar werkjes van keramiekles op de stoep gezet terwijl ze voorzichtig het portier openmaakte.

Opeens zag ze Daniel vanuit haar ooghoek. Hij ging nergens heen en had ook niets bij zich. Hij stond daar gewoon, met zijn armen langs zijn zij, en staarde haar met die verloren uitdrukking op zijn gezicht aan. Hij zag er verdrietig en een tikje afstandelijk uit, alsof hij in zijn ziel keek terwijl hij naar haar staarde. Ze draaide zich om en keek hem in de ogen, en dit keer schrokken ze geen van beiden terug. Hij stond daar alsof hij zich iets wilde herinneren.

Ergens wilde ze gaan zwaaien of iets slims of interessants zeggen, maar tegelijkertijd hield ze de adem in. Het leek wel alsof ze elkaar echt kenden, en niet alleen maar alsof ze al een jaar constant aan hem dacht. Het leek erop dat hij ervan uitging dat ze daar zou blijven staan, alsof er zo veel dingen waren die ze tegen elkaar hadden kunnen zeggen, dat het zelfs niet nodig was om dat inderdaad te doen. Zijn blik werd onzeker en hij liep weg, en ze vroeg zich af wat dat te betekenen had. Ze vertelde Marnie dat dat het bewijs was van een werkelijke band, maar Marnie wees het van de hand als het zoveelste 'ongebeurde'.

Marnie vond dat ze Lucy's verwachtingen moest indammen en had daarvoor zelfs een speciale mantra ontwikkeld: 'Als hij je leuk vindt, zou je dat wel weten,' zei ze steeds. Lucy verdacht haar ervan dat ze die zin ooit eens ergens had gelezen.

Lucy wilde hem niet alleen helpen. Zo onbaatzuchtig was ze nu ook weer niet. Ze vond hem verschrikkelijk sexy. Ze vond alle normale dingen en ook de rare dingen aan hem sexy, zoals zijn nek en zijn duimen zoals hij ze op de rand van zijn lessenaar legde, en de manier waarop zijn haar aan een kant boven zijn oor uitstak. Ze had hem een keer geroken en was er duizelig van geworden. Ze had die avond niet kunnen slapen.

En het punt was dat hij haar iets te bieden had wat geen andere jongen op school kon: hij kende Dana niet. Dana was altijd 'moeilijk' geweest, zoals haar moeder zo plastisch uitdrukte, maar toen ze nog jong waren, was ze Lucy's grote voorbeeld geweest. Ze was de slimste persoon die Lucy kende en ook degene die het snelst kon praten en die altijd dapper was. Dapper maar ook roekeloos. Als Lucy een keer iets stoms had gedaan, bijvoorbeeld met modder aan haar schoenen de gang in lopen, of ketchup op de grond morsen, dan zei Dana altijd dat het haar schuld was. Zelfs als Lucy zei dat het helemaal niet hoefde, dan zei Dana dat ze het niet erg vond om ergens de schuld van te krijgen en Lucy wel.

Dana werd berucht toen ze in de negende klas zat en Lucy in de vijfde. Lucy begreep niet waar de oudere kinderen en de volwassenen over roddelden, maar ze wist wel dat het erg was. 'Ik heb jouw zus ook in de klas gehad,' zeiden de leraren altijd veelbetekenend. Een paar kinderen wilden zelfs niet meer bij haar thuis komen, of haar bij hen uitnodigen, en ze wist dat haar familie iets verkeerd had gedaan zonder te weten wat dan wel. Alleen Marnie bleef ondanks alles haar vriendin.

Toen ze in de zevende zat, was Dana het slechte voorbeeld van de school, en mensen bleven zich afvragen wat voor mensen haar ouders waren. Dronken ze? Werden er bij haar thuis drugs gebruikt? Had de moeder gewerkt toen de meisjes nog klein waren? Uiteindelijk was er altijd wel iemand die de opmerking 'Ze lijken anders best aardig' plaatste.

Haar ouders slikten het allemaal zo deemoedig dat het leek of ze erom vroegen. Hun schande kende geen grenzen en het was gemakkelijker om de schuld te krijgen dan iets te doen. Dana trok zich er niets van aan, maar de rest van haar familie hield het hoofd gebogen en had een verontschuldiging op de lippen.

Lucy was soms loyaal maar af en toe wilde ze wel dat ze Johnson van achteren heette, want er zaten veertien leerlingen met die achternaam op de school. Ze praatte wel eens met Dana, en toen dat niet hielp, overtuigde ze zichzelf ervan dat het haar niets uitmaakte. Hoe vaak kun je iemand van wie je houdt in de steek laten? 'Lucy is een heel andere Broward,' hoorde ze een keer haar wiskundeleraar tegen de decaan zeggen toen ze de school binnenliep, en ze vond het vreselijk dat ze zich daar zo aan vastklampte. Ze dacht dat als ze maar flink haar best deed, ze het enigszins goed kon maken.

Dana bleef een paar keer zitten vanwege haar spijbelgedrag en heel veel andere buitenschoolse activiteiten: drugs, geweld, het pijpen van jongens op het toilet. Lucy zag een keer een envelop op het bureau van haar vader liggen met het bericht dat Dana een beurs kon krijgen gebaseerd op haar test. Eigenaardig, de dingen die Dana deed.

Op de twee na laatste schooldag verliet ze de school voorgoed, een week voordat ze haar diploma zou krijgen. Ze kwam tijdens de uitreiking van de diploma's opdagen en nam theatraal afscheid. Daniel was waarschijnlijk de enige jongen voor zover Lucy wist, die Dana niet had gezien toen ze zich op het grasveld voor de school helemaal uitkleedde, omringd door ziekenbroeders die hun best deden zich door haar niet hun ogen uit te laten krabben terwijl ze haar voor de laatste keer naar het ziekenhuis vervoerden.

Dana nam op Thanksgiving dat jaar een overdosis en raakte in coma. Ze stierf vredig tijdens de kerst. Ze werd op oudejaarsdag begraven, en alleen haar ouders, zus en Marnie, de twee overgebleven grootouders en haar gekke tante uit Duluth waren daarbij aanwezig. Meneer Margum was de enige die er namens de school was. Hij gaf les in natuurkunde en was de jongste docent. Lucy wist niet zeker of hij nu kwam omdat Dana bij hem in de klas had gezeten of omdat ze hem wellicht had gepijpt, of misschien wel beide.

Dana liet een gecompliceerde erfenis na. Het tastbaarste wat ze naliet was een zestig centimeter lange slang met de naam Sawmill, en daar werd Lucy mee opgescheept. Wat had ze dan moeten doen? Haar moeder zou er echt nooit voor gezorgd hebben. Elke week ontdooide ze een paar ingevroren muizen en gaf die aan hem zonder er ooit aan te wennen. Ze verwisselde trouw zijn warmtelamp. Ze dacht dat Sawmill misschien wel dood zou gaan zonder de bezielende aanwezigheid van Dana, en op een keer zag ze hem uitgedroogd en stil in het glazen terrarium liggen en heel even dacht ze – ontzet maar tevens opgelucht – dat het inderdaad gebeurd was. Maar hij bleek gewoon verveld te zijn. Hij hield zich op in de holle tak en zag er frisser uit dan ooit. Lucy kon zich opeens weer de droge grijze huiden herinneren die Dana aan haar muur had geprikt, de enige decoratie waar ze zich aan bezondigde.

In de elfde klas stond Lucy zichzelf eindelijk toe iets anders te zijn dan Dana's zusje. Omdat ze knap was, vergaten de jongens het eerder dan de meisjes, maar uiteindelijk gold dat voor iedereen.

Lucy werd in de herfst tot klassenvertegenwoordigster gekozen. Twee van haar boetseerwerkjes, een vaas en een kom, werden in een expositie tentoongesteld. Elke overwinning en elk succesje werden overschaduwd door schuldgevoel en verdriet. Ze vond het vreselijk dat ze die nodig had, maar het was nu eenmaal zo.

'Weet je, Lu, ik heb niet één vriendin op die school,' had Dana haar een keer gezegd, alsof haar dat nog verbaasde ook.

'Hij komt vast niet opdagen,' deelde Marnie haar door de telefoon mee terwijl ze zich allebei verkleedden voor het seniorenbal, het laatste feest van de middelbare school.

'Wel als hij zijn diploma wil,' zei Lucy voordat ze de verbinding verbrak en naar haar kast liep.

Marnie belde terug. 'En zelfs als hij komt, dan zal hij nog niets tegen je zeggen.'

'Misschien zeg ik wel iets tegen hem.'

Lucy haalde voorzichtig haar nieuwe lichtpaarse zijden jurk uit de kast en trok de beschermhoes eraf. Ze legde de japon op haar bed en trok vervolgens haar gewone bh uit en een roomwitte kanten bh aan. Ze lakte haar teennagels bleekroze en was ruim een kwartier bezig om de klei en de aarde van de tuin onder haar nagels vandaan te krijgen. Ze gebruikte een krultang, hoewel ze wist dat de krullen in haar steile gladde haar er binnen een uur al uit zouden zijn gezakt. Terwijl ze zwarte eyeliner op haar bovenste ooglid deed, stelde ze zich Daniel voor die naar haar keek en zich afvroeg waarom ze zichzelf met een potlood in haar oog stak.

Dat deed ze heel vaak. Gênant vaak eigenlijk. Bij alles wat ze deed, stelde ze zich voor wat Daniel ervan zou vinden. En hoewel ze nooit echt met elkaar gesproken hadden, wist ze precies wat hij zou denken. Hij hield bijvoorbeeld niet van dikke lagen make-up. De föhn vond hij lawaaierig en overbodig, en de wimperkruller een martelwerktuig. Hij vond het leuk dat ze zonnebloempitten at, maar niet dat ze Pepsi light dronk. Terwijl ze naar haar iPod luisterde, wist ze welke songs hij leuk zou vinden en welke stom.

Hij vond haar jurk mooi, daar was ze van overtuigd, terwijl ze hem voorzichtig over haar hoofd aantrok en de tere stof zich naar haar lichaam voegde. Daarom had ze hem ook gekocht.

Marnie belde weer. 'Je had met Stephen moeten gaan. Hij heeft je heel erg lief gevraagd.'

'Ik wil niet met Stephen gaan,' zei ze.

'Nou, Stephen zou je anders wel een corsage hebben gegeven. En hij komt leuk over op de foto.'

'Ik vind hem niet leuk. Wat moet ik nou met die foto's?' Ze zei maar niet dat het grootste probleem met Stephen was dat Marnie duidelijk weg van hem was.

'En hij danst met je. Stephen kan goed dansen. Daniel zal niet met je dansen. Het maakt hem niet uit of je er nu wel of niet bent.'

'Misschien wel. Dat weet je helemaal niet.'

'Echt niet. Hij had vaak genoeg kunnen tonen dat het hem wel uitmaakte, en dat heeft hij niet gedaan.'

Nadat Lucy voor de laatste keer de verbinding had verbroken, ging ze voor de spiegel staan. Ze vond het wel jammer dat ze geen bloemen had. Ze knipte drie viooltjes uit de bloembak op haar vensterbank, twee paarse en een roze. Ze prikte ze aan een haarspeld en stak die boven haar oor in haar haar. Dat was een stuk beter.

Marnie stond om kwart voor acht voor de deur. Lucy kon aan de uitdrukking op haar moeders gezicht zien wat die dacht toen ze de trap af liep. Haar moeder had stiekem gehoopt op een soort Stephen, een knappe knul in een smoking met een corsage in de hand, en niet weer Marnie, in haar zwarte kousen met ladders. Ze had twee knappe blonde dochters gehad en geen enkele enthousiaste jongen in een smoking die hen op kwam halen. In haar tijd was dat wel gelukt als een meisje zo knap was geweest als Lucy.

Lucy voelde weer de bekende steek. Nu wist ze weer waarom ze de foto's wilde. Haar moeder wilde ze graag om zich een leuk afscheidsbal te herinneren. Lucy troostte zichzelf met de gebruikelijke schuldonderdrukkers: ze was niet aan de drugs. Ze had geen tongpiercing of een spinnentatoeage in haar nek. Ze droeg een lichtpaarse jurk, roze nagellak op haar teennagels en viooltjes in haar haar. Het kon niet allemaal kloppen.

'Lieve hemel,' zei Marnie toen ze Lucy van top tot teen opnam. 'Moest dat?'

'Moest wat?'

'Laat maar.'

'Moest wat?'

'Niks.'

Lucy had zich te veel opgetut. Dat was het vast. Ze keek naar haar jurk en haar goudkleurige schoenen. 'Dit is misschien wel de laatste keer dat ik hem zie,' zei ze treurig. 'Ik weet niet wat hij hierna gaat doen. Ik wil dat hij me zich zal herinneren.'

'Wat een rotliedje. Ga je mee naar buiten?'

Lucy liep met Marnie de aula uit. Marnie had een hekel aan alle songs en Lucy stond op haar goudkleurige schoentjes heen en weer te wiebelen terwijl het filter van Marnies sigaret steeds roder werd van de lipstick. Marnie boog zich voorover om er weer een op te steken, en Lucy zag de blonde haarwortels de donkergeverf-de haren verdringen.

'Ik zie Daniel nergens,' zei Marnie, eerder chagrijnig dan triom-fantelijk.

'Met wie is Stephen hier?' vroeg Lucy vals.

'Hou je kop,' zei Marnie, want ook zij was teleurgesteld.

Lucy hield inderdaad een tijdje haar mond en keek de rook na die wegdreef. Ze dacht aan Daniels diploma dat op de tafel tegen de muur lag, en ze vond het een verwijt naar haar toe. Hij zou echt niet komen. Hij gaf niets om haar. Lucy's make-up voelde aan als-of die op haar gezicht zat vastgekoekt. Ze wilde het eraf wassen. Ze keek naar haar jurk, waar ze een semester lang op zaterdag in de bakkerij voor had gewerkt. Stel dat ze hem nooit meer zou zien? Door de gedachte alleen al raakte ze bijna in paniek. Het kon nu toch niet afgelopen zijn?

'Wat is dat?' Marnie draaide snel haar hoofd om.

Lucy had het ook gehoord. Er werd geschreeuwd in de school en toen hoorde ze een gil. Op een schoolfeest wordt genoeg gegild, maar deze gil was anders.

Marnie had een verraste uitdrukking op haar gezicht, wat Lucy maar zelden bij haar had gezien. Mensen liepen naar de hoofdin-gang toe en er werd binnen nog steeds geschreeuwd. Lucy schrok toen er glas brak. Er was iets ernstig mis.

Aan wie denk je als er glas breekt en mensen gillen? Zo leer je jezelf kennen. Marnie was bij haar en haar moeder was thuis, dus Lucy dacht meteen aan Daniel. Stel dat hij daarbinnen was? Er stond al een hele menigte bij de hoofdingang, en zij wilde weten wat er aan de hand was.

Ze ging door de zijingang naar binnen. De gang was onverlicht, dus rende ze in de richting van het geschreeuw. Bij de hoofdgang bleef ze staan. In de verte brak er nog meer glas. Ze zag donkere strepen op de grond en wist meteen wat het was. In de hoofdgang lag een plas bloed waar stroompjes uit liepen, terwijl ze altijd had gedacht dat de vloer vlak was. Ze zette een paar stappen en bleef opeens staan. In het donker lag een jongen op de grond en iedereen rende bij hem weg. Het was zijn bloed in de gang. 'Wat is er aan de hand?' schreeuwde ze achter hen aan.

Ze ging met trillende handen in haar tas op zoek naar haar mobieltje. Tegen de tijd dat ze hem open had geklapt, hoorde ze verschillende sirenes tegelijk loeien. Iemand greep haar bij de arm en wilde haar wegtrekken, maar ze schudde hem af. Het bloed sijpelde naar haar goudkleurige schoen. Iemand stapte erin en rende snel weg, bloederige voetsporen achterlatend op het zeil.

Ze liep naar de jongen op de grond toe en vermeed het bloed dat er lag. Ze boog zich voorover om hem aan te kijken. Het was een jongen uit de laagste klas. Ze kende hem van gezicht, meer niet. Ze ging op haar hurken zitten en legde haar hand op zijn arm. Hij kreunde bij elke ademhaling. In elk geval leefde hij nog. 'Gaat het?' Het was duidelijk dat het niet ging. 'Er is hulp onderweg,' stelde ze hem zwakjes gerust.

Opeens hoorde ze gegil en mensen die naar haar toe kwamen rennen. De politie was er. Ze schreeuwden naar iedereen. Ze sloten de deuren af en zei dat iedereen rustig moest blijven, hoewel ze zelf verre van rustig waren.

'Is er ook een ambulance?' vroeg ze. Te zacht, dus moest ze het opnieuw vragen. Ze had niet beseft dat ze huilde.

Twee agenten renden naar de jongen toe en zij deed een stap naar achteren. Nog meer geschreeuw in de portofoons. Ze maakten ruimte voor het ambulancepersoneel.

'Gaat het wel met hem?' vroeg ze, te zacht om gehoord te worden. Ze liep nog een stukje naar achteren. Nu kon ze niets meer zien.

Op dat moment greep een agente haar ruw beet. 'Jij blijft hier,' vertelde ze haar, hoewel Lucy niet van plan was geweest weg te gaan. Ze dirigeerde haar de gang door en wees naar een deur aan de rechterkant. 'Ga daar naar binnen en blijf daar totdat er een inspecteur met je komt praten. Je blijft op je plaats zitten, begrepen?'

Ze maakte de deur open van het scheikundelokaal waar ze in de tiende klas met een bunsenbrander proeven had gedaan.

Door het raam zag ze de rode zwaailichten van politiewagens. Ze liep tussen de donkere stoelen en tafels door om naar buiten te kijken. Er stonden wel een stuk of tien politieauto's schots en scheef op het stukje gras achter de school geparkeerd, waar ze met mooi weer de pauze doorbrachten. Toen het gras verlicht werd, kon ze zien dat de banden het gras hadden omgewoeld, dus dat kwam er ook nog eens bij.

Ze vond haar weg naar de gootsteen eerder dankzij haar geheugen dan doordat ze het kon zien. Ze had het licht wel aan kunnen doen, maar wilde niet dat iedereen die langs het raam liep haar zou zien. Ze draaide de kraan open en boog zich voorover, waste de make-up en de tranen weg. Ze droogde zich af met een papieren handdoekje. De viooltjes waren aan het verwelken. Ze had gedacht dat het lokaal verlaten was tot ze zich omdraaide en iemand in de hoek aan een bureau zag zitten. Ze schrok ervan. Ze liep ernaartoe en liet haar ogen wennen aan het duister.

'Wie is daar?' vroeg ze fluisterend.

'Daniel.'

Ze bleef staan. De rode gloed bescheen een gedeelte van zijn gezicht.

'Sophia,' zei hij.

Ze kwam nog dichterbij zodat hij kon zien wie ze was. 'Nee, ík ben het, Lucy.' Haar stem beefde een beetje. Er lag een gewonde jongen in de gang, en het stelde haar enorm teleur dat hij haar nog steeds niet kende.

'Ga zitten.' Hij zag er stoïcijns uit, gelaten, alsof hij liever had gehad dat ze Sophia was geweest.

Ze liep langs de muur, stapte over stoelen en jassen en tassen die kinderen daar achter hadden gelaten. Haar jurk scheen te luchtig voor deze avond. Daniel zat tegen de muur aan een schooltafel met stoel en had zijn enkels over elkaar geslagen alsof hij op iets zat te wachten.

Ze wist niet hoe dichtbij ze moest gaan zitten, maar hij trok een schooltafel met stoel naar zich toe zodat de twee tafels als yin en yang tegenover elkaar stonden. Ze rilde terwijl ze dichterbij kwam. Kippenvel stond op haar blote armen. Slecht op haar gemak trok ze de viooltjes uit haar haar.

'Je hebt het koud,' zei hij. Hij wierp een blik op de bloempjes op de tafel.

'Het gaat wel,' zei ze. Het kippenvel was grotendeels aan hem te wijten.

Hij keek om zich heen naar de stapels op de krukken en stoelen en schooltafels. Hij trok er een wit vest uit met een valk erop en stak haar die toe. Ze hing hem over haar schouders zonder haar armen in de mouwen te steken of de rits dicht te doen.

'Weet jij wat er aan de hand is?' vroeg ze. Ze boog zich naar voren, zodat haar haar over haar schouders viel en bijna zijn handen raakte.

Hij legde zijn handen plat op de tafel, zoals hij zo vaak bij de Engelse les had gedaan. Het waren mannenhanden, geen jongenshanden. Hij scheen steun nodig te hebben. 'Een paar eersteklassers hebben de zitkamer voor de hogere klassen en de gang vernield. Sommigen hadden een mes bij zich, en toen werd er gevochten. Volgens mij hebben er twee snijwonden opgelopen en werd er een knul gestoken.'

'Die heb ik gezien. Hij lag op de grond.'

Hij knikte. 'Het komt wel goed met hem. Het was in zijn been. Dat bloedt flink, maar het komt goed.'

'Echt waar?' Ze vroeg zich af hoe hij dat wist.

'Is de ambulance er al?'

Ze knikte.

'Ja hoor, dan komt het allemaal goed.' Zo te zien was hij met zijn gedachten ergens anders.

'Mooi.' Ze geloofde hem, of hij dat nu verdiende of niet, en voelde zich daar een stuk beter door. Haar tanden klapperden, dus deed ze haar mond dicht om dat tegen te gaan.

Hij pakte iets uit een tas op de grond. Het was een halfvolle fles whisky. 'Iemand heeft dit achtergelaten.' Hij liep naar de gootsteen en pakte een plastic bekertje van de stapel. 'Alsjeblieft.'

Hij was al aan het inschenken voordat ze ja of nee kon zeggen. Hij zette het voor haar neer op de tafel en boog zich zo dicht naar haar toe dat ze zijn lichaamswarmte voelde. Ze kon amper ademhalen en werd licht in haar hoofd. Ze legde haar hand op haar warme keel en wist dat die rood werd, zoals altijd als ze erg aangeslagen was.

'Ik wist niet dat je hier was,' zei ze, zonder erbij stil te staan dat ze zich daarmee bloot gaf.

Hij knikte. 'Ik ben wat later gekomen. Vanaf de parkeerplaats hoorde ik al gillen. Ik wou weten wat er aan de hand was.'

Ze wilde wel een slok whisky nemen, maar haar handen trilden en ze had liever niet dat hij dat zag. Misschien snapte hij dat, want hij boog zich naar de tafel toe en stak een gaspit aan. Er verschenen kleine vlammetjes om de rand voordat het echt ging branden. Het vuur weerspiegelde in de glazen deur en verlichtte de kamer met een zachte trillende gloed. Ze nam snel een slok en het brandde in haar koude mond. Ze onderdrukte de neiging om een gezicht te trekken. Het was nu niet bepaald haar gewoonte om whisky te drinken.

'Wil jij ook wat?' vroeg ze toen hij weer goed in de schooltafel met stoel zat. Zijn knieën kwamen tegen die van haar aan. Ze dacht niet dat hij iets wilde drinken. Maar hij keek haar aan, en toen naar de beker. Hij pakte die en ze keek verbijsterd toe toen hij zijn mond precies op de plek plaatste waar zij had gedronken en een grote slok nam. Ze had gedacht dat hij een beker voor zichzelf zou inschenken maar had nooit verwacht dat hij uit haar beker zou drinken. Wat zou Marnie daarvan vinden? Dit was ongelooflijk intiem. Ze zat daar met hem, praatte met hem, dronk wat met hem. Het ging allemaal zo snel dat ze het nauwelijks kon bevatten.

Roekeloos nam ze nog een slok. Dan zag hij maar dat ze zat te trillen, kon haar het schelen. Haar hand lag waar zijn hand had gelegen en haar mond zat waar hij zijn mond had geplaatst.

Weet je wel hoeveel ik van je hou?

Hij zakte onderuit. Hij hield zijn hoofd schuin en keek haar aan. Hun knieën raakten elkaar. Ze wachtte tot hij iets zou zeggen, maar hij zei niets.

Ze kneep zenuwachtig in het plastic bekertje, zodat de rand ovaal werd en weer rond. 'Ik dacht dat we van school zouden gaan, en ieder ons eigen leven leiden en we elkaar nooit meer zouden zien,' zei ze dapper. Haar woorden bleven in de stilte hangen en ze vond het vreselijk dat die zolang duurde. Zei hij maar wat om de stilte te verbreken.

Hij glimlachte. Ze had hem nog niet eerder zien glimlachen. Hij was knap. 'Dat zou ik niet laten gebeuren,' zei hij.

'O, nee?' Ze was zo verrast dat ze wel moest vragen: 'En waarom niet?'

Hij bleef haar aankijken, alsof hij heel veel wilde zeggen, maar er nog niet aan toe was. 'Ik wil al de hele tijd met je praten,' zei hij langzaam. 'Ik wist alleen niet... wanneer de tijd daar rijp voor zou zijn.'

Het was erg kinderachtig, maar ze had graag gewild dat Marnie erbij was geweest om hem dat te horen zeggen.

'Maar dit is een erg vreemde avond,' ging hij door. 'Wellicht niet het juiste moment. Ik wilde alleen maar zeker weten dat alles goed met je was.'

'Is dat zo?' Ze was bang dat ze veel te happig en dus sneu zou overkomen en zielig zou worden gevonden.

Hij glimlachte weer naar haar. 'Ja, natuurlijk.'

Ze nam nog een slok whisky en gaf het bekertje onbezonnen aan hem terug alsof ze oude vrienden waren. Wist hij wel hoe lang ze al aan hem dacht en over hem droomde en elke blik en elk gebaar van hem ontleedde? 'Waar wil je dan met me over praten?'

'Nou.' Hij probeerde haar in te schatten, maar ze wist niet waarom. Hij nam nog een grote slok. 'Misschien moet ik dit maar niet doen. Ik weet het niet.' Hij schudde zijn hoofd en keek ernstig. Ze wist niet of hij het nu over de whisky had of over haar.

'Wat moet je maar niet doen?'

Hij keek haar zo intens aan dat ze er bijna bang van werd. Ze wilde dolgraag dat hij haar in de ogen keek, maar dit was heel erg veel tegelijk. Alsof het na een lange droogte eindelijk plensde van de regen.

'Ik heb hier heel vaak aan gedacht. Ik wil je zo veel vertellen. Maar ik wil je niet...' hij koos zorgvuldig zijn woorden uit, '... van streek maken.'

Nog nooit had een jongen zo tegen haar gesproken. Geen opschepperij, geen geflirt, geen overdreven charmant gedoe, alleen een intense blik. Ze had nog nooit iemand zoals hij gekend.

Ze slikte moeizaam om rustig te worden. Als ze niet uitkeek zou ze hem haar gevoelens tonen. Ze moest rustig blijven, maar ze moest wel iets zeggen. 'Je moest eens weten hoe vaak ik aan je heb gedacht.'

Ze zaten knietje aan knietje, dus toen hij zijn benen spreidde schoot zij naar voren en zat ze tussen hem in geklemd. Haar knie zat bijna tegen zijn kruis aan en die van hem tegen dat van haar. Haar knie was bloot, en zijn knie zat onder haar jurk, drukte tegen haar slipje, en ze knapte bijna van de zenuwen. Ze kon het niet geloven. Ze had het vermoeden dat haar verbeelding dit allemaal uit pure lust verzon en dat het helemaal niet waar was.

'Is dat zo?' vroeg hij. Opeens besefte ze dat hij haar helemaal in zich opnam, dat hij er net zo naar smachtte als zij.

Hij legde zijn hand in haar nek en trok haar naar zich toe. De adem stokte haar in de keel, verbijsterd dat hij zijn mond op de hare legde. Hij kuste haar. Ze verloor zichzelf in zijn adem en zijn warmte en zijn geur. Ze boog zich zo ver naar voren dat haar ribben tegen de rand van de tafel aan kwamen en haar hart er hard tegenaan bonkte.

Zijn arm raakte het bekertje met whisky en dat viel op de grond. Ze voelde vaag de vloeistof op de grond spatten en een plasje onder haar voet vormen, maar dat kon haar niet schelen. Ze wilde dat de kus zo lang mogelijk duurde, desnoods totdat ze bezweek, maar een eigenaardige sensatie trok door haar heen, een duister voorgevoel. Ze kon het een tijdje naast zich neerleggen, totdat het opeens volledig tot haar doordrong.

Het was een sensatie van voelen en herinneren, de twee botsten op elkaar en breidden zich uit. Het was net een déjà vu, maar dan intenser. Ze was duizelig en opeens bang. Ze deed haar ogen open en trok zich terug. Ze keek hem aan. Er biggelden tranen over haar wangen, maar andere tranen dan daarvoor. 'Wie ben je?' fluisterde ze.

Zijn pupillen verwijdden zich en stelden zich weer scherp. 'Weet je het weer?'

Ze kon niets meer zien. De kamer tolde zo hard om haar heen dat ze haar ogen dicht moest doen, en daar was hij ook, voor haar geestesoog, alsof ze het zich herinnerde. Hij lag in bed, en zij keek op hem neer, en ze was nog nooit zo wanhopig geweest.

Hij greep haar handen beet, merkte ze opeens, en kneep. Toen ze haar ogen weer opendeed keek hij haar zo intens aan dat ze weg wilde kijken. 'Weet je het weer?' Zo te zien wachtte hij al heel zijn leven op het antwoord.

Ze was bang. Er kwam nog een beeld bij haar bovendrijven dat ze niet kon plaatsen. Hij weer, maar dan ergens anders, waar ze nog nooit was geweest. Het leek net of ze klaarwakker was en tegelijkertijd droomde. 'Heb ik je eerder gekend?' Ze was ervan overtuigd dat dat zo was, maar ook dat het niet kon. Ze wist gewoon niet meer waar ze was.

'Ja.' De tranen sprongen hem in de ogen.

Hij trok haar van haar stoel en hield haar stevig vast. Ze voelde iets bonken tegen haar borst en wist niet of dat haar of zijn hart was. 'Jij bent Sophia. Weet je dat?' Haar hoofd lag in zijn nek, en ze merkte dat haar haren vochtig werden.

Als hij haar niet vast had gehouden, was ze misschien wel gevallen. Haar knieën knikten. Ze wist niet meer waar of wie ze was, en ze wist niet meer wat ze zich kon herinneren. Ze vroeg zich af of de whisky als een hallucinerend middel werkte, of dat ze gek aan het worden was.

Ging het zo? Dana had het heerlijk gevonden om zich te laten gaan, maar Lucy vond het vreselijk. Ze zag al voor zich dat een ambulance haar kwam halen. Ze moest opeens aan haar moeder denken.

Ze stapte snel naar achteren. 'Er is iets mis met me,' zei ze in tranen.

Hij wilde haar niet loslaten, maar zag hoe bleek ze was en hoe bang. 'Hoe bedoel je?'

'Ik moet ervandoor.'

'Sophia.' Hij hield haar jurk stevig vast en ze zag dat hij haar niet los zou laten.

'Nee, ik ben Lucy,' zei ze. Was hij gek? Ja. Hij was in de war en dacht dat ze iemand anders was. Hij zat in een of andere psychose. Hij was zo gek dat hij haar ook gek maakte.

Ze had opeens het gevoel dat ze in gevaar verkeerde. Ze hield ontzettend veel van hem, maar hij was gevaarlijk om van te houden. Hij zou niet van haar houden. Hij zou haar meesleuren in de verwarring waarin hij dacht dat ze iemand anders was. En zij wilde hem zo graag geloven dat ze niet meer zou weten wie ze echt was.

'Laat me alsjeblieft los.'

'Maar. Wacht. Sophía. Je weet het nog.'

'Nee, ik weet niets. Je maakt me bang. Ik weet het niet meer. Ik weet niet waar je het over hebt,' bracht ze snikkend uit.

Zijn handen beefden. Ze kon de wanhoop in zijn ogen niet aanzien. 'Kon ik je maar alles vertellen. Wist je het maar. Mag ik het alsjeblieft uitleggen?'

Ze trok zich zo snel terug dat haar jurk aan de voorkant scheurde. Ze keek ernaar en toen naar hem. Hij was verbaasd en keek geschrokken naar de stof die hij nog in zijn handen had.

'O, jezus. Het spijt me.'

Hij drapeerde het vest om haar heen om haar te bedekken. 'Het spijt me heel erg,' zei hij. Hij liet zijn armen waar ze waren. Hij wilde haar niet loslaten. 'Het spijt me heel erg. Ik hou van je. Weet je dat wel?' Hij hield haar vast, drukte zijn gezicht wanhopig in haar haar. 'Ik heb altijd van je gehouden.'

Ze worstelde zichzelf uit zijn greep. Ze stootte tegen de schooltafel aan en die schoof weg. Ze struikelde over stoelen en tassen heen naar de deur toe. Ze wilde niet dat er op die manier van haar gehouden werd. Niet van haar. Zelfs niet door hem.

'Je kent me niet,' zei ze, zonder zich om te draaien. 'Je weet niet eens wie ik ben.'

Ze wist niet hoe ze bij de hoofdingang was gekomen, maar een agent zag haar daar. Ze huilde en kon nergens naar buiten omdat alle deuren op slot waren gedaan. De agent vertelde dat aan haar moeder toen die haar kwam ophalen, maar Lucy kon zich er werkelijk niets van herinneren.

Nadat ze weg was bleef hij heel lang in elkaar gedoken zitten. Hij kon haar nog op zijn lippen proeven en haar tegen zich aan voelen, maar dat leek nu eerder een verwijt. Hij keek naar de drie verlepte bloempjes op de schooltafel waaraan ze had gezeten. Hij hield nog steeds een stukje stof van haar jurk vast.

Hij had alleen nog maar spijt. En een hekel aan zichzelf. Hij durfde zich niet te bewegen omdat hij bang was dat er nog meer scheuren zouden ontstaan en dat alles naar binnen zou sijpelen. Kon hij maar genieten van haar aanraking en geur in plaats van te denken aan zijn mislukking, maar de mislukking had hem in zijn greep. Hij had alles verpest. Hij had haar pijn gedaan en van streek gemaakt. Hoe had hij dat kunnen doen?

Ze wist wie ik was.

Dat was zijn grootste zwakte, de meest verslavende drug voor hem. Hij wilde zo graag dat ze zich hem kon herinneren, dat hij zichzelf alles wijs kon maken. Hij zou alles doen, alles geloven, zich alles verbeelden.

Ze kon het zich herinneren. Ze wist het nog.

Lang nadat iedereen was weggegaan, verliet hij als verdoofd de school. Er waren nog een paar bewakers de rommel aan het opruimen. Niemand kwam op hem af. Zijn mislukkingen waren onzichtbaar en alleen van hem.

Maar niet voor haar.

Hij had het geforceerd. Hij had haar bang gemaakt. Hij had haar overweldigd. Hij had zichzelf beloofd dat niet te doen, maar het was toch gebeurd. Hij had zichzelf zolang in de hand gehouden, maar toen hij zich eenmaal liet gaan, was dat met de terugwerkende kracht van eeuwen. Hij had een hekel aan zichzelf en aan elke intentie en verlangen die hij had gehad. Hij had aan alles wat hij ooit had bedacht of gewild een hekel.

Ik hou van haar. Ik heb haar nodig. Ik heb haar alles gegeven wat ik had. Ik wilde alleen maar dat ze me leerde kennen.

Hij liep door totdat hij alles achter zich had gelaten. Hij kwam bij een stuk land achter het voetbalveld en ging in het natte gras liggen. Hij kon niet doorgaan. Hij kon nergens naartoe, naar niemand toe, er was niets meer om voor te leven. Hij had met zo veel geduld zo lang alles opgebouwd, en in een paar tellen had hij alles verwoest.

Ze is mijn leven en mijn dood.

Dat was ze altijd geweest. En daar had ze een hoge prijs voor moeten betalen.

Hij kon hier niet blijven. In de verte zag hij de zwaailichten van de politiewagens. Hij stond op en zijn rug was nat van het gras. Hij liep de heuvel af, weg van de school. Hij was er klaar mee, zou nooit meer terugkeren, hij zou het verwoest achterlaten, zoals hij alles achterliet. Hij zou de wereld achter zich laten.

Opeens besefte hij dat hij zijn diploma niet bij zich had. Hij zag het voor zich op de lange tafel in de gymzaal liggen, tussen de confetti en de verschrompelde ballonnen. Dat was voor mensen die daar waarde aan hechtten, die het zouden waarderen alsof het hun eerste en laatste was. Hij wist wel beter. Wat maakte die ene nog voor hem uit? Dus daar zou het liggen, met zijn naam er mooi gekalligrafeerd op.

Waarom bleef hij maar doorgaan terwijl ieder ander opnieuw

kon beginnen? Waarom was hij nog hier en ging zij altijd weg? Soms had hij het gevoel dat hij alleen op de wereld was. Hij was anders. Altijd al geweest. Het kwam stom en onecht over dat hij in de gewone wereld wilde leven.

Ik ben haar weer kwijt.

Je zou denken dat iemand die al zolang rondhing als hij, al zo veel had gezien als hij, langetermijnplannen kon maken en geduld kon opbrengen. Maar hij was te opgefokt, te behoeftig. Zij was hier, en hij had zichzelf niet meer in de hand. Hij maakte zichzelf wijs dat ze hem wel zou herkennen als ze hem in de ogen keek, dat de liefde alles zou overwinnen. De whisky had daar ook bij geholpen.

Niemand behalve ikzelf kan het zich herinneren. Die gedachte had hij altijd diep weggestopt, maar dit keer liet hij haar vrij. De eenzaamheid was soms niet te dragen.

Hij liep door de velden naar een tweebaansweg. Hij liep langs de rivier en het was fijn in de buurt te zijn van iets wat ouder was dan hij. De rivier had heel veel herinneringen, maar in tegenstelling tot hem, hield die wijselijk zijn mond. Hij dacht aan de Appomattox-campagne, de Slag om High Bridge. Hoeveel bloed was er wel niet in deze rivier gevloeid? En toch stroomde de rivier door. Hij reinigde zichzelf en vergat wat er was voorgevallen. Maar hoe kon je jezelf reinigen als je niets kon vergeten?

Ik wil dit niet meer. Ik wil haar dit niet meer aandoen. Het moet over zijn.

Hij had verder niemand om voor te blijven. Hij had geen echte familie. In zijn vorige leven had hij het geluk gehad in een fantastisch gezin terecht te komen, en overmoedig had hij hen allemaal opgegeven om op zoek te gaan naar Sophia. Het was niet zo vreemd dat hij in dit leven – een verslaafde moeder die hem nog voor zijn derde verjaardag in de steek liet en een verschrikkelijk pleeggezin – daarvoor moest boeten. De afgelopen twee jaar was hij in zijn eentje geweest en hij had het alleen dankzij hoop overleefd. Hij had goede dingen die hij niet had verdiend opgegeven om bij haar te kunnen zijn, en nu was hij zelfs dat kwijt.

Hoe zou het zijn om niet terug te keren? Dat was een van de weinige ervaringen die hij nog niet had opgedaan. Zou het sterven dan anders zijn? Zou hij dan eindelijk God zien?

Hij ging aan de oever van de rivier zitten, voorzichtig vanwege de koude natte modder, en vroeg zich af waarom je dat soort dingen niet van je af kon schudden. Het maakte niet uit hoe lang je leefde. Net als een ter dood veroordeelde op de klok bleef kijken. De weg die de kleine wijzer aflegde leek nooit binnen de weg van de grote te passen.

Hij pakte een paar modderige stenen van de oever, klein genoeg om in zijn zak te passen. De grote gooide hij blindelings in de rivier waar ze met een holle tik op een rots belandden of het water deden opspatten. Hij stak de stenen en de modder in de zakken van zijn goede broek, en daagde zijn domme autonome hersens uit ertegenin te gaan. Hij stopte een paar scherpe steentjes in zijn borstzak, bijna beschaamd doordat hij zich zo bewust voorbereidde. Zelfs tijdens de meest betekenisvolle momenten blijven je onbenullige dingen opvallen.

Behalve toen je haar kuste.

Dit soort beslissingen paste beter in de toekomst of in het verleden, of in het leven van andere mensen. De weinige hersens die je had zorgden ervoor dat je ten onder ging, en de enige kans om gered te worden bestond uit vergeten. Hij had de pech dat hij zich alles uit zijn vorige levens nog kon herinneren.

Beladen met stenen sjokte hij naar de weg en volgde die naar de brug. De donkere lucht joeg koud en snel over het water. Koplampen doken op en werden aan de overkant van de rivier steeds groter, maar de auto's reden door zonder de brug over te steken. Hij kwam op het hoogste punt aan, ging op de vangrail zitten, met bungelende benen boven het water, en keek naar de rivier terwijl hij zich gek genoeg opeens heel jong voelde. De stenen prikten hem, maar het was net alsof het iemand anders overkwam.

Hij kwam overeind, met de vangrail tussen zijn schoenen. Hij zwaaide met zijn armen om niet te vallen. Waarom wilde hij per se springen en niet vallen, terwijl het toch op hetzelfde neerkwam? Door de luchtvochtigheid was zijn gezicht nat geworden. Er kwam weer een auto langs.

Hij had miljoenen dingen bij zich kunnen hebben, maar hij had een stukje van Lucy's zijdezachte paarse jurk in zijn vuist geklemd en de zure smaak van whisky in zijn mond. Hij zag opnieuw de angstige blik die ze hem toewierp toen ze weg wilde en hij haar niet wilde laten gaan, waarmee hij eeuwen van zorgvuldig gekweekte hoop tenietdeed, maar hij had zichzelf niet tegen kunnen houden.

Door dat besef hervond hij weer zijn evenwicht en hij sprong.

Noord-Afrika, 541

Ooit was ik een volkomen normaal mens, maar dat duurde niet lang. Dat was in mijn eerste leven. De wereld was toen nog nieuw voor me, en ik was nieuw voor mezelf. Dat was ongeveer in het jaar 520, maar helemaal zeker weten doe ik dat niet. Toen hield ik de dingen nog niet zo goed bij. Het is heel lang geleden en ik wist nog niet dat ik het me allemaal zou blijven herinneren.

Ik beschouw het als mijn eerste leven omdat ik me niet kan herinneren dat daarvoor nog iets is geweest. Maar het zou kunnen dat ik ook nog eerdere levens heb gehad. Wie weet, misschien besta ik al sinds voor de jaartelling, en gebeurde er iets in dit leven waardoor mijn eigenaardige geheugen zich ontwikkelde. Het lijkt me sterk, maar het zou kunnen, natuurlijk.

Eerlijk gezegd zijn de allereerste levens wel wat wazig. Ik geloof dat ik een paar keer op jonge leeftijd aan een gewone kinderziekte ben gestorven, maar ik weet niet zeker wanneer dat precies was. Ik kan me nog een paar flarden herinneren, hoge koorts, een bekende hand of stem, maar mijn ziel had nog maar amper kunnen wennen voordat ik weer verderging.

Het valt me zwaar om aan dat eerste leven te denken en er jou over te vertellen. Het was beter geweest als ik in mijn jeugd aan de mazelen of de waterpokken was bezweken.

Vanaf het moment dat ik mijn geheugen ging begrijpen, ben ik anders tegen mijn doen en laten aan gaan kijken. Ik weet dat lijden niet ophoudt met de dood. Dat geldt voor iedereen, of we ons dat nu kunnen herinneren of niet. Maar toen wist ik dat niet. Het kan misschien een verklaring zijn voor bepaalde dingen die ik heb gedaan, maar het pleit me niet vrij.

De eerste keer werd ik geboren ten noorden van de stad die toenter-
tijd Antiochië heette. De eerste onuitwisbare gebeurtenis in mijn
lange geschiedenis was de aardbeving van 526. Ik wist er toen weinig van, maar in de jaren erna heb ik er alles over gelezen wat ik maar
kon vinden en het met mijn eigen ervaring vergeleken. Mijn familie overleefde het, maar vele duizenden mensen zijn omgekomen.
Mijn ouders waren die dag naar de markt gegaan en mijn oudere
broer en ik bleven achter. We waren in de Orontes aan het vissen
toen het begon. Ik weet nog dat ik op mijn knieën viel toen de aarde opeens onder me schokte. Waarom weet ik niet, maar ik stond
op en liep wankelend de rivier in. Ik zie mezelf daar nog staan, het
water kwam tot aan mijn nek terwijl de ene schok na de andere
kwam, en opeens dook ik kopje-onder, mijn ogen wijd open en mijn
armen gestrekt naar beide kanten om mijn evenwicht te bewaren.
Ik strekte me uit totdat ik dreef en draaide me toen op mijn rug zodat ik door het water heen de lucht zag. Het licht boette onder water aan kracht in, en even had ik het gevoel dat ik er iets van begreep.
Ik heb ooit een echte mysticus gekend en ik weet zeker dat ik dat
niet ben, maar heel even stond de tijd stil en ik kon door de mate-
riële wereld heen de eeuwigheid zien. Ik heb er toen niet bij stilgestaan, maar sindsdien heb ik er duizenden keren over gedroomd.

Mijn broer stond te schreeuwen dat ik het water uit moest komen, en toen ik dat niet deed, kwam hij me achterna. Volgens mij
wilde hij me een klap geven en me naar de oever sleuren, maar het
was allemaal zo raar, dat hij een meter of wat van me af bleef staan,
en met een lege blik boven me uitkeek. Ik kwam boven water en
wachtte totdat de oever weer normaal was. En toen het was afgelopen, liepen we terug naar huis, en ik weet nog dat ik verwonderd
naar de grond bleef kijken.

We waren in die tijd trotse onderdanen van Byzantium. Dat we tot
een groot keizerrijk behoorden maakte bij ons thuis weinig uit,
maar het idee op zich veranderde ons. Onze heuvels werden er een
beetje grootser door en ons eten een beetje smakelijker en onze

kinderen wat knapper omdat we voor hen hadden gestreden. De sterke mannen van onze familie vochten, hoewel niet rechtstreeks, onder de beroemde generaal Belisarius. Hij, meer dan ieder ander, gaf ons leven roem en een doel, wat anders nooit het geval was geweest. Een geliefde oom van me sneuvelde tijdens een veldtocht om een opstand van de Berbers in Noord-Afrika neer te slaan. We wisten net genoeg over zijn dood om Noord-Afrika en iedereen die daar woonde te vervloeken. Ik kwam er later achter dat mijn oom waarschijnlijk was neergestoken door een medesoldaat omdat hij diens kip had gestolen, maar dat was dus veel later.

Samen met mijn broer en honderd andere soldaten van het keizerrijk ben ik in een zeilboot de Middellandse Zee overgestoken naar Noord-Afrika. We wilden wraak. Net als zo veel nieuwe zielen was ik in dat leven het beste op mijn plaats als soldaat. Ik volgde bevelen tot op de letter op. Ik twijfelde niet aan mijn meerderen, zelfs niet stiekem. Ik was volkomen toegewijd, bereid om te doden, en bereid om te sterven.

Als je me had gevraagd waarom een of andere Berberstam, die niets met onze cultuur, religie of taal gemeen had, moest sterven of nog een paar jaar bij Byzantium moest horen, dan had ik je dat niet kunnen vertellen. We waren niet de eersten die hen overmeesterden en ook niet de laatsten, maar ik was een jonge man en geloofde in de zaak. Ik hoefde ook niet te weten waarom ik zo graag wilde. Dat was op zich al een reden. En net zo blindelings als ik geloofde dat mijn kant gelijk had, geloofde ik ook in het zwarte hart van de vijand. Dit gaat op voor iedere jonge ziel en geeft aan, hoewel het geen bewijs is, dat het inderdaad mijn eerste leven was. Dat hoop ik maar. Het zou afschuwelijk zijn als ik al die tijd zo stom was gebleven.

In elk leven daarna wist ik al heel snel dat ik anders was. Ik wist dat ik mijn innerlijke leven verborgen moest houden. Ik heb me altijd afzijdig gehouden, en maar heel zelden iets over mezelf verteld. Maar zo was ik niet in het begin.

Ik wilde dolgraag aan de slag als soldaat, maar het leek wel of we weken bezig waren om een kamp voor onze overste op te slaan. We deden alle mogelijke moeite om de Afrikaanse woestijn net zo comfortabel voor hem te maken als zijn huis boven op een heuvel in Thracië. In die tijd stond ik daar niet bij stil. Volgens mij stond ik toen nergens bij stil. Ik kon toen niet bevroeden hoe lang ik de tijd zou hebben om terug te kijken en spijt te hebben.

Zelfs de spannendste plekken zijn over het algemeen saai: oorlog, filmsets, spoedeisende hulp. Dit was de zoveelste oorlog waarin we vaak wat zaten te dobbelen, op te scheppen, dronken werden, en toekeken terwijl de gemeenste dronkenlappen, zoals mijn broer, een vechtpartij uitlokten. Het leek veel op elke andere oorlog waarin ik heb gevochten, inclusief de Eerste Wereldoorlog. De gedenkwaardige gebeurtenissen, wanneer je iemand doodt of zelf wordt gedood, nemen maar heel weinig tijd in beslag.

Eindelijk kregen we onze orders. We moesten op een dagmars afstand een inval op een kamp ten westen van Leptis Magna uitvoeren. Hoe dichter we in de buurt kwamen, hoe duidelijker het werd dat het niet om een legerkamp ging maar om een dorp. In het dorp, werd ons verteld, had het leger zijn kamp opgeslagen.

'Is het een Toeareg-dorp?' vroeg ik bloeddorstig. Die stam hield ik verantwoordelijk voor de dood van mijn oom.

Mijn meerdere wist hoe hij mensen moest motiveren. Hij gaf me het antwoord dat ik wilde horen. 'Maar natuurlijk.'

Ik begaf me in de strijd met een mes en een onaangestoken fakkel. Ik weet nog dat ik het mes tussen mijn tanden had geklemd, maar dat is een emotionele herinnering en geen echte. Ik doe mijn best die zo veel mogelijk buiten te sluiten, maar er zijn uitzonderingen, sommige leuker dan andere.

Als ik mezelf in dat leven bekijk, is dat hoofdzakelijk van buitenaf. Ik heb het gevoel, zonder het besef van mijn geheugen, dat ik het nog niet was. Dat het een gewoon mens was die uiteindelijk ik zou worden, en ik bekijk hem van een afstand. Misschien is dat mijn manier om ermee te leven. Ik zet het slordige, puisterige, onbekwame uiterlijk van die jonge man af tegen de storm van felheid en eigendunk die in mijn hoofd woedde.

Mijn kompanen waren net als ik, jong, laag in rang en vervangbaar. We zagen alles zwart-wit en kwamen al dan niet terug uit de strijd. We verspreidden ons door het dal, klaar voor de oorlog.

Die avond, toen de maan niet scheen, ging ongeveer een kwart van onze troep op zoek naar water. Mijn broer had de leiding over dat groepje, en ik ging met hem mee. We vonden water, maar daarna was de troep in geen velden of wegen meer te bekennen. We liepen met z'n twintigen door de droge struiken. Het was voor mij duidelijk dat mijn broer van zijn stuk was, maar dat wilde hij niet tonen. Hij hield zo veel van macht dat hij er onmiddellijk door werd aangetast.

Hij riep de groep samen. 'We marcheren rechtstreeks door naar het dorp. Ik weet waar het is.'

Hij leek dat inderdaad te weten. De dag brak nog maar nauwelijks aan toen we het dorp in de verte zagen liggen. 'We zijn er als eersten,' riep mijn broer triomfantelijk. We gingen bij elkaar staan om de fakkels aan te steken. Ik zie nog de gretige ogen voor me in de vuurgloed. We wilden er allen deel van uitmaken.

Het dorp was weinig meer dan een schaduwrijke verzameling eenvoudige hutjes met rieten dak. Ik zag de vijandelijke soldaten er al binnenin zitten. Ik hield mijn fakkel bij het droge dak van het eerste het beste hutje dat ik zag. Het riet vatte onmiddellijk vlam. Er ging een golf van voldoening door me heen toen ik het vuur om zich heen zag grijpen. Ik pakte mijn mes om iedereen die me in de weg zou staan neer te steken. Ik ging naar de volgende hut en stak er de brand in. Achter me werd gegild, maar door mijn eigen gebrul en opwinding hoorde ik het amper.

Bij het derde hutje drongen bepaalde geuren door in mijn neus en geluiden penetreerden mijn brein als een stel wormen. Door het vuur leek het net of de dag was aangebroken, maar nu kwam de zon pas echt op. Pal voor me stond een hut. Automatisch ging ik er met mijn fakkel op af en stak ik het dak in brand, maar het vuur verspreidde zich niet zo snel als bij de andere hutten. Ik liep eromheen op zoek naar een betere plek, en struikelde over een strakge-spannen touw. Ik was meteen beducht voor valstrikken, maar toen ik een stap naar achteren deed zag ik dat er kleren aan hingen. De wind nam toe en streek heel even de rook weg, en ik zag een tuin met waslijnen en kleertjes die in de grijze lucht hingen te drogen.

Ik liep weer naar de voorkant van het hutje, in de war en boos over die kleertjes die daar hingen, en op het dak dat wel sputterde maar niet wilde branden. De fakkel die in het donker zo fel had geschenen, zag er in de opkomende zon maar zwak en nep uit. Op-nieuw werd de rook door de wind weggeblazen, en ik zag dat er in veel van de tuinen waslijnen hingen. Hier hielden zich geen solda-ten verborgen, hier werden pompoenen en meloenen geteeld en kleding gedroogd. Een paar tuintjes stonden al in brand.

Ik kon niets beters verzinnen dan de hut in brand te krijgen. Ik verdrukte de verwarring met daden. Ik stak het onderkomen aan de onderkant aan, een goed in elkaar gezet houten skelet. En opeens moest ik denken aan het houten frame voor ons eigen huis waaraan wij zo lang hadden gewerkt. Ik liep snel naar de andere kant en zag een stuk riet uitsteken waar ik de fakkel tegenaan kon houden. Eindelijk brandde het goed, de vlammen knetterden en laaiden op. Ik meende binnen een baby te horen huilen.

Het brandde inderdaad goed. Ik kan niet zeggen of ik me ervoor schaamde of dat ik er trots op was. Ik kon me bijna niet bewegen. Ik kon mezelf maar met moeite uit de verzengende hitte verwijde-ren.

Het hutje was net een hoofd met een woeste bos brandend haar. De twee ramen waren de ogen en de deur was de mond. Tot mijn verbazing zag ik de mond opengaan en iemand verschijnen. Het was een meisje, in een nachthemd.

Als ik eraan denk, zie ik haar afstandelijk, als een vreemde, wat ze toen inderdaad ook was, en niet als het meisje van wie ik hou. Ik pas haar een beetje aan in mijn geheugen, dat weet ik best.

Haar haar was lang en hing los, haar gezicht was naar mij toe gekeerd en had een eigenaardige uitdrukking. Ze wist vast wat ik had gedaan. Ik stond voor haar brandende huis met een fakkel in mijn hand. De fakkel was inmiddels uit. Door die toorts zou haar huis worden vernietigd en hun het leven worden benomen. Ik kon in het hutje de baby horen huilen.

Ik wilde dat het meisje het huis uit ging. Ik wilde dat ze wegvluchtte. Ze was zo mooi. Haar ogen waren groot en groen, met oranje vlammetjes. Ik was in paniek. Wie zou haar helpen?

Ze was niet langer de vijand. Ik was verbijsterd. Ik wilde het vuur doven. Die baby kon wel sterven. Misschien was het haar zusje of broertje. Was haar moeder nog binnen? Je moet haar wakker maken, wilde ik haar toeschreeuwen. Ik help je wel.

Ik scheen niet meer te weten wie zoiets gruwelijks had gedaan, maar dat wist zij wel. Het vuur brulde. De wind geselde de vlammen waardoor ze zich verspreidden. Ze dansten om haar heen.

'Vlucht!' riep ik.

Haar ogen stonden verbaasd en verdrietig, maar niet bang, ze schoten wild heen en weer, net als de mijne. Haar gezicht was rustig en het mijne was vertrokken. Ik zette een stap in haar richting, maar de hitte was te intens. Vlammen kronkelden en spuwden tussen ons in.

Ze keek naar de brandende hutten en tuinen van haar buren en toen naar mij. Ze draaide haar hoofd en keek achterom haar brandende huis in. Ik hoopte dat ze naar buiten zou komen, maar dat deed ze niet. Ik kon me niet voorstellen dat dit haar dood zou worden. Ze ging weer naar binnen.

'Niet doen!' riep ik naar haar.

De mond van de hut was weer verlaten. Een paar seconden later begaf het hutje het, maar het vuur bleef branden.

'Het spijt me,' schreeuwde ik naar haar. 'Het spijt me.' Ik riep de woorden ook in het Aramees, omdat ik dacht dat ze dat zou begrijpen. 'Het spijt me. Het spijt me.'

Als verdoofd marcheerde ik terug naar ons kamp, ik keek alleen lang genoeg op om een dikke rookwolk aan de horizon te kunnen

zien. Ik weet nog vaag dat we de rest van de groep niet waren tegengekomen, en terwijl we dichter bij de rook kwamen, wist ik
waarom dat was. Zonder erbij na te denken liet ik het me ontval-
len.

'Het was het verkeerde dorp,' zei ik.

Alleen mijn broer hoorde me. Hij moet hebben gezien wat ik
had gezien en het ook hebben beseft. 'Dat is niet waar,' zei hij ijskoud.

Op dat moment was ik zo van streek dat ik niet goed kon nadenken. 'Wel waar.'

'Niet waar,' zei hij weer. Hij voelde zich niet schuldig, twijfelde
niet aan zichzelf en had er geen spijt van. Maar hij koesterde wel
wraakgevoelens jegens mij, en daar had ik maar beter rekening mee
kunnen houden. Ik had mijn mond over die avond moeten houden.

Ik heb veel mensen zien sterven en veel akelige dingen gezien. Sommige mijn schuld. Maar ik heb geen onschuldige mensen meer gedood. Ik heb nooit meer zo veel schoonheid vernietigd en ben
nooit meer zo beschaamd geweest. Ik houd afstand, maar als ik er
aan denk, raakt het me diep in mijn ziel, en dat is er in de loop der
tijd niet minder op geworden.

De stank van brandend hout en teer en vlees was zo sterk dat
het volgens mij eeuwig bij me zal blijven. De grijze rook stak in
mijn ogen en heeft mijn zintuigen voorgoed veranderd.

Charlottesville (Virginia), 2006

'Wat ben je toch een twijfelkont, Lucy Links. Kom nu maar.'

'Ik heb al twee nachten niet geslapen,' wierp Lucy tegen. 'Het is hier een zootje. Ik moet echt opruimen.'

Marnie keek rond in hun kleine studentenkamer. 'Je mag niet in je eentje schoonmaken, want dan voel ik me schuldig. We doen het morgen wel. Kom nou. Jackie en Soo-mi staan al beneden. We hebben iets te vieren.'

'En als ik nou niet in de stemming ben om iets te vieren?' Lucy was niet alleen een twijfelkont en linkshandig, ze was ook nog eens bijgelovig en wilde niets vieren voordat ze wist wat haar cijfers waren. 'Stel dat Lawdry erachter komt dat ik mijn paper twee dagen te laat heb ingeleverd?'

Lucy kon niet tegen Marnie op. 'Alsjeblieft, hier zijn je schoenen.' Marnie gooide haar haar teenslippers toe. 'Neem geld mee.'

'Moet ik er ook nog voor betalen terwijl ik het helemaal niet wil?'

'Het is twintig dollar. Je betaalt zo vaak voor iets wat je helemaal niet wilt. De tandarts. De oorlog in Irak. Dode muizen voor Dana's slang.'

'Zo heb ik er al helemaal geen zin meer in.' Lucy pakte haar tas en trok schoenen aan. Niet de slippers die Marnie haar had toegegooid. Ze had nog net de puf voor een beetje verzet.

'Maak je maar geen zorgen over Lawdry. Hij is weg van jou.' Marnie trok de deur open en dirigeerde Lucy naar buiten.

'Welnee.'

'O, toch wel, hoor.'

'Welke auto nemen we?'

'De jouwe.'

'Aha, op die manier.'

Op Route 53 onderweg naar Simeon zakte de zon weg achter het platte dak van een Bed Bath & Beyond. Marnie zette een afschuwelijke rapmix van haar broer Alexander op en draaide het geluid verder open terwijl Jackie en Soo-mi op de achterbank een paar blikjes bier opentrokken. 'Naar wie gaan we ook alweer toe?' vroeg Lucy boven de herrie uit.

'Naar Madame Esmé,' zei Marnie die de met de hand geschreven routeaanwijzingen in de schemerige auto bestudeerde. 'Drie kilometer verderop draai je Bishop Hill in.'

'Willen jullie niet liever nuchter zijn voor een handlezing van twintig dollar bij Madame Esmé?' vroeg Lucy met een blik op Soo-mi in de achteruitkijkspiegel.

Soo-mi stak het blikje Miller Lite omhoog. 'Niet echt.'

'Gaan we er echt naartoe?' vroeg Lucy, die een grindweg in sloeg waar aan weerskanten caravans en roestige overblijfselen van caravans stonden.

Marnie was op zoek naar een adres. 'Zien jullie huisnummers?' vroeg ze. 'We moeten bij 2332 zijn.'

'Volgens mij is het daar.' Lucy knikte naar een antieke stacaravan omringd door een met rozen begroeid latwerk. Hij had wellicht ooit wielen gehad, maar zo te zien ging hij nooit meer op pad. 'Zijn dat echte rozen of namaak?' vroeg ze.

Marnie kneep haar ogen samen. 'Volgens mij echte.'

'Volgens mij namaak,' zei Lucy en ze reed de oprit op.

Madame Esmé verwelkomde hen bij de deur. Ze zag eruit zoals Lucy had verwacht. Een lange groene jurk. Opgestoken haar. Veel rouge. Theatrale gebaren.

'Wie wil eerst?' wilde Madame Esmé weten.

'Marnie, jij hebt dit geregeld, jij gaat eerst,' zei Jackie.

'Jullie kunnen hier zitten.' Madame wees naar een kleine zitkamer annex keuken. Er stond een geverfde houten tafel met vier verschillende stoelen. 'Kom maar mee,' zei ze tegen Marnie.

Ze keken Marnie na, die een slecht verlichte kamer met flakkerende kaarsen binnenging. Madame deed de deur achter zich dicht.

'Waar zijn we mee bezig?' vroeg Lucy, die op een klapstoel ging zitten.

'Alicia Kliner zei dat ze echt fantastisch moet zijn,' fluisterde Soo-mi.

Lucy kon zich niet voorstellen dat er ook maar iets fantastisch aan zou zijn. Haar moeder ging al jaren naar helderzienden toe en vond het elke keer weer verrassend als ze te horen kreeg dat 'je rust vindt bij het water. Boeken geven je energie. Je wordt erdoor gesterkt.' Haar moeder vond polariteit, chakra's, voetmassage en ook heel veel reclameproducten verrassend. Lucy veronderstelde dat zij wat minder snel verrast zou zijn.

Lucy vond het niet erg dat ze pas als laatste bij de fantastische Madame Esmé aan de beurt was, maar had wel moeite met wakker blijven. En al helemaal nadat Marnie met een besmuikte grijns terugkwam en beweerde dat ze niets mocht zeggen totdat iedereen geweest was.

'Joh, toe nou.'

'Nee, het mag echt niet.'

'Wie is er nu belangrijker, Madame Esmé of ik?'

'Hou nu maar op.'

Lucy schudde het hoofd en legde het weer op de tafel.

Eindelijk kwam Madame voor de derde keer de kamer in. 'Jij bent,' zei ze tegen Lucy.

Lucy gaapte en liep naar haar toe. Het was een kleine, donkere kamer met drie brandende kaarsen op een kaarttafeltje. Bij de tafel stonden twee klapstoelen. Terwijl Lucy's ogen wenden aan het donker, zag ze planken met kleding erop. Stapels truien en broeken en een hele lading sokken. Dat had Lucy liever niet willen zien en het ondermijnde ook het vleugje mysterie. Tegen de muur stond een tweepersoonsbed met een kussen erop. Er hing een poster, maar die kon Lucy niet goed zien omdat er een plank voor hing.

Madame Esmé deed de deur dicht en ging zitten. Lucy nam plaats op de stoel tegenover haar. Esmé sloot haar ogen en tilde haar handen op met de palm naar boven. Lucy had geen idee wat de bedoeling was.

'Geef me je handen,' zei Esmé.

Lucy legde opgelaten haar handen in die van Madame. Esmés handen waren warm en verrassend sterk. Door de dikke laag make-up was het moeilijk te zien, maar Lucy had zo het vermoeden dat Madame Esmé niet veel ouder was dan zij. Hoe was ze ermee begonnen? vroeg Lucy zich af. Daar had je toch lef voor nodig.

Esmé sloot haar ogen en wiegde heen en weer. Wat acteren betreft, vond Lucy, kon het er maar net mee door. Dit kreeg je dus voor twintig dollar. Ze onderdrukte een gaap.

Esmé wilde wat zeggen, maar deed het toch maar niet. Ze was erg lang stil. Lucy deed haar best om door de deur haar vriendinnen te horen. 'Ik zie een vlam, rode lichten, veel herrie,' zei Esmé uiteindelijk. 'Kan het een school zijn?'

'Dat weet ik niet,' zei Lucy. Ze wist wel dat ze moe was en chagrijnig, en dat ze geen zin had om te helpen.

'Het lijkt mij een school,' zei Esmé. 'Er lopen een hoop mensen rond, maar jij bent in je eentje.'

Lucy had dit wel verwacht. Je voelt je alleen in een menigte. Je bent verlegener dan mensen denken. De gebruikelijke helderziendenonzin.

Madame Esmés ogen bewogen onder de oogleden, maar toen kwamen ze tot rust. De uitdrukking op haar gezicht veranderde.

'Je bent niet alleen. Hij is bij je.'

'Oké.' Lucy vroeg zich af of dit het romantische deel was.

'Hij heeft op je gewacht. Niet alleen nu, maar al heel lang.'

Esmé was een tijdje stil. De stilte duurde maar en Lucy dacht al dat ze klaar was. Maar toen zei Esmé weer iets, en haar stem was dit keer anders, lager en indringender.

'Je wilde niet naar hem luisteren.'

'Pardon?' zei Lucy beleefd.

'Hij wilde je iets vertellen. Hij had je nodig. Waarom luisterde je niet?' De stem was hoger en klaaglijker geworden.

'Naar wie dan?' Lucy schraapte haar keel. 'Ik heb geen idee waar je het over hebt.'

'Tijdens het feest. Het dansfeest. Zoiets in elk geval. Volgens mij was je bang. Maar toch.' Esmé kneep wat harder in haar handen dan Lucy prettig vond.

Lucy hoefde niet echt te weten waar Esmé het over had. Esmé had geen idee waar Esmé het over had. Ze was alleen maar een visje aan het uitwerpen. Ze zei de gebruikelijke dingen in de hoop dat Lucy zou bijten.

'Je had moeten luisteren.'

'Waarnaar?' Mocht een helderziende wel een mening geven?

'Naar wat hij zei.' Esmés stem werd lager en vreemder. De trance werd geloofwaardiger. Ze was duidelijk opgewarmd. Lucy kreeg opeens de neiging om haar te schoppen. 'Omdat hij van je hield.'

'Wie hield er van me?' Helderzienden noemden nou nooit eens iemand bij naam. Ze wachtten er altijd op totdat jij dat zei.

'Daniel,' zei Esmé.

Lucy schrok overeind. Ze dwong zichzelf adem te halen. 'Wie zei je?'

'Daniel.'

'Oké,' zei ze langzaam. Ze ging verzitten en de stoel kraakte. Wat wist deze vrouw van haar af? Kende ze hen van school of zo? Had Marnie haar misschien iets verteld?

'Daniel wilde dat je het je herinnerde. Hij kuste je en heel even wist je het weer, hè? Maar toen ging je ervandoor.'

Marnie had haar dat niet verteld. Niemand wist het. Lucy werd eerst bang en toen misselijk terwijl ze naarstig naar een logische verklaring zocht. Ze wilde er niet meer over praten. Ze wilde dat het afgelopen was, maar Esmé was nog niet klaar.

'Je zei dat je het zou proberen. Toen je Constance was beloofde je dat je het je zou herinneren, maar je hebt jezelf in de steek gelaten. Je hebt niet eens een poging gewaagd.'

De tranen schoten Lucy in de ogen. Dat was allemaal alweer twee jaar geleden. Ze had het zorgvuldig uit haar geest verbannen. Hoe kon iemand daar nu iets vanaf weten?

'Hij was eenzaam. Dat weet je. En je bent Sophia, zijn grote liefde, en je zei dat je het zou proberen.'

'Wat moet ik me dan herinneren?' vroeg Lucy. Ze herkende haar eigen stem niet eens, zo dun en ijl was die.

'Je moest je hém herinneren,' zei Esmé luid en waardig. 'Je moest je herinneren hoeveel je van hem hield. Hij zei dat hij terug zou komen en jij beloofde dat je je hem zou herinneren.'

Esmés hoofd vibreerde bijna, en hoewel ze Lucy's handen vasthield, had Lucy sterk de indruk dat het meisje ergens anders was.

'In de oorlog. Je hebt voor hem gezorgd. Hij kon geen adem meer halen. Je wist dat hij stervende was. Hij wilde je niet in de steek laten, maar jij zei dat je het niet zou vergeten. Jij vergeet alles en hij weet het nog. Hij vertelde je wat hij was. Hij vertrouwde je. Dat weet je toch?'

Lucy deinsde terug. Ze voelde zich aangevallen. 'Dat weet ik niet.' Dit meisje was door Lucy's verdediging gebroken.

'Je weet wat hij is. Je snapt het ook.'

'Nee, dat weet ik niet. Wat is hij dan?'

'Toe nou. Jij bent Sophia, en hij had je nodig.'

'Hou op! Wie is Sophia? Waarom heb je het toch steeds over haar?' Dat had Daniel ook gedaan. Ze was er bang van geworden en dat gebeurde nu ook weer.

'Dat ben jij.'

'Nee, dat is niet waar. Ik ben Lucy,' zei ze geagiteerd. Ze had eens een film gezien waarin een meisje een gespleten persoonlijkheid had. Zoals Esmé het bracht leek het wel alsof er iemand in Lucy mee zat te luisteren en zelfs reageerde, en de gedachte alleen al bezorgde haar de koude rillingen.

'Nu ben je Lucy. Maar daarvoor.'

'Waarvoor?'

'Ga naar hem op zoek.'

47

'Hoe kan dat nou? Ik heb maar één keer met hem gesproken. Ik ken hem helemaal niet.'

'Je kent hem wel. Je mag niet liegen.'

Lucy trok haar handen weg. 'Hou nu maar op, oké?' Lucy hoorde de tranen van verwarring in haar stem, waarmee ze zichzelf verraadde. Sinds wanneer vertelde een helderziende je wat je moest doen? Ze sloeg haar armen om zich heen. Ze moest zichzelf in de hand houden.

Esmé deed haar ogen open en keek Lucy verrast aan, alsof ze niet had verwacht dat er iemand zou zitten. Ze knipperde een paar keer met haar ogen. Lucy en zij keken elkaar aan alsof ze vreemden waren. 'Je moet naar hem op zoek gaan omdat hij van je houdt,' zei Esmé zachtjes, die langzaam weer terugkwam.

Met Esmés ogen op haar gericht was het nog erger. Lucy wilde de woorden niet horen die ze uitte. Maar ze hoorde ze toch.

'Ik denk zelfs nooit meer aan hem,' zei Lucy, in de hoop dat Esmé erin mee zou gaan en zou vergeten wat er was voorgevallen. Het was voor hen allebei een vreemde situatie, wist ze. En Lucy moest haar ook nog betalen.

Esmé keek haar verwijtend aan. Ze leek niet op iemand van een jaar of twintig met te veel groene oogschaduw, die graag betaald wilde worden. Ze leek eerder op de oudste rechter ter wereld. 'Hoe kun je dat nu zeggen?'

Lucy schudde het hoofd. Ze wilde niet huilen. Kon ze maar net doen alsof ze er niet bang voor was en er niet in geloofde.

'Dat weet ik niet,' zei ze, en dat wist ze inderdaad niet.

Nicaea (Klein-Azië), 552

Ik heb je verteld over het meisje in mijn eerste leven in het dorp in de buurt van Leptis in Noord-Afrika. Mijn tweede leven begon zo'n eenendertig jaar later in een ander gedeelte van Anatolië. Je komt vaak weer in dezelfde buurt terug, weet je. Dit tweede leven verliep oppervlakkig gezien rustig, maar in mijn hoofd was het buitengewoon. Het begon normaal genoeg. Ik wist nog niet wat ik was.

Maar zodra ik kon denken – en me gedachten kon herinneren – kwam het meisje in het hutje met het rieten dak bovendrijven. Ik zag haar in de deuropening staan. Daarna zag ik de vlammen en wist ik weer wat er met haar was gebeurd en wat ik had gedaan.

Elke keer dat ik mijn ogen dichtdeed moest ik aan haar denken. 's Nachts schreeuwde ik. Ik huilde in mijn dromen. Ook overdag moest ik aan haar denken. Ik was waarschijnlijk twee of drie jaar en dus niet oud genoeg om mijn schuld- of schaamtegevoel of de betekenis van de uitdrukking op haar gezicht te begrijpen. Maar elke dag onderging ik die verschrikking, bijna alsof het mezelf was overkomen.

In dat leven had ik een lieve moeder, maar zelfs zij kon er niet meer tegen. Ik leefde in een andere wereld. Ik kon het niet loslaten.

Mijn geheugen is uitzonderlijk, maar er zijn meer mensen die zich nog dingen kunnen herinneren. In Saksen heb ik ooit een jongen gekend die met zijn ouders een paar deuren verderop bij mij in de straat woonde. Toen Karl, die jongen, nog erg klein was kwam zijn moeder een keer met hem langs om iets af te geven of iets te lenen – dat weet ik niet meer – en toen zag hij mijn mes, mijn waardevolste bezit. Ik was toen een jaar of tien, elf, en hij was nog geen drie. Deze kleuter kon amper praten, maar hij liep achter me aan naar de tuin, zo wanhopig graag wilde hij me vertellen dat hij drie keer was neergestoken door een dief, een struikrover, die hem onderweg naar Silezië had overvallen. Ik was verward en hij deed zijn best om het me te laten begrijpen. 'Niet nu, maar daarvoor, toen ik groot was,' bleef hij zeggen, terwijl hij zijn armen omhoog hield om dat aan te geven. 'Toen ik groot was.'

Hij tilde zijn hemd op en hield zijn adem in zodat ik de kartelrand van moedervlekken op zijn borst kon zien. Ik vond het fascinerend en verbijsterend en stelde hem vele vragen. Ik dacht dat hij net zo was als ik. Toen zijn moeder hem kwam halen, zag ze hoe enthousiast hij was en ze wierp me een gelaten blik toe. 'Heeft hij je verteld over de struikrover?' vroeg ze zuchtend.

Niet veel later ging ik daar weg. Ik ging in de leer bij een smid in een dorp een paar kilometer verderop. Het duurde vijf jaar voordat ik Karl weer zag, maar ik had heel vaak aan hem gedacht. Toen ik hem weer ontmoette, vroeg ik hem meteen over de steekpartij. Hij keek me onderzoekend aan, maar herkende me maar vaag.

'De struikrover onderweg naar Silezië,' hielp ik hem herinneren. 'De moedervlekken op je borst.' Dit keer was ik degene die hem moest overtuigen.

Hij keek me aan en schudde het hoofd. 'Heb ik je dat echt verteld?' vroeg hij, voordat hij wegrende om met zijn vrienden te spelen.

Ik ben er ondertussen achter dat het vaker voorkomt dat kleine kinderen zich hun vorige leven kunnen herinneren, en al helemaal als ze op een gewelddadige manier zijn omgekomen. Of misschien willen ze door het geweld eerder hun verhaal kwijt. Normaal gesproken vertellen ze over oude herinneringen zodra ze kunnen praten en gaan er een paar jaar over door. Maar de tijd verstrijkt en hun dood is steeds langer geleden en hun ouders vinden het eng of zijn het gewoon zat. De herinneringen vervagen, en ze denken er niet meer aan. Nieuwe ervaringen komen ervoor in de plaats.

Tegen de tijd dat ze zeven of acht zijn is bijna iedereen het vergeten en gaan ze verder met hun leven.

Dat is allemaal onderzocht, en ik heb dat zorgvuldig gevolgd. Er bestaan hier duizenden interviews en casestudy's over. Maar de wetenschappers staan niet te trappelen om te verklaren wat dit betekent, en geef ze eens ongelijk. Ik weet heel goed dat je mensen er niet zomaar van kunt overtuigen.

Mijn geval was anders. Bij mij werd mijn geheugen in de loop der jaren juist beter en uitgebreider. Hoe ouder ik werd, hoe meer ik me herinnerde, kleine en grote dingen, namen, plaatsen, beelden en geuren. Net alsof de dood een lange slaap was geweest en ik even bij moest komen toen ik wakker werd en dat toen weer alles terugkwam. Het is niet alsof die dingen iemand anders zijn overkomen. Ze zijn mij overkomen. Ik weet nog wat ik zei en hoe ik me voelde. Ik kan me mezelf herinneren.

Tegen de tijd dat ik tien werd, wist ik dat ik anders was, maar ik had het er niet meer over. Ik wist dat ik eerder had geleefd. Ik hoefde er niemand van te overtuigen om dat te weten. Ik vond het eigenlijk jammer dat verder niemand zich dat kon herinneren. Ik vroeg me af of zij vorige levens hadden, of dat ik als enige steeds terugkwam. Ik vroeg me af of ik een vergissing van God was en dat het aan het eind van mijn leven weer recht zou worden gebreid.

Eigenlijk zie ik mezelf nog steeds als een vergissing. Ik zit nog steeds te wachten tot het wordt rechtgebreid.

Elk leven begint min of meer hetzelfde. Mijn geest is een waas van kinderlijke dingen maar opeens zie ik haar weer in de deuropening staan. Ze wordt steeds duidelijker en echter, en dan zie ik de vlammen. Ik doe mijn best niet meer van streek te raken. Ik weet hoe het afloopt en dan denk ik: ik ben er weer. Elk leven begint met haar, mijn eerste zonde. Door haar ken ik mezelf.

Charlottesville, 2006

'Wat heb jij nou?' fluisterde Marnie tegen haar toen ze de caravan uit liepen.

'Niets.' Lucy wilde haar niet aankijken. Ze deed de deur zorgvuldig achter zich dicht, lette erop dat het slot klikte en dat de vreemde lucht achter haar binnenbleef. Jackie en Soo-mi stonden bij de auto.

'Was het echt zo erg? Vertel nou wat ze heeft gezegd.'

'Niets. Het was gewoon allemaal onzin.' Het viel niet mee om tegen Marnie te liegen. Het zou haar niet lukken als ze Marnie aankeek. Ze hield haar hoofd gebogen.

De lucht was betrokken, maar door het raam van de caravan viel er wat licht op de rozen. Ze waren van plastic en slingerden zich om het groezelige witte latwerk, en terwijl ze ernaar keek, zag Lucy dat er ook echte tussen zaten, prachtige roze Celestials die zich tussen de neprozen verdrongen voor zonlicht en ruimte.

'Wat voor onzin? Ben je van streek?'

Marnie wilde niet vervelend zijn. Ze kende Lucy en had door dat ze aangeslagen was. Daardoor was het moeilijker om haar te weren, maar het moest.

'Ik hou blijkbaar van water,' verklaarde Jackie. 'En ik ben zelf mijn beste raadgever.'

'Hé, ik ben zelf mijn beste raadgever,' zei Soo-mi.

Marnie dacht even na. 'Volgens mij ben ik ook zelf mijn beste raadgever.'

'Was dat twintig dollar waard?' vroeg Jackie.

'Misschien niet, maar heb jij een grote voorraad energie?' vroeg Soo-mi.

Jackie lachte. 'Godsamme! Ik heb inderdaad een grote voorraad energie! Hoe bestaat het!'

Marnie keek haar aan, en Lucy besefte dat ze maar beter kon lachen. Of in elk geval glimlachen. Ze deed een poging. 'Wil jij terugrijden?' vroeg ze Marnie.

'Goed.' Marnie pakte de autosleutels van haar over. Marnie vond het goed dat ze zich voorlopig voor haar verborg.

Lucy ging voorin zitten en legde haar warme hoofd tegen het koele glas toen ze wegreden.

'En, Lucy, ben jij ook zelf je beste raadgever?' wilde Soo-mi weten, die doorhad dat ze zich erbuiten had gehouden.

'Nee,' zei Lucy. Ze was zo moe dat ze amper haar hoofd kon optillen. 'Volgens mij niet.'

Lucy glipte Whyburn House uit nadat ze weer terug waren. Ze slenterde over de onverlichte campus. De meeste mensen waren aan het feesten of aan het inpakken. Er waren er zelfs al een paar vertrokken. Sommigen waren waarschijnlijk nog met papers bezig. Ze liep Jefferson Park Avenue in naar de universiteit. Ze liep door het gras naar de tuin die ze het mooist vond en beklom een stenen muurtje dat Thomas Jefferson, een van haar favoriete historische figuren, had gebouwd. Ze snakte naar een briesje of een paar druppels regen. Iets om weer tot zichzelf te komen.

Ze ging met opgetrokken benen op de muur liggen. Ze was moe maar durfde niet te gaan slapen. Daniel kon haar opzoeken in haar dromen, en ze was ervan overtuigd dat hij haar die avond van streek zou maken.

Ik mag niet dromen, hield ze zichzelf voor. Verrassend genoeg werkte dat vaak. Vanaf haar negende toen ze een griezelige film over haaien had gezien, had ze zichzelf op die manier gevrijwaard van nachtmerries. Vanaf haar zestiende, toen ze bezig was met een opdracht over Jane Eyre, had ze voordat ze ging slapen gevraagd of ze door haar dromen ideeën of inzichten kon krijgen. Ook dat lukte soms.

Opnieuw Sophia. Een oorlog. Een ziekenhuis, waar zij voor hem zorgde. Dit soort stukjes informatie lagen diep in haar verborgen, afgescheiden van ervaringen of gesprekken of herinneringen. Het was vreemd dat ze ook buiten haar bestonden.

Was ze gek? Had ze zich alles verbeeld? Madame Esmé had de drie andere meisjes het gebruikelijke verhaaltje verteld. Had ze dat bij Lucy ook gedaan, en had Lucy er iets anders van gemaakt? En toen ze haar geestelijke gezondheid toch al in twijfel trok, vroeg Lucy zich af of Daniel wel echt was. Of was hij een droomfiguur die zij had verzonnen omdat ze zo wanhopig graag een knappe vreemdeling in haar leven had gezien?

Als je denkt dat je gek wordt, betekende dat dan juist dat je niet gek werd? Of niet zo gek? Niet zo gek, vond ze al heel mooi.

Weer terug op haar kamer nam Lucy een douche. Daardoor kon je soms tot jezelf komen.

'Wil je praten?' vroeg Marnie, toen Lucy daarna op de rand van haar bed zat met een handdoek om zich heen.

'Ik zal mijn best doen.' Lucy pulkte de oranje nagellak van haar nagels. Het was leuk om te doen als er twee of drie lagen op zaten, maar bij Lucy was het maar een dun laagje, dus gaf het niet veel voldoening.

'Bestaat Daniel echt?' vroeg Lucy.

'Daniel? Die oude vlam van je?'

'Ja, die.'

'Volgens mij wel.'

'Jij kunt je hem toch nog herinneren?'

'Ik weet nog wel dat je het over hem had.'

'Heb je je nooit afgevraagd wat er met hem gebeurd is?'

'Nee, niet echt. Er werd toen flink geroddeld. Maar ik vond het wel vreemd dat je het na dat laatste feestje nooit meer over hem had.'

Lucy knikte. Ze keek de kamer door. Hoewel dit een andere kamer was dan die ze het jaar ervoor hadden, leek hij er wel veel op. Er stonden grenen meubels in, ze hadden nog dezelfde spreien en kussens en het smerige pluizige kleedje en mokken op de bureaus en de stoelen en overal lag troep. Wel andere boeken, maar op dezelfde plek. Dezelfde spullen van Pink Floyd aan Marnies kant, en aan Lucy's kant dezelfde werkstukken van keramiekles, Sawmills terrarium en dezelfde twee foto's: een van Dana en haarzelf toen ze nog klein waren, voor de botenvijver in New York, en een zwartwitte trouwfoto van haar ouders.

'Nadat je verliefd werd op Thomas Jefferson,' wist Marnie zich weer te herinneren. 'En hoewel hij al heel lang niet meer leeft, heb je eigenlijk veel meer aan hem gehad.'

Lucy kon daar niets tegenin brengen.

'Ik dacht dat je Daniel uiteindelijk uit je hoofd had gezet en door was gegaan met je leven, maar nu besef ik dat er meer achter zat.'

Lucy schudde haar hoofd. 'Ik heb hem die avond ontmoet. Ik heb met hem gesproken.'

'Met hem gesproken?' Marnie was verbaasd. 'Hele zinnen? Heeft hij echt iets gezegd?'

'Ja, heel veel zinnen zelfs. Hij was degene die het meest praatte.'

'Ongelooflijk.' Marnie ging in kleermakerszit op haar bed zitten. Ze legde een kussen op haar schoot. Ze was plotseling niet moe meer. 'Wat zei hij dan?'

Lucy kon het niet opbrengen om het haar allemaal te vertellen. Maar ze moest het toch kwijt. 'Kun je me iets beloven?'

'Dat weet ik niet,' zei Marnie eerlijk.

'Kunnen we het binnen deze muren houden?'

'We zullen zien.'

Lucy zuchtte. 'Hij heeft me gekust.'

'Dat meen je niet.'

'Echt waar. Ik kon het ook niet geloven.' Ze legde haar hand op haar voorhoofd. 'Als ik er weer aan denk vraag ik me af of ik het me wel goed herinner.'

'Zoiets vergeet je toch niet?'

'Nee. Nee. Maar het was zo'n vreemde avond. Het leek net of ik gek aan het worden was. Hij zei dat ik me iets moest herinneren. Hij noemde me steeds Sophia.'

'Misschien wist hij niet wie je was. Was hij dronken?'

'Een beetje wel. Zou kunnen. Ik was zelf ook aangeschoten. En ik bleef mezelf steeds dezelfde vraag stellen: wist hij wie ik was? Op een bepaalde manier was ik daarvan overtuigd. Het leek alsof hij me beter kende dan ikzelf.'

'Hoezo?'

'Nou, het kwam me allemaal zo bekend voor. Bepaalde dingen die hij zei waren dingen waar ik al eens eerder aan had gedacht. Of over had gedroomd.'

'Lucy, ik vind het ongelooflijk dat je me dit niet eerder hebt verteld.'

Lucy schudde het hoofd. 'Ik vond het zo eng. Ik wilde er niet aan denken, en als ik het jou vertelde, dan zou het echt zijn. Ik kreeg die zomer last van paniekaanvallen, weet je dat nog?'

Marnie knikte. 'Had het me maar verteld.'

Lucy pulkte aan haar duimnagel. 'Jij vond dat ik mijn tijd aan hem verspilde. Ik gedroeg me ook vreemd, dat geef ik toe. Maar dit was wel heel erg. Alsof al mijn dromen bij elkaar kwamen en in mijn hoofd ontploften. Ik vraag me nog steeds af of het echt is gebeurd. Zo vreemd was het allemaal. Of hij is gek of ik ben gek.'

'Ik ga voor hem.'

'Weet ik.' Lucy zakte onderuit. Marnie wist haar het vuur na aan de schenen te leggen, maar ze wist ook wanneer ze zich in moest houden. Lucy zat met haar achterhoofd tegen de muur, wat haar gegarandeerd klitten zou bezorgen. 'En nu dan deze Madame Esmé. Ik hoopte echt dat ze nep was.'

'Ik juist niet.'

'Misschien was ze wel nep. Misschien hebben we een grote voorraad energie, en meer ook niet. Dat hoop ik maar. Maar ze heeft mij wat anders verteld.'

'Wat dan?' Marnie keek haar vriendelijk aan. Lucy wist dat ze niet zou aandringen.

'Weer over Sophia. Ze had het over Daniel en over die avond en ze vond het eigenlijk heel erg dat ik niet naar hem heb geluisterd zodat ik hem kon begrijpen.'

'Hoe wist je dat ze het over Daniel had?'

'Omdat ze dat zei.'

'Noemde ze hem bij naam?' Marnie keek een tikje geschokt.

Lucy knikte. 'Dat bedoel ik maar.'

'Dat is hoogst ongebruikelijk. Zou ze hem kennen, denk je?'

Lucy schudde het hoofd. 'Geen idee. Misschien wel.'

'Dat zou wel erg toevallig zijn. Maar dat zou het wel verklaren.'

'Er was nog meer.'

'Wat dan?'

'Ze vertelde me dingen over Daniel die me bekend voorkwamen. Beelden die ik ooit heb gezien of waar ik al heel lang over droom. Zelfs nog voordat ik hem leerde kennen. Zoals dat hij geen adem meer kon halen. Ik zie mezelf voor me terwijl ik me over hem heen buig en weet dat hij stervende is. Dat heb ik nooit aan Daniel verteld.'

Marnie schudde in gedachten langzaam het hoofd. Dit was hun plek, tegenover elkaar in de kleine volle kamer, elk in kleermakerszit op het bed. Dit was de perfecte plek om hun leven te regelen.

'Ze zei dat ik naar hem op zoek moest gaan.'

'Naar Daniel? Hoezo dat?'

'Omdat... hij volgens haar van me houdt.'

'Zei ze dat?'

Lucy knikte. Er ging een steek door haar heen toen ze dat zei, maar geen prettige.

'Jezus, die vrouw gaf mij een hoop energie en jou een dosis cocaïne.'

'Vind je dan dat ik het niet moet doen?'

'Daniel zoeken, bedoel je?' Marnie dacht even na. Ze schudde het hoofd. 'Dat weet ik niet.' Ze stompte op het kussen. 'Wil je dat?'

'Geen idee.'

'Je kijkt zo verdrietig.'

Lucy knikte.

'Je kunt twee dingen doen.'

Lucy knikte weer. Ze durfde het niet aan om nog iets te zeggen. Het was fijn dat Marnie het woord nam.

'Je kunt op zoek gaan naar Daniel en kijken wat er aan de hand is. Of je kunt alles wegstoppen en er niet meer aan denken.'

Lucy hoefde daar niet lang over te piekeren. 'Ik wil het het liefst achter me laten.'

Constantinopel, 584

Mijn derde leven begon en eindigde in de schitterende stad Constantinopel, en hoewel het een arm, hard en kort bestaan was, onderging ik wel een ingrijpende eerste ervaring: ik herkende iemand uit een vorig leven. En dat was natuurlijk het meisje uit Noord-Afrika.

Mensen waren me wel eerder bekend voorgekomen. Ik dacht al dat ik niet de enige was die terugkwam. Er waren bepaalde mensen van wie ik zeker wist dat ik ze had gekend. Een veel jonger broertje deed me vaag denken aan een overleden buurman. Maar ik wist nog niet hoe ik een ziel kon herkennen, ik besefte zelfs niet dat het überhaupt kon.

Ik was ongeveer elf jaar, en ik stond in een groentekraam op de markt bij de Bosporus. Ik was arm. Volgens mij heb ik in dat leven niet één keer schoenen gehad. Een paar kramen verderop was er commotie ontstaan. Ik zag een hele stoet sterke bedienden die een draagstoel droegen. Ik slenterde er nieuwsgierig naartoe. Ik volgde ze op een paar meter afstand. Als ik te dichtbij zou komen, zouden ze me als een kakkerlak wegslaan. Maar ik wilde het zien.

De gordijntjes waren dun en er stond een briesje. Bij elke windvlaag zag ik een knie of een hand of de prachtige stof van een mouw. Het was duidelijk een vrouw. Voor mij was ze een prinses. Dat kon voor mij niet anders.

Op een bepaald moment sloegen de bedienden een hoek om, het gordijntje fladderde, ik zag een hand en toen zag ik iemand naar buiten gluren. Ik wist meteen wie het was. Ik zal wel naar lucht hebben gehapt of een geluid hebben gemaakt, want ze keek me aan. Ze boog haar nek en haar grote donkere ogen keken me rechtstreeks aan. Het was niet echt hetzelfde gezicht, maar het was wel hetzelfde meisje. Dit keer was ze ouder dan ik, waarschijnlijk minstens vijfentwintig.

Ik kan je niet uitleggen hoe ik wist dat zij het was. Ik ben in de loop der jaren erg goed geworden in het herkennen van zielen uit een vorig leven. Maar hoe ik dat doe is voor mij ook een raadsel, dus kan ik het niet goed uitleggen. Ik ben niet de enige die het kan. Het is net als wanneer je iemand kent als ze twintig is en haar weer herkent op haar tachtigste, hoewel in de tussentijd elke cel in haar lichaam is verwisseld. Een computer kan bijna alles, maar iemand op verschillende leeftijden herkennen alleen door te kijken kan hij niet. Maar ons lukt dat wel. Dieren ook.

Wat herkennen we precies? De ziel is een raadselachtig iets. Ook voor mij is de ziel raadselachtig, hoewel ik die van anderen en van mij in de loop der tijd al in honderden verschillende lichamen heb gezien.

Ik kan je wel vertellen dat wat mij betreft een ziel zich toont in ons gezicht en ons lichaam. Stap maar eens in een trein en kijk naar de mensen om je heen. Bestudeer het gezicht van één persoon in het bijzonder. Als ze oud zijn en je ze niet kent, des te beter. Vraag je zelf af wat je over deze persoon weet, en als je jezelf openstelt, zul je ontdekken dat dat nog heel veel is. We schermen ons van nature af van de mensen om ons heen, dus wees gewaarschuwd. Je kunt er erg geprikkeld door worden en je slecht op je gemak voelen als je goed kijkt. In ons leven vereenvoudigen we alles, dus als jij je schild laat zakken, is de complexiteit uiterst verwarrend. Er zijn maar een paar mensen – over het algemeen helers of dichters of mensen die met dieren werken – die zo leven, en dat is bewonderenswaardig en ik mag hen graag, maar zo ben ik niet meer. Ik heb heel veel in mijn leven vereenvoudigd.

Terwijl je iemands gezicht bestudeert, kun je redelijk goed de leeftijd, de achtergrond en de sociale klasse inschatten. Als je blijft kijken en je staat jezelf toe het te zien, zullen allerlei kleine dingen naar boven komen. Twijfels, compromissen en teleurstellingen.

Kleine en grote dingen, die vaak om de ogen merkbaar zijn, maar niet altijd. Hoop is over het algemeen bij de mond te vinden, maar dat gaat ook op voor verbittering en doorzettingsvermogen. Bij de wenkbrauwen kun je het gevoel voor humor ontdekken, net als het vermogen tot zelfbedrog. Let dan ook eens op hoe het hoofd wordt gehouden, hoe de schouders staan, de rug, en dan weet je nog veel meer.

Dit is de verzameling eigenaardigheden van de ziel, en ze komen in elk leven tot uiting. Tegen de tijd dat iemand heel oud is, is ook de ziel in dat lichaam zo versleten dat ze er waarschijnlijk net zo uitziet als toen ze in vorige levens zo oud was. Ze had nauwelijks moeite hoeven doen met een nieuw lichaam. Maar dat betekent niet dat zielen niet veranderen en verbeteren, want dat is wel het geval.

De eerste keer dat je een bekende in een ander lichaam ziet is dat vreemd en eng, maar je went eraan. Al snel ontdek je de plekken waar de ziel zich manifesteert: de ogen natuurlijk, en de handen, de kin, de stem. Het is interessant hoeveel we voor iemand anders achterhouden.

Het was inderdaad eng om de vrouw op de markt bij de Bosporus te zien. Zonder erbij na te denken rende ik naar haar toe. Ik pakte het gordijn met mijn vieze handen beet en trok eraan terwijl ik mee rende. 'Ik... ik... ik was... jij was... ik wil...' Ik had geen idee hoe ik onze band uit moest leggen. 'Weet je wie ik ben?' Omdat ik nog een kind was, maakte ik geen verschil tussen onze ervaringen.

Ik weet niet waarom ik dat zei. Als ik er maar even langer over had nagedacht, had ik niet gewild dat ze zich mij herinnerde.

Ik geloof niet dat ze me begreep. Ik weet zelfs niet meer welke taal ik sprak. Al na een paar tellen greep een van die gespierde bedienden me beet. Ik was een mager scharminkel, en hij pakte me op en gooide me door de straat. Toen liep hij naar me toe en schopte me in mijn ribben en mijn borst.

'Hou op!' riep ze. Ze trok de gordijntjes open.

Hij had zijn voet al uitgehaald en schopte me vol in het gezicht.

'Dat is de vrouw van de magistraat, brutale rat,' snauwde hij tegen me.

Ze kwam, tot de verrassing van haar bedienden, de draagstoel uit. Mensen kwamen eromheen staan. 'Het is nog maar een kind!' zei ze. 'Blijf van hem af.' Ze sprak elegant Grieks.

'Het spijt me,' zei ik, ook in het Grieks. Ze boog zich naar me toe en legde haar hand op mijn wang. Er liep bloed uit mijn neus. Ik was haar zo veel verschuldigd, en zij kon alleen maar van me walgen, maar toch was ze lief tegen me. Ik vroeg me zwakjes af of ik het enigszins goed kon maken.

'Het spijt me,' zei ik opnieuw, in het Oudaramees, dezelfde woorden die ik destijds had gebruikt. Of het haar bekend voorkwam, weet ik niet. Dat hoopte ik wel. Ze zag er verdrietig uit.

'Het spijt me voor jou,' zei ze en ze kwam overeind. 'Breng hem naar het huis van zijn moeder,' beval ze een dienares. Ze verschool zich weer achter de gordijntjes.

Ik had geen huis of moeder meer, dus rende ik bij de dienares weg voordat ze me ook een schop kon geven.

Een jaar lang zat ik elke dag in dezelfde kraam in de hoop dat ze weer langs zou komen. Ik beraamde uitgebreide plannen voor wat ik zou doen als ik haar weer zou zien. Ik wist precies wat ik zou zeggen als ik bij haar in de buurt kon komen. Ik kreeg een baantje in een stalletje er vlakbij, waar ik zware zakken met kruiden moest tillen, en met het geld dat ik verdiende kocht ik kleine schatten voor haar: een sinaasappel, een stukje honingraat. Maar ik heb haar nooit meer gezien. Uiteindelijk stierf ik aan cholera.

Als ik erop terugkijk, zie ik vanaf dat moment een paar dingen die eeuwenlang verkeerd zouden lopen. Dat onze levens niet parallel liepen. Dat ze met iemand anders was getrouwd. Dat ze me was vergeten.

Hoewel ik in elkaar was geslagen, was het toch het mooiste moment van mijn leven, omdat ik haar weer had gezien. Ik vond het zelf ook een raadsel, eerlijk gezegd, en ik ging op zoek naar bepaalde patronen. Ook al was ze maar een waanidee, het was toch een troost. Ze was teruggekomen. Ze had weer geleefd, ook na wat ik haar had aangedaan. Ze was weer mooi. Het ging haar goed. Ik zou haar weer kunnen zien. Niet dat ik haar zou zien, maar het zou kunnen. Op dat moment kreeg ik enig inzicht in de regenererende kracht van het leven.

De gedachte dat er een reden was waarom ik steeds weer opnieuw werd geboren, en waarom ik me alles kon herinneren hield me staande. Ik dacht dat ik daardoor boete kon doen en het goed kon maken. Ik kon toen nog niet bevroeden hoezeer ik ernaast zat.

Mensen hebben het wel eens over hoe belangrijk een eerste indruk is, en geloof me, daar zit iets in. Onze levensweg kan in één ogenblik een andere kant opgaan. Niet alleen jouw levensweg maar ook die van al je levens, van je ziel. Of je je dat nu kunt herinneren of niet. Je denkt dus wel twee keer na voordat je iets doet.

Stel dat ik haar huis niet had afgebrand? Hoe vaak heb ik daar wel niet over nagedacht. Stel dat ik had ingezien dat we verkeerd bezig waren en het een halt had toegeroepen? Stel dat ik mijn best had gedaan haar en haar familie en de rest van het dorp te redden? Ik zou dan zijn gedood, maar wat maakt dat uit? Een paar jaar later stierf ik toch, en ik deed daar niets goeds mee.

Als ik haar had gered in plaats van vermoord, hadden we misschien samen vreedzaam en gelukkig elke keer opnieuw geboren kunnen worden. Ik wil niet beweren dat het zo eenvoudig zou zijn gegaan. Maar sommige zielen horen bij elkaar. Het is ongebruikelijk, maar het gebeurt wel. Bepaalde zielen blijven eeuwig bij elkaar, net als ganzen en kreeften. Dat heb ik een paar keer meegemaakt. Maar daar heb je wel twee sterke geesten voor nodig, en ik was maar in mijn eentje. Dat ik haar weer wilde ontmoeten, was niet voldoende. Zij moest mij ook willen ontmoeten, en zij had reden genoeg om uit mijn buurt te blijven.

De dood is een onkenbare plek, maar in de loop der jaren ben ik er wel iets over te weten gekomen. Mijn bewustzijn na de dood en voor de geboorte is heel anders dan als je gewoon leeft, maar ik heb nog wel wat indrukken en herinneringen aan die perioden. Ik kan niet goed inschatten hoe lang die donkere overgangen duren. Het kan een maand zijn of tien. Of misschien wel negen.

Aangezien ik zo'n lang, vreemd geheugen bezit en ik een van de weinige mensen op aarde ben die na de dood terug zijn gekomen, zie ik het als mijn plicht om na te gaan hoe het werkt en het beter te begrijpen. Ik weet niet zeker wie iets aan deze uitgebreide studie zal hebben, of dat er inderdaad iets nuttigs uit voortkomt, maar ik doe het wel. Iets bijhouden is niet hetzelfde als iets doen, zei mijn oude vriend Ben altijd, net als je je iets herinneren niet hetzelfde is als het meemaken, maar naarmate ik ouder word, lijkt me dat het beste wat ik kan doen, al stelt het weinig voor.

Ik kan je vertellen hoe het is om te sterven in een gemeenschap van zielen. Het is erg troostrijk om andere wezens om je heen te hebben als je tot het besef komt dat je niet meer leeft. Mensen die je hebben gekend en om je hebben gegeven, zijn bij je. Je kunt niet met ze praten of duidelijk met ze communiceren, maar je weet dat je niet alleen bent en dat zij je op de een of andere manier zullen bijstaan. Je kunt op dat moment geen vragen stellen, maar er is een bepaald niveau van weten.

Ik weet ook hoe het is om te sterven in leegte. We gaan allemaal in ons eentje dood, maar dit is iets anders. Je ziet niets dan ledigheid. Je hebt het gevoel dat je rondzwerft en dat het heel lang kan duren. Je snakt, hunkert bijna, naar een ander wezen.

Er is een patroon. Je dood is de weerslag van je leven. Als je sterke en liefdevolle banden in je leven hebt gehad, dan zul je samen zijn met je groep zielen. Je wordt waarschijnlijk weer snel geboren en komt bij je eigen mensen terecht. Jullie zullen zowel geografisch als etnisch gezien bij elkaar wonen. Als jij naar een andere plaats gaat, kom je vaak weer bij je geliefden terecht. Als jouw groep multicultureel is, zul je van ras kunnen veranderen, maar als dat niet het geval is, zul je dat waarschijnlijk niet meemaken.

Als je afstandelijk bent en een mensenhater, egoïstisch of wreed, dan zul je tijdens je leven en je dood alleen zijn. Je sterft in ledigheid en komt terug bij vreemden of soms zelfs bij vijanden. En je blijft alleen en tegendraads, totdat je er eindelijk genoeg van hebt. Het kost veel tijd en het is een hoop werk om een groep te vormen, en al helemaal een perfecte groep. Wat mij betreft is het vormen van een groep zowel een straf als een rehabilitatie. Je komt terug, maar dat duurt wel even. Je blijft net zolang bij vreemden totdat je zelf een soort familie hebt gecreëerd. Dat gebeurt pas als jij dat wilt.

Ik weet niets af van een hemel of een hel, en ik heb nog geen god ontmoet. Maar ik heb bewondering voor hoe alles in elkaar steekt.

Je wil blijft tussen je levens bestaan, maar niet zoals je dat gewend bent. Als je dood bent, stem je volgens mij af op de hoogste frequentie van je wil, en dat geluid hoor je bijna nooit tijdens je leven omdat het word overstemd door de herrie van het leven zelf, door jouw plek in de wereld en de kortetermijngenoegens van je lichaam. Als je dood bent heeft de grimmige tijd je niet meer in zijn greep. Je lei wordt weer schoongeveegd, alles ligt achter je, dus je wil kan zonder vooroordelen handelen. In je hoogste wil ligt besloten dat je je schulden wilt voldoen en jezelf in evenwicht wilt brengen. En hoewel dit evenwicht zeer heilzaam is voor de ziel, is het voor een levend mens niet per se aangenaam of prettig.

Er zijn grenzen aan je wil, natuurlijk, je krijgt niet alles zomaar voor elkaar. Anders zou dit verhaal een stuk korter en een stuk vrolijker zijn, want dan had ik al meteen van Sophia gehouden en had ik haar van mij laten houden. Dan had ik geen duizend jaar op haar hoeven wachten en naar haar hoeven zoeken en haar zo dicht tegen me aan hoeven houden om die eerste ontmoeting achter ons te laten.

Mijn straf bestond er gedeeltelijk uit dat ik haar pas na tweehonderd jaar weer zag. Maar toen het zover was, veranderde dat de rest van mijn bestaan.

Hopewood, 2006

Lucy zat in de achtertuin en rook de zware geur van pas gemaaid gras. Het was bijna zeven uur 's avonds, maar het was zo warm dat ze met haar voeten in een teiltje koud water zat.

Ze was inmiddels volwassen en vergeleken met de mooie tuinen van de universiteit stelde deze tuin weinig voor. Maar toen ze nog klein was, was dit haar eigen sprookjesland geweest. Ze vond het als kind heerlijk om in het gras te graven en met de tuinslang plasjes te maken. Ze zat graag met haar handen in de modder, net als later bij keramiekles. Het was een heerlijk gevoel, en een van haar piepkleine heimelijke genoegens.

In de vijfde klas had ze een moestuin aangelegd en haar eigen komkommers gekweekt, maar de konijnen en de herten kregen ze na de zevende klas te pakken toen ze in juli in Virginia Beach bij Marnie op vakantie was.

Ze had in de negende klas frambozen geplant. Haar moeder had gemopperd over de rottende compost die Lucy had verzameld en over het feit dat de achtertuin helemaal vol stond met stokken. Lucy bemestte inderdaad met gulle hand en ze snoeide nauwelijks bij. Maar die hele lange zomer en herfst hadden ze verse zoete frambozen, en ook nog eens frambozenjam en frambozensaus en de rest van het jaar ingevroren frambozen. 'In de supermarkt kost een half bakje vier dollar en vergeleken met die van ons zit er totaal geen smaak aan,' gaf haar moeder enigszins trots toe.

Op haar zestiende maakte Lucy haar eerste tuinontwerp: hun zwembad. Hun buren links en rechts en achter hen hadden er een gebouwd en haar vader had verklaard dat zij er ook een zouden krijgen. Ze had honderden tekeningen in haar schetsboek gemaakt.

Ze wilde niet zo'n grote lichte turkooizen rechthoek zoals bij de buren. Ze had een klein zwembad ontworpen in de vorm en de kleur van een vijver, met gras en bloemen eromheen. Je zag pas beton als je een blik over de rand wierp. Ze bedacht welke materialen ze nodig had, ging na hoe het met de afwatering zat, hing voor zover mogelijk overal een prijskaartje aan, en had een lijst opgesteld voor het tuincentrum.

Maar het zwembad kwam er maar niet van. Jaar na jaar zat ze haar vader achter de broek, bedolf hem onder nieuwe en verbeterde schetsen totdat ze hem op een avond cheques zag ondertekenen aan de eettafel en besefte dat hij nog steeds Dana's ziekenhuisrekeningen aan het afbetalen was. Daarna begon ze er nooit meer over. Bovendien, zo hield ze zichzelf voor, zou het zwembad nooit zo mooi zijn geworden als ze zich had voorgesteld.

Deze zomer wilde Lucy na school altijd meteen naar huis en naar haar frambozen en haar niet zo bijzondere achtertuin. Ze was al sinds het einde van het semester nerveus, ze sliep weinig en slecht, en schrok steeds wakker door nachtmerries. Ze had haar moeder verteld dat het door de examens kwam. Ze had achtervolgingsdromen, nachtmerries over vuur, over geweld, en verwoestende dromen, waarin vaak de absurde Madame Esmé voorkwam, afgewisseld met Dana. En Daniel was in bijna elke droom aanwezig. Lucy had er pijn door over haar hele lichaam.

Ze had gehoopt dat als ze thuis was ze daardoor gerustgesteld zou worden en zich zou vervelen, zoals normaal gesproken het geval was. Ze dacht dat ze niet meer zou dromen als ze haar dag- en nachtritme aan zou passen. En nu zat ze thuis en waren de examens achter de rug en Madame Esmé heel ver weg, maar de dromen waren er nog steeds. Ze kon haar hersens niet op school achterlaten. Helaas niet. Had dat wel gekund, dan had ze een heerlijke zomervakantie gehad.

De hordeur ging open en ze draaide zich om naar haar moeder. Die had haar roze pakje aan.

'Heb je een bezichtiging gehad?' vroeg Lucy.

'Een open huis op Meadow.'

Lucy zag de zweetplekken onder de mouwen van het roze linnen jasje van haar moeder. 'Hoe ging het?'

'Ik had eten klaargezet en bloemen neergezet en ik heb de rommel daar zelf opgeruimd. Er kwamen vier makelaars opdagen, geen enkele echte koper, en die ellendelingen hadden het lef om alle hapjes op te eten.' Ze bracht het zo theatraal dat Lucy bijna in de lach schoot, maar ze hield zich in.

'Wat erg.'

Haar moeder vond het vreselijk dat ze makelaar was. Ze verkocht liever lingerie bij Victoria's Secret, maar haar vader vond dat niet passend voor iemand die aan Sweet Briar College had gestudeerd. Lucy kreeg altijd de indruk dat haar moeder niet in opstand kon komen tegen haar eigen aangeboren truttigheid, dus deed ze dat voor haar.

'Maar goed.' Ze wierp een blik op Lucy's zomerjurk. 'Ga je weg?'

'Kyle Farmer geeft een feestje.'

'Kyle van het koor?'

'Ja, die.'

'Leuk. Fijn dat je je oude vrienden nog ziet.'

Haar moeder vond het zo prettig dat Lucy dat soort dingen deed, dat Lucy zich schuldig voelde dat het niet vaker gebeurde, of dat ze niet deed alsof het vaker gebeurde. Ze vroeg zich af of ze maar beter met Marnie in Charlottesville had kunnen blijven om haar moeder te sparen. Ze ging zo min mogelijk naar feestjes van mensen met wie ze op de middelbare school had gezeten. Er hing altijd zo'n deprimerende sfeer van onterechte nostalgie. Net als bij te vroege reünies, waarbij niemand nog een baan had of iets had ondernomen. Maar die avond had ze een reden. Brandon Crist kwam ook en hij was de enige op school met wie Daniel enigszins bevriend was geweest.

'Mag ik de auto?' vroeg ze.

Haar moeder knikte, maar niet van harte. 'Je moet deze zomer wel meebetalen aan de benzine, oké?'

'Weet ik. Ik zal hem volgooien. Ik heb vandaag twee sollicitatie-brieven geschreven.'

'Mooi zo.' Haar moeder was tevreden. Ze zat Lucy liever niet ach-ter de broek. Dana had haar zo'n pijn gedaan dat Lucy's tekortko-mingen bijna geschenkjes leken.

Pergamon (Klein-Azië), 773

Ik sla nu een paar levens over en ga naar een van de levens die grote invloed had, mijn zevende namelijk, en dat begon zo rond 754 in Pergamon. Je hebt waarschijnlijk wel eens over Pergamon gehoord. Het was ooit een prachtige stad, maar tegen de tijd dat ik er werd geboren, lagen zijn hoogtijdagen al achter hem. Het was een heerlijke plaats om in op te groeien.

Het staat bekend als een Griekse stad met een gigantische en schitterende akropolis en een uiterst steil theater met tienduizend zitplaatsen. Het werd zonder enig probleem een Romeinse stad toen ze zichzelf zonder slag of stoot in de tweede eeuw voor onze jaartelling overgaven aan het keizerrijk. Er stond een van de grootste bibliotheken op aarde, met ruim tweehonderdduizend boeken. Perkament werd daar ontdekt toen een van de Ptolemaeussen niet langer papyrus uit Egypte exporteerde. Als je de oude geschiedenis kent, dan weet je dat Marcus Antonius Cleopatra deze bibliotheek als bruidsschat gaf.

Een paar van de mooiste dingen in de stad bestonden nog toen ik klein was, hoewel sommige al aan het afbrokkelen waren, en de meeste tempels en altaren vernield waren of tegen die tijd aangepast aan het christendom. Maar de markt bleef bijna hetzelfde.

Toen ik daar woonde kon je vanaf onze drempel de Egeïsche Zee zien. Nu zit er hemelsbreed een vallei van zo'n twintig kilometer tussen. Ik ben er een paar levens geleden naar teruggegaan, toen Duitse archeologen er aan het graven waren, en heb de ruïnes van de oude stad gezien. Ik kende de zuilen. Ik kende de brokstukken op de grond. Ik had ze vroeger aangeraakt. Ik voelde me meer met ze verbonden dan met de meeste mensen. Wij blijven stilstaan terwijl de wereld om ons heen verandert.

Ik ben niet zo nostalgisch meer. Daar heb ik te veel voor meegemaakt. Ik weet dat een langzame verandering het beste is, en dat de gigantische stappen en verliezen te veel voor je kunnen zijn. Mijn huis en elk spoor van mijn leven en mijn familie uit die tijd zijn al lang verdwenen. Maar dat raakte me niet. Wat me wel wat deed was de aanblik van die oude stad, ooit machtig en aan de rand van een handelszee gelegen, die steeds dieper en verder het droge land in was geduwd totdat hij afgesneden was.

In de achtste eeuw stond ik mezelf in mijn jeugd toe om verdriet te hebben over hoeveel pijn het verwoestende heden kon doen en hoe fragiel het verleden was. Het heden is snel voorbij, zeg je waarschijnlijk, en dat is ook zo, maar lieve hemel, het lijkt wel een sloopkogel.

Ik ging bij een afbrokkelend altaar met uitzicht op de zee zitten en deed mijn best onze stad voor me te zien voordat het tij keerde. Het is mooi om geschiedenis als een progressief verhaal te zien, maar toen ik keek naar wat er van Pergamon over was en waar wij mee bezig waren, wist ik gewoon dat het niet waar is.

Het eerste grote voorval in dat leven was dat mijn oudere broer uit mijn eerste leven in Antiochië opdook, ook dit keer als mijn oudere broer. Dat soort dingen gebeurde wel eens, familieleden komen vaker bij elkaar terug. Normaal gesproken blijven mensen samen door liefde, maar de altijd aanwezige wens van de ziel om in evenwicht te zijn en dingen af te ronden, kan er soms toe leiden dat iemand terugkomt om een vroegere kwelling het hoofd te bieden. Al op jonge leeftijd herkende ik deze oudere broer en ik voelde me er niet prettig bij. Alles wat me aan dat brandende dorp in Noord-Afrika deed denken achtervolgde me, maar daar kwam nog bij dat er lang geleden tussen deze oudere broer en mij vijandschap was ontstaan, toen ik een meerdere opbiechtte – en vervolgens ook aan een geestelijke – dat we het verkeerde dorp hadden overvallen. Dat deed ik omdat mijn schuldgevoel me plaagde en niet uit afkeer of wraak, maar mijn broer zag dat geheel anders. Zodra ik hem herkende, ik was twee of drie toen, wist ik dat ik bij hem uit de buurt moest blijven.

Hij heette dit keer Joaquim, en hij geloofde nog steeds heilig in de Beeldenstorm die hij onder Constantijn had gevoerd en waarvoor hij als zeventienjarige zijn huis en familie in Pergamon achter zich had gelaten. Zijn missie was om religieuze beelden te vernielen, kloosters te overvallen en monniken te vernederen. Het is niet zo vreemd dat die prachtige oude kunstwerken er niet meer zijn.

Ik heette toen Kyros. In die periode had ik er moeite mee om steeds weer een andere naam te hebben. In de loop der tijd leerde ik te luisteren naar de naam die ik van mijn ouders had gekregen, maar dacht ik aan mezelf als met die oude naam. Je kunt je niet voorstellen hoe verwarrend dat is. Het is al moeilijk genoeg om je identiteit in één leven en in één lichaam te behouden. Stel je dan eens tientallen levens en tientallen lichamen voor in tientallen plaatsen bij tientallen gezinnen, en dan er tussenin ook nog eens tientallen keren sterven. Zonder mijn naam zou mijn verhaal niet meer dan een lange en willekeurige warboel van herinneringen zijn.

Soms wilde ik de draad van mijn lange leven opgeven. Het was zo moeilijk om het vol te houden, om menselijk te blijven. Ik had het gevoel dat het geheel van verleden en toekomst, oorzaak en gevolg, patronen en verbanden, een grote ingewikkelde kunstgreep was, en dat het alleen door mij in stand bleef. Als ik het opgaf zou ik één grote rauwe chaos van zintuigen worden. Want dat zijn wij uiteindelijk. Voor de rest alleen wat romantiek en verhaaltjes. Maar die verhalen hebben we nodig. Ik wel tenminste.

Tijdens de laatste eeuwwisseling heb ik mezelf een naam gegeven. Welke naam mijn ouders ook hadden verzonnen, ik verzocht hun me Daniel te noemen, de naam die ik helemaal in het begin droeg. Enkelen waren erop tegen, maar uiteindelijk gaven ze stuk voor stuk toe, omdat ik ze eerlijk gezegd ook weinig keuze gaf.

De avond waarover ik je wil vertellen, vond plaats in 773. Ik heb zo veel dingen gezien waarover ik zou kunnen praten. Maar ik wil je deze geschiedenis vertellen, een liefdesverhaal, en ik zal mijn best doen, voor zover dat voor mij mogelijk is, om niet uit te weiden.

Ik kan me die avond nog heel goed herinneren. Mijn vreselijke broer Joaquim kwam na zo'n twee jaar afwezigheid weer thuis. Hij had een paar weken eerder bericht gestuurd dat hij getrouwd was en dat hij met zijn vrouw langs zou komen. Het was bij ons thuis een drukte van jewelste, zoals je je kunt voorstellen. Mijn broer was de oudste zoon van mijn ouders, en hoewel hij een naar mens was, was hij al zo lang weg dat we hem inmiddels in een ander daglicht waren gaan zien.

Mijn oudere broer uitgezonderd, was het een prima gezin. Ik heb er in al die jaren heel wat gehad, en jammer genoeg niet zo vaak goede. Stom genoeg denk ik steeds dat er meer zullen komen en doe ik geen moeite om blij te zijn met wat ik heb. Mijn vader was een vriendelijke, maar wel afstandelijke man, en mijn moeder was een liefhebbende goede ziel, waarschijnlijk zelfs iets te goed voor deze wereld. Het enige waar ik hen van kan beschuldigen, is dat ze verblind waren door liefde, en wie heeft dat nu niet met zijn kinderen? Mijn twee jongere broers, en vooral de jongste, waren zachtaardig en goedgelovig.

In die tijd kon ik ook beter van iemand houden en liet ik ook meer mensen van me houden, die twee zaken horen nu eenmaal bij elkaar. Dat was heel lang geleden. Toen had ik nog niet zo'n lang verleden, en leek het heden veel levendiger en niet, zoals ik het later zag, maar een piepklein onderdeel van alles.

Wij waren thuis niet rijk – mijn vader was slager – maar we hadden het goed en we hadden twee bedienden. Ik weet zeker dat mijn vader op die dag geen vlees op de markt had verkocht. Hij had het gemeste kalf geslacht en verder elk dier waar hij zijn mes in kon steken voor een 'welkom thuis'-feest.

Ik was zowel bang als opgewonden. Ik hoopte dat er die avond een nieuwe, betere versie van mijn broer naar binnen zou stappen, maar ik wist eigenlijk wel dat hij nog steeds dezelfde arrogante sadist zou zijn.

Het huis en de binnenplaats waren versierd alsof de keizer langskwam. Na alle gehaaste voorbereidingen stonden we gespannen te wachten, mijn ouders, mijn jongere broertjes, mijn ooms, mijn grootvader van moeders kant, een paar neven en nichten, de bedienden. Door de verwachtingsvolle spanning konden we niet eten of praten.

Het was niets voor mijn broer om aan te komen als het eten net was bereid, het vlees en de sauzen net klaar waren, en het wachten nog nieuw en prettig was. Hij kwam pas aan als het eten verpieterd was en geklonterd, en men rusteloos en bezorgd was geworden.

Intussen ging het regenen. Ik weet nog dat mijn moeder net deed of er niets aan de hand was, dat ze vrolijk bleef praten. We spraken Grieks. Ik kan me de gesprekken nog bijna woord voor woord voor de geest halen. Ik wil me de oude talen blijven herinneren, maar het is niet genoeg dat ze in mijn hoofd zitten. Je moet in die taal kunnen praten, en dat kan niemand meer tegenwoordig.

Mijn broer kwam niet aan te paard en in vol ornaat, zoals we hadden verwacht, maar te voet, te dun gekleed voor het weer, en hij was chagrijnig. Hij stapte vanuit het donker in de lichtkring van een kaars. Ik keek naar hem en vroeg me af wat er met zijn militaire carrière was gebeurd, maar toen kwam zijn vrouw de kamer binnen. Heel even tilde ze de kap op en zag ik haar gezicht. Ik was mijn broer meteen vergeten. Dit is belangrijk, hier wil ik je even op wijzen.

Nadat ik het meisje uit Noord-Afrika een paar eeuwen lang alleen in mijn herinneringen en dromen had gezien, keek ik nu naar de vrouw van mijn broer en zag haar tot mijn verbazing weer in levenden lijve. Tot op de dag van vandaag is er geen andere ziel die ik zo ogenblikkelijk en sterk herken als die van haar. Hoe oud ze ook is, of wat ze ook is, ze is en blijft zichzelf.

Door de verwarring en de schok en vervolgens door de blijdschap, keek ik haar te lang aan. Mijn broer had verwacht om met een buiging begroet te worden en in plaats daarvan stond ik zijn vrouw aan te gapen. Veel ellende is door mijn houding die avond veroorzaakt.

Het was niet zijn ongenoegen dat uiteindelijk tot mij doordrong, maar dat van haar. Ze was in de war en verlegen door alle aandacht die ik haar schonk. Haar hoofd was gebogen en haar ogen, die de vorige keren dat ik haar had gezien zo veel zekerheid uitstraalden, stonden nu onzeker.

Ik deed net alsof er niets aan de hand was. Ik omhelsde mijn broer. Ik zette een stap naar achteren zodat de rest van de familie hem kon begroeten. Ik zag mijn ouders Sophia, hun nieuwe dochter, in de armen sluiten.

Ik hing die avond in een vreemd waas om haar heen. Niet expres, maar bij alles wat ik deed hield ik haar in de gaten. Ik deed mijn best haar niet te veel aan te kijken.

Ze zag er bedrukt uit. In plaats van wat te eten wierp ze ons, haar nieuwe familie, blikken toe, afgewisseld met blikken op haar echtgenoot. Iedereen genoot van het eten en drinken terwijl zij toekeek. Mijn broer had al een paar bekers wijn op voordat het hem opviel. 'Is het eten niet goed genoeg voor je? Eet wat!' brulde hij tegen haar, en uiteindelijk gaf ze toe.

Die avond lag ik wakker. Ik was ontroerd geweest toen ik haar zag, in de wetenschap dat ze nog leefde en bij me in de buurt was. Het duurde even tot het tot me doordrong, maar het was niet eerlijk dat ze op deze manier was teruggekeerd. Ik wist nog niet dat ik haar op vele manieren lief kon hebben.

Maar toen ik mijn broers stem door de muur heen hoorde, drong het tot me door wat er aan de hand was. Zij was zijn vrouw. Ze hoorde hem toe en niet mij.

Ik was niet jaloers. Toen nog niet in elk geval. Ik was onder de indruk van haar en door de rol die ze in mijn hoofd had gehad. Ik wilde vergeven worden. Ik ging er niet van uit dat ik haar wilde of verdiende. Als mijn broer aardig was geweest tegen haar en ze van hem had gehouden, dan was ik blij voor haar geweest en had ik genoeg gehad aan het feit dat ik af en toe bij haar in de buurt kon zijn. Dat geloof ik echt.

Maar hij was niet aardig. De stem die ik hoorde droop van het venijn.

Ik kon het niet allemaal horen, maar hij noemde haar een hoer. Mijn naam viel ook een paar keer.

De volgende dag kon ik haar amper aankijken; ik schaamde me en voelde me schuldig. Waarom kon ik het nu nooit eens goed doen? Waarom maakte ik het altijd erger voor haar? Maar uiteindelijk keek ik haar toch aan. Zeker, ik zag verdriet in haar ogen, maar ook trots. En toen Joaquim haar aan tafel aansprak, zag ik de walging op haar gezicht. Aan die blik alleen al wist ik dat ze niet zijn vrouw wilde zijn. Zijn macht over haar was beperkt omdat ze niet van hem hield.

Ik ontweek haar een paar dagen om rekening met haar te houden, maar toen ging mijn broer weg. Hij was elke keer weken achtereen afwezig. Hij kwam weer thuis, over het algemeen dronken, als het geld op was. Na verloop van tijd kwam ik erachter dat Sophia net zo vaak de tuin in liep als ik, en ik stond mezelf toe haar een paar haperende woorden toe te voegen, wat er al snel meer werden. Gaandeweg vertelde ze me over haar jeugd in de stad Constantinopel, die mij een sprookjesstad toescheen. Haar vader was meester-metselaar geweest en had diverse kerken gebouwd. Hij had de grote koepel van de Hagia Sophia gerepareerd. Maar haar ouders kwamen om in een brand toen ze negen was, en op haar vijftiende verkocht haar grootmoeder haar aan de hoogste bieder. Mijn broer had toen net een paar vette potten gewonnen bij het kaarten.

Ik was destijds in de leer bij een kunstenaar die de mozaïekvloer voor het doopvont van onze kerk ontwierp. Ik nam Sophia een keer mee en toonde haar het ontwerp. Het duurde een paar weken voordat ik haar het beeldhouwwerk durfde te laten zien dat ik had vervaardigd, en haar een paar gedichten liet lezen die ik op een stuk perkament had geschreven. Dit soort dingen had ik in mijn vorige levens geleerd: verschillende talen, lezen en schrijven, beeldhouwen en ontwerpen. Ik hield het voor de meeste mensen verborgen, omdat zij mijn achtergrond niet kenden en ik het niet kon uitleggen, maar voor haar wilde ik het niet verbergen. We hadden dingen gemeen. Ze hield net zo veel van verhalen en gedichten als ik. Ze kende er veel meer dan ik. Ik liet haar veel van mezelf zien.

Dit was de eerste keer dat ik haar kende en van haar hield. Het was toen nog een onschuldige liefde, dat kan ik je verzekeren. Zelfs in mijn hoofd.

Mijn broer heeft ons nooit zien praten, daar ben ik van overtuigd, maar hij heeft waarschijnlijk over onze vriendschap gehoord. Drie maanden nadat hij haar mee naar huis had genomen, kwam hij dronken en boos thuis. Hij had veel van mijn vaders geld vergokt en was in elkaar geslagen en met de dood bedreigd. Ik hoorde hem door het muurtje heen schreeuwen, maar ik wist dat zijn beledigingen van haar afgleden. Toen hoorde ik iets anders. Een doffe bons tegen de muur en een gil en een gedempte klap en haar gesnik.

Ik kwam mijn bed uit en ging naar hun kamer. Hoewel ik een goed geheugen heb, kan ik me niet meer herinneren hoe ik daar gekomen ben. De deur was waarschijnlijk op slot. Ik weet nog dat er na afloop splinters en stukken hout op de grond lagen. Zij lag op de vloer, haar haar in de war, haar nachtjapon gescheurd en ze had de kleverige glans van bloed en zweet op haar gezicht. Twee eeuwen daarvoor, in de deur van het brandende hutje, had ze me eigenaardig gelaten aangekeken, maar nu zag ik wanhoop.

Ik bleef even staan en zag mijn broeder gehurkt op de grond zitten en me woedende blikken toewerpen. Hij zat me op te wachten, daagde me uit hem te pakken, wilde me in een van zijn spelletjes betrekken. Maar ik lette niet op hem. Zij was degene die belangrijk was voor mij. Ik balde mijn vuist en stompte hem zo hard als ik kon in zijn gezicht. Hij ging tegen de grond. Ik keek toe terwijl hij overeind kwam en stompte hem weer. Ik zie ondanks zijn kwaadheid de verbijsterde blik in zijn ogen nog voor me. Ik was jonger, kleiner, een buitenbeentje, de kunstenaar. Opnieuw gaf ik hem een vuistslag.

Zijn neus en mond bloedden. Hij was nog dronken, gedesoriënteerd, aan het brabbelen en hijgen en sloeg in het wilde weg om zich heen. De woede nam toe, maar het duurde even voor hij op zijn ergst was.

Ik wilde haar vastpakken en troosten, maar wist dat ik het dan alleen maar erger voor haar zou maken. Ze ging zitten, bedekte zich en schoof tegen de muur aan.

Als hij niet zo dronken was geweest en ik niet zo gedreven, had hij me vast en zeker gedood. Dat was het enige wat in mijn voordeel werkte. Ik hield van zijn vrouw en hij niet.

Ik liet hem in zijn eigen bloed en braaksel liggen. Snel pakte ik een paar spullen in. Ik maakte mijn vader wakker en smeekte hem voor haar te zorgen. Ik verliet mijn huis en mijn familie met de gedachte dat als ik weg was, zij veilig zou zijn.

Dat ik met Joaquim had gevochten waar zijn vrouw bij was, was een van de keerpunten van mijn lange bestaan, en ik heb het mezelf sindsdien altijd weer kwalijk genomen. Het was de vonk voor haat en geweld en vijandigheid in vele levens, en ik heb mezelf vaak afgevraagd hoe ik het had kunnen vermijden, zowel voor haar, voor mezelf, als voor hem.

Maar achteraf gezien heb ik het niet bewust gedaan. Zelfs nu het al zo lang geleden is, kan ik me niet voorstellen dat ik anders had kunnen reageren. Het mag dan verkeerd zijn geweest, maar ik zou het zo weer doen.

Hopewood, 2006

Lucy liet zich niet gaan op het feestje. Ze zat gewoon op de bank te wachten op Brandon Crist. Ze had niet eens door dat ze de machtige Melody Sanderson had beledigd, tot haar vriendin Leslie Mills haar er opmerkzaam op maakte.

'Melody beweert dat je niet naar de tap komt omdat je vindt dat je te goed bent voor Hopewood.'

Lucy moest hele lagen kinderachtigheid doorspitten voordat ze er iets van begreep. Misschien klopte het ook wel. 'Pardon?'

'Zij vindt dat alle kinderen die naar die chique scholen in het noorden gaan snobs zijn geworden.'

'In het noorden? Ik zit in Charlottesville.'

'Dat weet ik.'

'Ik heb er gewoon geen zin in om me voor een biertje een weg te banen door de drukte,' zei Lucy.

'Ik zeg het alleen maar, voor het geval je naar hen toe gaat.'

Lucy zat erover te denken dat inderdaad te doen, maar hield zichzelf tegen. Ze kon zich nog herinneren dat ze alle mogelijke moeite deed om bij die meiden in het gevlei te komen. Ze wist ook nog dat haar ouders en zij precies wisten waarom het niet lukte. Maar Melody was al lang niet meer de koningin en dat wist ze waarschijnlijk zelf ook wel.

Toch riep Lucy zichzelf tot de orde en liep ze in plaats daarvan naar de volle keuken. Het was waar dat je niet naar een feestje moest gaan als je geen zin had om aardig te zijn. Toen Brandon eindelijk aankwam, ging ze meteen naar hem toe. Ze besefte dat het vreemd overkwam, maar daar kon ze niets aan doen.

'Ik ben Lucy,' zei ze. 'We hadden samen scheikunde.'

'Dat is zo,' zei hij. 'Ik ken je nog wel.' Hij walste zijn drankje rond in een plastic bekertje.

'Ik wil je wat vragen,' zei ze, meteen ter zake komend. Er zat zo veel gel in zijn haar dat hij waarschijnlijk verwachtte dat Lucy hem uit zou vragen.

'Prima.' Hij trok zijn wenkbrauwen flirtend op.

'Jij kende Daniel Grey, toch?' Het leek roekeloos en zelfs spannend om zijn naam zomaar uit te spreken alsof het gewoon maar een naam was.

Zijn wenkbrauwen zakten. 'Ja. Min of meer. Maar niet zo goed.'

'Weet jij toevallig wat er met hem gebeurd is?'

Brandon leek slecht op zijn gemak. 'Niet echt. Maar je weet wat Mattie Shire en die gozers erover zeiden.'

Lucy hoorde de vlakheid in zijn stem en haar hart bonkte in haar keel. 'Nee, geen idee. Wat zeiden ze dan?'

'Dat was de avond van het laatste feest en het messengevecht. Je weet toch wat er toen gebeurd is?'

'Er is heel veel gebeurd,' zei ze op haar hoede.

Brandon keek naar de mensen in de eetkamer. Hij zag Mattie Shire niet maar wel zijn vriend Alex Flay en hij wenkte hem. 'Jij kent Daniel Grey toch nog wel?'

Alex knikte en keek hem en Lucy aan.

'Was jij niet bij Mattie toen hij hem van de brug af zag springen?'

Lucy keek Brandon met open mond aan. 'Wat zeg je?'

'Ik was er niet bij,' zei Alex. 'Maar Mattie heeft me er wel over verteld. Ik weet niet of Daniel is verdronken of zo.'

Brandon knikte. 'Hij was een erg vreemde gast, moge hij rusten in vrede.'

'Je wilt me toch niet vertellen dat hij dood is?' vroeg Lucy.

Brandon keek Alex aan en die haalde zijn schouders op. 'Geen idee. Mattie dacht van wel. Maar niemand wist het echt zeker. Ik heb er daarna nooit meer iets over gehoord. Iedereen ging wat anders doen.'

'Hij kan toch niet dood zijn,' zei Lucy fel. Ze was hevig verontwaardigd en kon dat niet verbergen. 'Dat zou iedereen toch hebben geweten, anders? Dan had het toch in de krant of zo gestaan?'

Geen van de jongens wilde tegen haar ingaan. Ze waren er niet echt bij betrokken. 'Heel veel mensen wisten ervan,' zei Alex, lichtelijk in de verdediging gedrongen. 'Ik weet niet waar jij toen was, maar Mattie hield het bepaald niet geheim.'

'Bovendien zitten kranten niet echt te wachten op een artikel over zelfmoord,' zei Brandon. 'En al helemaal niet onder tieners.'

Ze draaide zich langzaam om en liep terug naar de bank. Ze ging zitten en keek zonder iets te zien uit het raam en zag Daniels gezicht voor zich zoals hij er die avond had uitgezien. Ze was in de dagen erna erg emotioneel geweest, zo in paniek dat ze het huis niet uit durfde en met niemand wilde praten.

Ze was zich er vaag van bewust dat Brandon en Alex er nog steeds stonden, dat ze zich erg onbeleefd had gedragen en dat haar moeder zich voor haar zou schamen. Brandon zei wat tegen haar, iets in de trant van 'ik dacht dat iedereen het wist', maar haar hersens schenen het niet te kunnen bevatten.

Daniel kon niet dood zijn.

Als verdoofd zocht ze in haar tas naar haar sleutels. Ze liep naar buiten, naar de auto. Ze stapte in en reed weg. Doelloos reed ze door de donkere straten, ondanks haar moeders voortdurende gehamer dat ze moest besparen op de benzinekosten.

Op een gegeven moment was het al laat en donker, en reed ze naar de brug. Ze liet de auto in de berm staan en liep de brug op. Ze keek naar de Appomattox. Dat was vanwege haar vader en grootvader een mythische naam en plaats voor haar. Ze had haar vader een keer gevraagd waarom ze het altijd over de Burgeroorlog hadden, terwijl de noordelingen dat nooit deden. 'Omdat we hebben verloren,' zei hij. 'De overwinningen vergeet je, maar de nederlagen herinner je je.'

Ze legde haar kin op de reling en zag het zwarte water onder haar door stromen. Dit was een rivier vol tragedie, en er kwam er nog een bij. Ze vroeg zich af hoe het zou zijn om te springen.

Onderweg naar Cappadocië, 776

Hoewel ik lang uit Pergamon was weggebleven, had dat Sophia niet veel geholpen. Ik hoorde erover van mijn broertjes en daarna van mijn moeder.

In drie jaar tijd was Joaquim nog agressiever geworden, hoewel dat bijna niet mogelijk leek. Mijn vader overleed, en ik rouwde om hem en miste hem heel erg. Joaquim nam de slagerij over en richtte de winstgevende zaak binnen de kortste keren ten gronde. Tot mijn afschuw ontdekte ik dat hij het huis had verkocht en mijn broertjes, die nog geen tien waren, op straat had gezet. Hij liet zijn vrouw bij mijn moeder achter in een kamer in een herberg terwijl hij lange perioden achtereen wegbleef op de vlucht voor schuldeisers of om zich nog dieper in de nesten te werken. Gelukkig raakte Sophia niet zwanger van hem.

Toen ik het bericht van mijn moeder kreeg, nam ik weer een ingrijpend besluit. Ik leende een paard van iemand en reed zo'n zestig kilometer in de richting van Smyrna naar een verlaten grot waar ik honderd jaar en twee levens geleden voor het laatst was geweest. In al die tijd had het flink gewaaid en waren er veel zandstormen geweest, maar ik kon nog steeds de kleine tekentjes zien die ik op de kalkstenen muren had aangebracht. Zoals ik daar met brandende fakkel in het geheim stond, leek ik wel een grafschender, maar het graf was van mezelf en mijn stoffelijke resten lagen er gelukkig niet in. Ik liep door het gangenstelsel steeds dieper de vochtige aarde in. De tekentjes had ik niet nodig, ik kon me de weg nog herinneren. Tot mijn opluchting zag ik dat de stapel stenen die ik daar had achtergelaten er nog steeds lag. Ik haalde de stenen een voor een weg totdat ik de kleine, grillig gevormde doorgang had onthuld. Ik kroop erdoorheen en besefte dat ik in dit leven een stuk groter was dan toen ik hem had gegraven.

Ik zette de fakkel in de aarden grond van de kamer en keek om me heen. De grotere dingen stonden onder een eeuwenoude laag stof op de grond. Er waren een paar prachtige Griekse amforen bij, een met zwarte figuurtjes erop die de strijdende Achilles uitbeeldde en een met rode figuurtjes die Persephone, de godin van het dodenrijk, moest voorstellen. (De amfora met Achilles erop heb ik in de jaren negentig van de negentiende eeuw aan het archeologisch museum in Athene geschonken, maar de andere heb ik nog.) Er stonden een paar mooie Romeinse standbeelden, sommige zeer oud, en schitterend artistiek bewerkt metaal dat ik van een bedoeienen handelaar had gekocht die beweerde dat ze afkomstig waren uit India en van de Vedische koningen waren geweest. Ook was er een beginnetje voor mijn verzameling veren van zeldzame vogels, een aantal houtsnijwerkjes (de slechtste door mezelf gemaakt), een wonderschone lier waar ik les op had gehad van mijn zeer geduldige vader in Smyrna, en nog een hoop andere spullen.

De kleinere en waardevollere dingen had ik begraven. Ongeveer vijfentwintig centimeter diep lagen er zakken met gouden munten uit Griekenland, Rome, Byzantium en Perzië. In andere zakken zaten edelstenen en wat sieraden. Ik wilde er niet te lang naar kijken. Ik had haast en was ook verdrietig. Maar toen zag ik de gouden trouwring met lazuur, die mijn eerste vrouw Lena had gedragen. Ze was jong gestorven en ik had mijn best gedaan van haar te houden. Ik hield hem een paar tellen vast voordat ik hem weer in de zak stopte.

In mijn vierde leven was ik handelaar geweest. Ik gebruikte mijn ervaring en mijn talenkennis om in het centrum van de winstgevende handelsroutes te komen. Ik wilde rijk worden, en dat lukte me. Gedeeltelijk was dat vanwege mijn pijnlijke en vernederende leven in Constantinopel. Het was vreselijk om honger te hebben, en omdat ik wist dat het anders kon, vond ik het nog erger. Als ik dan toch al mijn herinneringen mee moest sjouwen, moest ik er maar mijn voordeel mee doen. Ik zou op die manier mezelf beschermen als ik op een verkeerde plek werd geboren. In elk leven waarin ik geld verdiende, en dat ging me steeds beter af, legde ik wat opzij voor de levens waarin het me niet zo goed af ging. Ik weet nog dat ik ervan droomde dat het meisje uit Noord-Afrika me zou ontmoeten als ik rijk en machtig was en dat ze me dan graag zou willen leren kennen.

Ik had het geluk tijdens mijn vijfde leven, in Smyrna, in een ontwikkeld gezin met veel goede zakenrelaties geboren te worden. Tijdens mijn jeugd kon ik terugvallen op wat ik in mijn vorige leven had geleerd en zo werd ik een vooraanstaand handelaar. Ik verdiende niet alleen bakken met goud, ik begon ook dingen te verzamelen met het oog op het verleden en de toekomst. Toen heb ik ook de grot gegraven en die heb ik negen levens lang gebruikt voordat de reis ernaartoe te omslachtig werd. In 970 verhuisde ik de hele handel naar de Karpaten.

Ruim duizend jaar later heb ik een gigantische verzameling spullen en munten en toonstukken vergaard, maar het gevoel van macht en de vreugde die ik ooit ervoer omdat ik dat allemaal had, zijn in de loop der tijd beduidend verwaterd. De paar dingen die ik in de afgelopen jaren eraan toe heb gevoegd, hebben relatief gezien weinig waarde. Ik heb stukken weg kunnen geven zonder dat men wist wie ik was, en ik heb het ook aan mezelf nagelaten, want waar ik ook terechtkom, ik weet hoe ik heet. En tegenwoordig, met bankkluizen en rekeningnummers is het allemaal een stuk eenvoudiger geworden.

Die avond in de achtste eeuw legde ik alles in mijn grot weer op zijn plaats en nam ik alleen een zak met redelijk nieuwe gouden munten met me mee. Ik had geld nodig, geen schat. Ik sloeg dingen in, regelde van alles, kocht een prachtig Arabisch ros van een rijke bedoeïen en reed de volgende middag terug naar Pergamon. Daar trof ik Sophia en mijn moeder aan in een kamer in een steegje. Mijn moeder zat in zak en as. Ze deed alle mogelijke moeite om nog van mijn broer te houden; ze kon het niet over haar hart verkrijgen om hem op te geven. Sophia's gezicht was bont en blauw, maar haar trots was nog niet geknakt.

Ik regelde een huisje voor mijn moeder in een schattig dorpje een paar kilometer verderop. Ik gaf haar zo weinig mogelijk contant geld, want ik wist wel waar dat terecht zou komen. Maar ik zorgde ervoor dat ze het naar haar zin had en beloofde haar dat ik terug zou komen met mijn jongere broers.

Die avond ging ik samen met Sophia te paard op weg. Ik genoot ervan dat ze zo dicht tegen me aan zat, maar ik hield me voor dat het daar niet om ging. Als ik haar daar had achtergelaten, was ze vermoord. Mijn moeder noch zij ging er tegenin en ze vroegen me ook niets toen we wegreden. Ze wisten dat dit haar laatste kans was.

De rit door de woestijn samen met Sophia op dat schitterende paard was een van de mooiste gebeurtenissen in al mijn levens. Ik moet toegeven dat ik er zo vaak aan heb gedacht dat ik het me amper nog kan herinneren. Mijn emoties waren zo sterk dat de ware toedracht van die reis vervormd is. Maar, zoals mijn goede vriend Ben zou zeggen, de emoties tijdens die reis waren wel echt.

Na vierenhalve dag waren we ver in Cappadocië doorgedrongen en onderweg hoopte ik dat de afstand langer zou worden en het paard langzamer zou draven. Ik geef toe dat er in die paar dagen wat veranderd was. Wat aanvankelijk een onschuldige en eenvoudige verliefdheid van mijn kant was geweest, werd intenser en ingewikkelder.

De eerste nacht waren we allebei niet op ons gemak. Ik hing een stuk blauwe stof over vier stokken als overdekking voor ons en legde een paar dekens op de grond eronder. Ik kon uitstekend vuur maken en eten koken. Dit had ik in de loop van mijn levens wel geleerd. (Sommige dingen kan ik met mijn hoofd en sommige met mijn handen, en het heeft me veel levens gekost om de beperkingen van de eerste en de waarde van de tweede in te zien.) Maar die avond was het net alsof ik het nog nooit eerder had gedaan. Mijn handen trilden terwijl zij toekeek. Niets kwam me vertrouwd voor.

Met bonkend hart en zo vergenoegd als een moeder keek ik toe terwijl ze rijst, brood, kikkererwten en lamsvlees at. Ze was erg slank en at aanvankelijk heel langzaam. Maar toen ze zich meer ontspande, bleek dat ze een indrukwekkende eetlust had. Ik at nauwelijks van het eten dat ik had meegenomen. Ik wilde dat zij genoeg binnenkreeg.

Elke keer dat ze iets pakte zag ik de blauwe plekken op haar armen. Ze had het er niet over, waardoor ik het nog triester vond.

Op veilige afstand van elkaar gingen we op de dekens liggen. Ik had geen idee wat ik tegen haar moest zeggen. We lagen zo dicht bij elkaar en de omstandigheden waren zo vreemd. Ik wilde geen aanstoot geven. We keken allebei naar de lucht en opeens schoot het me te binnen dat de overdekking de sterren verborg. Dus zonder er echt over te praten, kropen we met onze dekens eronder vandaan en baadden we ons in het sterrenlicht. Nog steeds kijk ik elke avond naar de hemel en ik kan niet echt geloven dat het dezelfde is als toen.

Het was niet de bedoeling dat ze dacht dat ik iets van haar wilde. Ze mocht niet bang zijn voor me. Ik had geen idee hoe dichtbij of hoe ver weg ik van haar moest blijven. Wanneer werd een gesprek te veel moeite? Wanneer duurde de stilte te lang? Wanneer werd aandacht vervelend? Wanneer werd gebrek aan aandacht pijnlijk? Ze moest zich veilig bij me voelen. Ze gaapte en ik piekerde. Ze viel in slaap en ik hield de wacht.

De tweede dag was ik me meer bewust van haar armen om me heen, de druk van elke vinger, haar borst tegen mijn rug. Haar wang en dan weer haar voorhoofd lagen tegen me aan. Ik wachtte zelfs op het puntje van haar neus om me aan te raken terwijl we door de droge bruine heuvels galoppeerden. Maar ik wilde niets van haar. Ik had niets nodig. Ik wilde dat ze zich goed voelde en veilig. Verder niets.

Die avond at ze gretiger en minder gehaast. De blauwe plekken in haar prachtige gezicht werden geel en losten op. Ik kon voelen hoeveel ze van het leven hield, hoe veerkrachtig ze was, en wist dat ze daar op haar lange pad veel plezier van kon hebben. Zoiets nam je elk leven met je mee. Dat zou ze zelf niet beseffen, maar ik zou het wel weten.

Die tweede avond was het een stuk killer, en ik kon niet genoeg hout bij elkaar sprokkelen om het vuur brandend te houden. De dekens waren dik maar niet dik genoeg. Door de kou kon ze maar niet in slaap komen. Ik zag haar rillen en af en toe wegdoezelen. Ik legde mijn deken over haar heen. Door mijn geestdrift, mijn vastberadenheid, bleef ik warm, maar zij rilde nog steeds.

Onbewust kroop ik dichter naar haar toe. Ik wilde niet te ver gaan, maar ik kon haar warmte bieden. Ik ging een paar centimeter van haar af liggen, zodat ze de warmte kon voelen. Dat moet ze in haar slaap gemerkt hebben, want ze bewoog naar me toe. Ik raakte haar niet aan, ook al wilde ik dat nog zo graag. Ik dook onder de dekens bij haar en als een kind sloeg ze haar armen en benen om me heen om warm te worden. Haar blote enkels en voeten lagen tegen mijn kuiten aan, haar rug drukte tegen mijn borst, mijn armen had ik om haar heen geslagen. Ze zuchtte en ik vroeg me af wie ze in haar slaap dacht dat ik was.

Ik durfde me niet te bewegen. Ik was zo blij, en het moment was zo kostbaar. Mijn arm werd gevoelloos, maar ik wilde hem niet onder haar weghalen. Met sommige korte vreugdemomenten moet je soms een hoop eenzame levens mee doen, dat gaat voor mij al helemaal op. Je moet alles zo lang mogelijk laten duren.

Op de derde dag merkte ik dat ze ontspannen op het paard tegen me aan ging zitten, en daar was ik dankbaar voor. Toen we tussen de middag ergens wat aten, morste ze rijst op mijn knie, en glimlachte ze. Van mij mocht ze duizenden dingen op me morsen, wat dan ook: lava, zuur, stenen, als ze er daarna maar om glimlachte.

Die avond kroop ze zonder een woord te zeggen onder de dekens tegen me aan. 'Dank je,' zei ze toen ze in slaap viel met haar haren in mijn nek, haar hoofd onder mijn kin. Mijn armen drukten tegen haar borsten aan en ik voelde haar hart tegen mijn polsslag slaan. Ik hield mijn onderlichaam zo ver mogelijk bij haar vandaan, want een bepaald lichaamsdeel kon zich niet goed inhouden.

In de loop van de avond ben ik toch in slaap gevallen. Ik droomde over oudere versies van mezelf en ik was in de war. Ik was helemaal teruggegaan naar de eerste keer dat ik haar had gezien, het was maar een glimp, maar ik schrok ervan. Toen ik wakker werd, lag ze daar, met haar gezicht pal voor dat van mij. Ik snapte niet precies wat ze daar deed of in welke periode we leefden. Maar door haar te zien vulde mijn hart zich met spijt.

'Het spijt me heel erg,' fluisterde ik.

Ik wist niet of ze wakker was of sliep, maar ze bleek wakker te zijn. 'Waar heb je dan spijt van?' fluisterde ze terug.

'Van wat ik je heb aangedaan.' Ik was duidelijk in de war, want ik nam aan dat ze wist waar ik het over had. De band die ik met haar had was zo sterk, dat ik niet kon bevatten dat ze minder wist dan ik. Het was een vreemd, bedrieglijk moment waarin ik geloofde dat we hetzelfde voelden. Ik heb geen idee waardoor ik dat geloofde. Want als ik één ding wel tot mijn verdriet heb geleerd, is dat niemand hetzelfde heeft meegemaakt als ik.

Ze keek me verbaasd aan. 'Wat heb je gedaan, dan?' Ze kwam overeind. 'Je hebt helemaal niets verkeerd gedaan. Je hebt me beschermd. Dankzij jou leef ik nog. Anders had hij me al vermoord. Je bent zo aardig voor me geweest terwijl het jou zo veel heeft gekost. Ik weet niet waarom je dat hebt gedaan. Je wilt er niets voor terug. Je hebt me nergens om gevraagd. Je hebt je netjes gedragen tegenover mij. Welke man zou dat net zo doen?'

Het was al bijna ochtend en ik was opgewonden, zoals zo vaak 's ochtends vroeg, en had moeite met haar onschuld.

Ik kwam ook overeind om weer helder te worden. Ik wilde het uitleggen, maar wist niet hoeveel ik kon zeggen. 'Ik wilde je beschermen. Ik heb je ook beschermd. Maar lang geleden heb ik je iets aangedaan wat...'

'Heb je mij iets aangedaan?'

'Ja, jou.' Ik kon haar bezorgde blik niet verdragen. 'Niet jou, Sophia, zoals je nu bent. Maar lang daarvoor. In Afrika. Je kunt je

Afrika niet meer herinneren.' Dat was roekeloos van me. Wat verwachtte ik? Dat ze opeens net zo'n geheugen zou hebben als ik?

Ze trok haar wenkbrauwen op, zoals alleen zij dat kon. 'Ik ben nooit in Afrika geweest,' zei ze langzaam.

'Toch wel. Heel lang geleden. En ik...'

'Echt niet.'

Daar zat ze, piepklein onder de gigantische hemel in dat vreemde maanachtige landschap bij Cappadocië, met alleen mij om naar te kijken. Als ik wilde dat ze zich veilig voelde, was ik behoorlijk verkeerd bezig.

'Nee. Dat weet ik. Maar natuurlijk, het was maar een metafoor. Ik bedoelde...'

Hoewel ik vergiffenis wilde, mocht dat niet ten koste van haar gaan. 'Ik bedoelde er niets mee.' Ik haalde mijn schouders op en keek naar het oosten waar de zon onze nacht doorboorde. 'Ik heb een heel vreemd geheugen.' Ik sprak zo zacht dat de woorden waarschijnlijk al vervlogen waren voordat ze ze kon horen. Maar zeker weten deed ik dat niet.

Ze keek me heel lang aan. Ze was onzeker, maar ik kon ook hartelijkheid zien. 'Je bent een goede man, en ik begrijp niets van je.'

'Ik zal het je wel een keer uitleggen,' zei ik.

We kropen weer samen onder de dekens, met ons hoofd naar het oosten. Ze drukte zich stevig tegen me aan zodat het lichaamsdeel waar ik geen macht over had duidelijk voelbaar werd. Ze trok zich niet terug maar draaide haar hoofd om en keek me met een onderzoekende blik aan.

Ik verstopte mijn gezicht in haar nek en zocht met mijn mond naar haar oor. Ik schoof haar rok omhoog en legde mijn handen op haar blote heupen. Ik maakte haar jurk open en kuste haar borsten. Ik trok haar ondergoed uit en kwam met zo veel onderdrukte passie bij haar naar binnen dat je het je nauwelijks voor kunt stellen.

En meer dan een voorstelling kon ik er niet van maken, want meer was het ook niet. Het was een droombeeld en geen herinnering, dat ik tussen mijn echte herinneringen heb geplaatst zodat het bijna waarheid is geworden. Mijn geheugen, zoals ik al heb uitgelegd, staat wel wat afwijkingen toe. Ik wil zo veel mogelijk betrouwbare informatie onthouden, en het gebeurt maar zelden dat mijn emoties sterk genoeg zijn om de feiten te verdraaien. Maar dit keer liet ik mezelf bij haar naar binnen gaan om daar voor altijd te blijven.

Maar dit gebeurde er echt: ze keek me aan en likte onmiskenbaar opgewonden over haar lippen en zei: 'Ik ben de vrouw van je broer.'

'Jij bent de vrouw van mijn broer,' beaamde ik met spijt en teleurgesteld ging ik een paar centimeter van haar af liggen.

Hoe vreselijk mijn broer ook was, hij kon het huwelijk niet ontheiligen. Niet waar het voor stond. Hij trok zich er dan niets van aan, maar hij kon het ook niet ontbinden. Waarschijnlijk was dat omdat wij er wel in geloofden. Daar konden we niets aan doen.

Ik keek haar aandachtig aan, en zij keek mij aan. Een kus, een echte, en dan zou deze reddingsactie een smakeloos geheel worden. Ook al hield ik nog zo veel van haar. Ook al wilde ik het nog zo graag.

Niemand behalve jullie zal het ooit weten, drong mijn onderlichaam aan.

Maar mijn verstand wist wel beter. Wij zouden het weten, en dan zouden de smerige verdenkingen van mijn broer waar zijn, en we zouden ons er altijd van bewust zijn dat wij verkeerd hebben gedaan. Als je zo lang hebt geleefd als ik, is 'altijd' een enorme afstand. Ik wist dat zij er hetzelfde over dacht. Op dat moment was mijn geloof in onze gezamenlijke geest gerechtvaardigd.

Op de laatste volle dag samen reden we langzaam. Een warm windje bedekte ons met zand en grind dat door het zweet op ons bleef plakken, en ik stonk nog erger dan het paard. Tegen de avond zag ik iets half bedolven onder het zand liggen, en ik stapte van het paard af en liep ernaartoe.

Het was een enorm stuk gehamerd koper, zwaar en mooi bewerkt. Ik draaide het om en zag dat het een soort waterbekken was. Het was waarschijnlijk van een handelaar geweest die overvallen was en het had achtergelaten om te vluchten. Het was te zwaar om mee te nemen, maar ik kreeg er wel een inval door. We maakten een omweg van een kilometer of twee naar de plek waar we het laatst water hadden gezien. We vulden al onze kruiken en wijnzakken ermee en gingen terug naar het waterbekken. Ik maakte vuur om het water te verwarmen en zette het waterbekken boven op een heuveltje met prachtig uitzicht op de ondergaande zon die de lucht met oranje en paarse strepen magnifiek in vuur en vlam zette. Het werd kil en het ging schemeren en Sophia keek geamuseerd toe terwijl ik bezig was, maar ik ging door totdat het waterbekken was gevuld met schoon, warm water.

We zijn zo aan modern sanitair gewend dat we het normaal vinden dat we altijd een warm bad kunnen nemen, en zijn vergeten dat het ooit een grote luxe was. Er zat een stuk zeep in mijn zadeltas en dat overhandigde ik haar met een buiging. Als cadeau stelde het niet veel voor, maar het leek me een goed begin voor haar nieuwe leven.

Ik wilde haar alleen laten, maar wilde toch ook zien hoe ze genoot. 'Zal ik weggaan?' vroeg ik haar.

Ze schudde het hoofd. 'Blijf maar.' Ze trok haar jurk en ondergoed zonder gêne of verlegenheid, maar ook zonder enige koketterie uit. Ze zette eerst haar ene been en toen het andere in het waterbekken en rilde van genot.

Ik kan je gelukkig maken, dacht ik.

Ik besefte dat ik naar haar keek terwijl ik wist wat er zou komen. Ik wilde me haar sterker en levendiger herinneren dan wat dan ook. Ik wilde me alles aan haar herinneren zodat ze altijd bij me zou blijven en ik haar elke keer weer kon bovenhalen. Ik keek naar haar voeten, die licht naar binnen stonden, de prachtig afgetekende ribben, en de manier waarop ze haar hoofd naar voren boog. Ik wist dat haar haar en de kleur ervan en haar lichaam de volgende keer anders zouden zijn, maar haar houding zou altijd hetzelfde blijven.

Ze ging liggen en stak haar hoofd in het water. Ze glimlachte toen ze weer boven kwam en haar huid was een tint lichter. Ze ging op haar rug in het bad liggen en het water werd stil en glad rondom haar, en weerspiegelde de kleur van de lucht.

'Kom erbij zitten,' zei ze, en ik nam plaats op een platte rots net even boven haar op de heuvel. Zo kon ik haar goed zien.

Toen ze klaar was gebood ze mij een bad te nemen. Ze keek met bezitterige brutaliteit toe terwijl ik me uitkleedde, en boende vaardig mijn rug. Ik stak mijn hoofd in het water en toen was er alleen nog stilte en haar handen. Dit soort momenten waren parels aan een ketting, de ene mooier en nog perfecter dan de andere.

'Zat je maar bij me in het bad,' zei ik.

Ze keek me lang en aandachtig aan. 'Er zijn zo veel dingen die ik ook zou willen.'

'Ooit zullen we samen in bad zitten,' zei ik met een tevreden zucht.

'Is dat zo?'

'Ja. Ooit zul je vrij zijn. Dan kom ik naar je toe en dan zullen we gelukkig zijn, net als nu.'

De tranen sprongen haar in de ogen en haar vingers zaten onder de zeepbellen. 'Hoe weet je dat nou?'

'Het kan een tijd duren, misschien wel langer dan je je kunt voorstellen, maar ooit zal het gebeuren.'

'Beloof je dat?'

Ik keek haar aan en nam opnieuw een ingrijpende beslissing. 'Ja, dat beloof ik.'

Toen ik schoon was, waste ze onze kleren en legde ze op het zand om te drogen. We konden niet anders dan bloot onder de dekens kruipen en tegen elkaar aan liggen tot de zon opkwam en onze kleren opgedroogd waren.

We aten het eten op en reden weg van onze dagdroom naar het dorp waar ze haar nieuwe leven zou beginnen.

Ik durfde haar geen kus te geven toen we naakt onder de dekens lagen en verteerd werden door lust. Ik wachtte ermee tot we in de verte het stoffige dorpje konden ontwaren, toen hield ik het paard in en trok ik haar eraf. Ik hield haar heel lang in mijn armen. Het was zelfs toen niet mijn bedoeling haar te kussen. Ik voelde me verplicht haar huwelijkstrouw niet te schenden. Maar toen zag ik dat ze beter gediend was met een zoen.

Het was een veel triestere en ernstige kus dan hij een paar uur eerder zou zijn geweest. Ik genoot nog een keer van haar lichaam tegen het mijne omdat ik wist wat er zou gebeuren. Ik wist wat ik had genomen. Ik wist wat ik zou behouden, en ik wist ook welke prijs ik daarvoor moest betalen.

Ik liet Sophia in het piepkleine dorp achter waarvan de huizen tegen de heuvels aan waren gebouwd. Ze trok in bij een oudere vrouw, een weduwe, die maar al te blij was Sophia in haar huis op te nemen en net te doen of ze haar nichtje was. Ik kende deze vrouw omdat ze ooit mijn moeder was geweest. Ik wist dat ze betrouwbaar was. Ik gaf Sophia wat geld en hoopte dat haar nieuwe identiteit haar zou beschermen.

'Tot ziens,' zei ze tegen me. Ze keek me berustend aan, maar ik zag de tranen in haar ogen.

Ik knikte vurig, hoewel ik het op een andere manier bedoelde dan zij.

'Je komt hier vast wel terug.'

'Dat beloof ik.'

Ongeveer een week later was ik weer in Pergamon. Dat was misschien niet slim, maar ik kon niet anders. Ik wilde niet weer ergens anders naartoe gaan. Ik wilde niet weer iemand anders worden. Dat kon altijd nog. Ik had mijn moeder beloofd dat ik terug zou komen, en ik hield woord. Ik spoorde mijn broertjes op. Zij trokken bij mijn moeder in het kleine huisje in. Ik gaf ieder van hen wat geld en een paar spullen die ze goed konden verstoppen en niet gemakkelijk gestolen konden worden. Ik deed dat alles, achteraf gezien, alsof dat mijn laatste daad zou zijn.

Toen ik de derde avond het huisje van mijn moeder verliet, werd ik door mijn broer aangevallen. Dat verbaasde me niet. Het zou me juist verrast hebben als ik hem niet had gezien terwijl hij me een donker steegje in volgde. Het ging allemaal erg snel.

Ik was voorbereid op een gevecht van man tegen man, maar hij was daar te boos en te min voor. Hij sloeg me van achteren neer. Stak me met een mes in mijn rug en in mijn nek en zo stierf ik een pijnlijke dood.

Al stervende vond ik het einde van dat leven moeizamer dan ik had verwacht. Ik hoopte dat mijn moeder er nooit achter zou komen wat er met me was gebeurd. Ik dacht dat ik bereid was te sterven, maar dat was niet zo. Terwijl ik dood lag te bloeden, snapte ik pas wat ik allemaal opgaf. Niet alleen Sophia en mijn familieleden, maar ook mezelf. Ik zou niet meer de man zijn die ze vertrouwde en van wie ze hield.

Ik had nog nooit zo veel op moeten geven. Ik had nog nooit zo'n leven of dood gehad. Hoewel ik haar hartstochtelijk graag weer wilde zien, hoopte ik ergens ook dat het eindelijk afgelopen zou zijn.

Maar dat was uiteraard niet het geval. Zoals Winston Churchill het verwoordde, was dat het einde van het begin. Ik ging terug naar dat dorpje in Cappadocië om haar te zoeken. Maar ik was toen elf en reisde er vanaf de Kaukasus helemaal alleen naartoe.

Ik was erg blij dat ze er nog was. De weduwe was inmiddels gestorven, maar Sophia was veilig. Ze was zo aardig me in haar huisje uit te nodigen en gaf me thee en brood met honing. Zo te zien was er geen man of kind in haar leven, maar overal in het huis hingen en lagen schitterende kleden. Ik wist dat zij ze had geweven. Ik herkende onze gezamenlijke ervaringen in de bloeiende bomen in de tuin in Pergamon en het prachtige Arabische ros, waarop we naar dit dorp waren gereden.

Ze zat tegenover me aan de kleine houten tafel. Door het kaarslicht en de kleden leek het wel of we in een sieradendoos zaten. Ik was bij haar en keek naar haar, maar ik was een vreemde wat haar betrof, en ik miste haar heel erg. Ik zag haar zoals ik vroeger was en had de gevoelens die ik vroeger had, en mijn kinderlijke lichaam wist daar geen raad mee. Zelden heb ik zo'n verwarrend verschil tussen geheugen en lichaam gemerkt als toen. Ik weet niet wat ik van haar wilde. Ze was dezelfde vrouw, maar ik was anders.

Ze wilde natuurlijk meer van mij weten, en toen ik haar dat vertelde kon ik zien dat ze onder de indruk was.

'Hoe komt het dat je mijn taal spreekt?' vroeg ze verbaasd.

'Dat heb ik onderweg opgepikt,' zei ik, maar dat leek ze niet echt te geloven.

Ik wilde haar wel meer vertellen, maar dat kon ik niet. Niemand zou het begrijpen. Dat wist ik. Ze zou overstuur raken en afstand van me nemen, en ik wilde juist dicht bij haar zijn, net als vroeger.

Ze zei dat ik kon blijven slapen en de volgende dag verder kon reizen. Ze legde een deken voor me op de grond, en die was dezelfde waar we samen onder hadden gelegen toen ik ouder was en zij jonger en zij de vrouw van mijn broer was. Ik had moeite met hoe de deken rook.

Ze kwam op de strozak bij me zitten en masseerde liefdevol mijn rug, bijna alsof ze het zich kon herinneren. Maar ik was pas elf en eenzaam en had te veel herinneringen, dus ik verstopte huilend mijn hoofd in mijn armen in de hoop dat ze het niet zou merken.

Toen ik in het ochtendlicht opkeek zag ik een oud stuk perkament aan de muur geprikt. Het was de tekening van het doopvont die ik ooit voor haar had gemaakt. De hof van Eden en de appelboom en natuurlijk de slang.

'Wie heeft dat getekend?' vroeg ik haar terwijl ik er naar wees. Ze had me vergast op een ontbijt waar ze ongetwijfeld bijna haar hele voorraad voor had aangesproken. Ik had er een hekel aan naar de bekende weg te vragen, maar kon er niets aan doen.

Ze keek peinzend naar de schets. 'Een man die ik ooit heb gekend,' zei ze met neergeslagen ogen.

'Waar is hij nu?'

Ze schudde haar hoofd en haar gezicht betrok. Ze pakte haar kin beet zodat hij niet zou trillen.

'Dat weet ik niet. Hij zei dat hij terug zou komen, maar ik weet bijna zeker dat hij is vermoord.' Het verdriet in haar ogen kon ik bijna niet verdragen.

'Hij komt vast weer terug,' zei ik met een snik.

Ze schudde opnieuw het hoofd. 'Ik denk niet dat ik nog langer kan wachten.'

Ik wist wat ik had gedaan en ik schaamde me ervoor. Ik had haar valse hoop geschonken. Ze had in me geloofd en ik had haar vertrouwen beschaamd. Ze kon niet net als ik het geheel zien. Het was egoïstisch van me geweest haar iets te beloven wat zij niet kon zien.

'Hij is je vast niet vergeten. Hij komt naar je toe, maar dat duurt wellicht langer dan je verwachtte.'

Ze keek me bevreemd aan. 'Dat heeft hij ook gezegd.'

Op mijn negentiende ging ik nog een keer terug naar Sophia's dorp. Ik wilde zo graag Sophia laten zien wie ik was, en dat ik echt weer terug was gekomen zoals ik had toegezegd. Ik wilde de rest van mijn leven bij haar zijn. Ik was bereid al haar twijfels en tegenwerpingen te weerleggen. Ik repeteerde zinnen om haar ervan te overtuigen dat het verschil in leeftijd er niet toe deed. Jarenlang dacht ik erover na en droomde ik van alle vrijpartijen die daarop zouden volgen.

Maar toen ik er aankwam was de steile heuvel hier en daar zwart geblakerd en stond er een nieuw groot huis waar ooit haar kleine huisje had gestaan. Zowat het hele dorp bestond uit nieuwe huizen en het was bijna onherkenbaar veranderd. Ik ging naar de priester in zijn stenen kerk, een van de weinige bekende bouwwerken die er nog waren.

'Er is een vreselijke brand geweest,' legde hij uit.

Het kostte me moeite te luisteren toen hij vertelde dat de meeste mensen hun huis waren kwijtgeraakt en het halve dorp was omgekomen.

'En Sophia?' vroeg ik.

Hij schudde het hoofd.

Ik liep terug naar waar haar huis had gestaan en zag de nieuwe bewoners. 'Was er nog iets over na de brand?' vroeg ik hen wanhopig.

Maar de brand had alles verwoest. Doelloos ging ik naar de woestijn en ik legde de route die ik samen met haar vanaf Pergamon had genomen in tegengestelde richting af, maar dit keer te voet. Het gewicht van mijn geheugen drukte zwaar op me. Ze was er niet meer en alles wat ze had aangeraakt was weg. Haar kleden, de deken, mijn tekeningen. Alles was spoorloos verdwenen. Nu moest ik het in mijn geheugen meenemen of het eeuwig achter me laten.

Arlington (Virginia), 2006

Daniel was moe. Zo moe dat hij zijn ziekenhuiskleding niet eens uittrok maar aangekleed en wel op bed plofte. Hij had net een dienst van drie dagen achter elkaar gedraaid en had bij elkaar maar zo'n veertig minuten geslapen, in een stoel met zijn hoofd op de tafel en een tv die een paar decimeter verderop keihard een quiz uitzond. Er waren regels voor hoe lang iemand in opleiding mocht werken, maar daar lette het ziekenhuis niet erg op.

Hij zeurde er niet over. Hij was liever in het ziekenhuis dan thuis. Hij hield van oudere mensen en van veteranen en omdat hij zich toelegde op geriatrie, waren dat de mensen met wie hij de meeste tijd doorbracht.

Thuis was momenteel een tweekamerappartement in Arlington, met uitzicht op het parkeerterrein. Hij had altijd gedacht dat hij een echt huis zou hebben in een mooie plaats. Hij had er het geld voor. Maar hij zat elke keer weer in waardeloze onderkomens die hij per maand huurde. Dit had een echt fornuis, maar dat had hij nog niet gebruikt. Er zaten drie kasten in, maar twee ervan waren leeg. Er stond een grote plasma-tv met een kabelaansluiting waarop hij praktisch elke football-, basketbal-, softbal- en hockeywedstrijd die er maar gespeeld werd kon bekijken. Ook andere sporten, maar die vond hij minder interessant. Behalve dan als midden in de nacht de Australian Open tenniswedstrijden begonnen.

Hij had deze keer maar het hele *college* overgeslagen. En ook de twee eerste jaren van de studie geneeskunde. Hij had documenten vervalst voor beide toen hij in het derde jaar naar George Washington werd 'overgeplaatst'. Dat was ongeveer een maand nadat hij zich in de Appomattox had willen verdrinken, wat niet was gelukt. Hij moest wel doorgaan. Hij zou te veel kwijtraken als hij doodging.

Het ziekenhuis was blij met hem geweest. Merkwaardig waar je allemaal mee weg kon komen als je maar brutaal genoeg was. Maar hij had het niet gedaan als hij er niet klaar voor was geweest.

Hij was zowel in de Verenigde Staten als in Europa al diverse keren afgestudeerd. Hij had al een paar maal een medische opleiding gevolgd. Tientallen keren, als je zijn kennis van kruiden en volksgeneeskunde meetelde die hij in de late middeleeuwen en in de renaissance had opgedaan. En daar had hij verrassend veel aan. Eigenaardig dat die oude praktijken altijd weer terugkwamen.

Het was nu eenmaal normaal dat de mens iets uitvond en dat die nieuwe aanpak werd bewonderd, en dat het vervolgens door de volgende generatie weer werd verworpen totdat ze er twee generaties later achter kwamen dat ze het toch wel nodig hadden en het snel opnieuw 'uitvonden', maar dan vaak zonder de oorspronkelijke verfijning. Wetenschappers hadden er een hekel aan om voor wat dan ook in het verleden te graven.

Hij vond die blinde toewijding om dingen te veranderen altijd weer verbazingwekkend. Mensen schenen maar niet te beseffen dat ze op een uiterst smal richeltje stonden, net als iedereen vóór hen, en dachten dat dat de hele wereld was. Als ze om zouden kijken, zouden ze een gigantisch landschap achter zich zien, maar over het algemeen namen ze de moeite niet.

De huismeester had een poster over recyclen op zijn deur geplakt, en hij moest erom lachen. Om de zoveel jaar was iedereen weer enthousiast over recyclen, maar dat ging nooit erg ver. Het bleef meestal beperkt tot autobanden of flessen. Hij was helemaal voor recyclen. Stel dat men wist dat de mens ook gerecycled werd. Zou dat iets veranderen?

Er waren een paar dingen die hij graag kwijt wilde. Misschien dat hij ooit eens een boek vol wijsheden zou schrijven. Hij zou mensen adviseren over recyclen en ook praktische dingen aangeven, bijvoorbeeld dat je je geen zorgen moest maken over dat je vliegtuig neer zou storten of dat een haai je aan zou vallen, omdat het zonde van je tijd was.

Daniel kon nooit zomaar in slaap vallen. Ook al was hij nog zo moe. Zijn geest ging altijd wel ergens naartoe. Over het algemeen naar Charlottesville, waar Sophia een rustig leventje leidde, hoopte hij, een rust waar hij niet aan zou bijdragen als hij opeens in het studentenhuis op kwam dagen, zoals hij zich soms voorstelde.

Ooit zou hij weer naar haar toe gaan. Hij droomde vaak van dat moment. Ooit zou hij de juiste dingen kunnen zeggen om het weer goed te maken. Ooit zou hij haar bellen met een vraagje of haar een grappige e-mail sturen of iets naast haar deur kalken, en ze zou er niet van schrikken, omdat ze tegen die tijd hun rampzalige laatste ontmoeting bijna vergeten zou zijn. Ooit was voor hem belangrijk, want dat kon hij niet zo snel verknallen als nu.

De slaap moest hem overvallen als hij nog een oog dicht wilde doen die avond. Vandaar de grote tv en de kabelaansluiting.

Hij sleepte zich naar de bank, samen met de trouwe afstandsbediening. De Lakers speelden tegen de Spurs. Het was geen beslissende wedstrijd dit keer, maar toch leuk om naar te kijken. Hij keek uit naar Kobe Bryants spel en dacht over hem na. Zo te zien een nieuwe maar geen gloednieuwe ziel. Dat waren vaak de beste atleten. Ze gingen al lang genoeg mee om de grote lijnen te zien, maar niet lang genoeg om erdoor tegen te worden gehouden. Er waren natuurlijk uitzonderingen. Shaq was een nieuweling, en Tim Duncan was volgens hem al een paar eeuwen bezig.

Tegen het einde van het derde kwart, tijdens een eindeloze hoeveelheid reclames over auto's en trucks, sukkelde hij in slaap. Toen de wedstrijd weer doorging, kwam hij weer een beetje bij. De camera hing even plichtsgetrouw boven een paar beroemdheden tussen de toeschouwers. Dat mocht van hem. Zo ging dat altijd. Zijn oogleden zakten weer naar beneden, toen hem opeens iets opviel. Hij kwam overeind. Hij knipperde met zijn ogen om beter te kunnen kijken en boog zich naar voren. Al zijn ledematen tintelden.

Er zat een man tussen de toeschouwers op de tweede rij. Hij was lang, droeg een felgekleurd jasje en had een zorgvuldig geknipte coupe. Hij zou knap kunnen zijn, maar door zijn aanblik werd Daniel misselijk. Hij droeg zijn lichaam stijfjes, als een duur pak. Nu was hij van opzij te zien terwijl hij met iemand sprak. Hij wierp even een blik op de camera, maar dat was genoeg. De adrenaline spoot zo hard door Daniels bloed dat zijn ogen leken te trillen in zijn hoofd.

Hij had die man nog nooit gezien, maar hij kende hem goed.

Het duurde even voordat zijn lichaam weer rustig werd. De opwinding toen hij de man herkende had plaatsgemaakt voor een licht gevoel van zeeziekte toen hij erover nadacht. Het was niet alleen de aanblik van Joaquim of dat hij daardoor weer aan hun verleden moest denken. Het was het feit dat Joaquim het zich ook herinnerde.

Na honderden jaren alleen met zijn eigen herinneringen, was het bizar voor Daniel om in de buurt te zijn van iemand die net als hij dingen over de wereld wist, die zich zelfs een paar eerdere levens van Daniel kon herinneren. Als het een andere ziel was geweest, had het hem troost kunnen bieden.

Daniel moest denken aan de laatste keer dat hij Joaquim had gezien; in de veertiende eeuw had hij een glimp van hem opgevangen op een dorpsplein in Hongarije. Tegen die tijd wist hij dat ook Joaquim het geheugen had, en hij was op zijn hoede geweest, maar Joaquim had niet laten merken dat hij hem ook had herkend. Daniel verwachtte steeds dat hij in zijn omgeving op zou duiken, als een oom, zijn vader, een leraar, zijn zoon, weer zijn broer, zoals dat vaak ging bij mensen die iets voor elkaar betekenden. Maar in tegenstelling tot de meeste dingen waar hij bang voor was, was dat niet gebeurd. Aanvankelijk, nam Daniel aan, kwam dat doordat de mensenhaat van zijn vroegere broer hem lange perioden dood liet blijven. Als er een ziel bestond die alleen stierf – geheel alleen – dan was het die van hem wel. Soms zag hij in een vrolijke bui voor zich hoe Joaquim wild om de aarde vloog en de ene keer in Jakarta opdook en dan weer in Irkutsk.

Veel later kwam Daniel erachter dat Joaquim de regels om weg te gaan en terug te keren voor zichzelf aanpaste. Dat was angstaanjagend. Daniel had geen idee hoe hij dat voor elkaar kreeg; hij kreeg het te horen van een mystieke ziel, zijn oude (bijzonder oude) vriend Ben, en hoe Ben dat wist, daar had hij geen benul van. Maar Daniel kon zich heel goed voorstellen dat Joaquim niet rustig op zijn beurt ging wachten, of opnieuw als een zwakke zuigeling wilde beginnen. Hij zou de onmacht van de jeugd niet elke keer weer willen verdragen. Hij was uit op wraak, en hij zou de jacht niet willen verlaten zodat zijn vijanden een ander lichaam konden nemen, hoewel hij ze waarschijnlijk toch snel weer zou hebben opgespoord.

Het was een bittere ervaring om hem na al die jaren weer te zien. Daniel had al bijna gedacht dat de reis van Joaquims ziel ten einde was, maar dat was dus niet zo. Er zat zo veel haat in hem, hij zou niet zomaar weg kunnen blijven. Daniel had het idee dat Joaquim zijn geheugen alleen maar gebruikte om eeuwenlang vetes uit te vechten. Wie weet hoeveel het er wel niet waren.

Het was hartverscheurend hem in een lichaam te zien dat hij niet verdiende. Hij werd misselijk toen hij bedacht hoe hem dat was gelukt en wat er van de man was geworden van wie het lichaam was geweest. Daniel wist totaal niet wat Joaquim van plan was. Maar hij wist wel dat het een gevaar voor hem inhield, en ook voor Sophia, als Joaquim haar op kon sporen.

Voor de kust van Kreta, 899

Tegen het eind van de tiende eeuw was ik als roeier voor de Venetiaanse vloot werkzaam op een schip van de doge. Ik kwam in die tijd van het platteland ten oosten van Ravenna, en zoals vele jongens uit dat deel van de wereld, droomde ik van de zee. De Venetianen waren de beste zeelui ter wereld, dat dachten we althans, en niet zonder reden. Ik ging op mijn vijftiende naar zee en voer eenentwintig jaar lang op oorlogsboten en handelsschepen totdat mijn schip in een storm bij Gibraltar ten onder ging.

Zeemannen zoals ik verwachten en hopen ook eigenlijk op zee te sterven, dus was het alleen de vraag wanneer dat zou gebeuren. Ik had een mooi, lang leven achter de rug, en het was niet zo'n akelige dood, vergeleken bij vele andere. Ik was pas twee keer verdronken, en de tweede keer, omdat ik het al eens meegemaakt had, weet ik al nauwelijks meer. Ik vond het niet zo erg, eerlijk gezegd.

We voeren voornamelijk op Griekenland en Klein-Azië, Sicilië en Kreta, en heel af en toe naar Spanje en de noordkust van Afrika. Destijds waren dat fantastische oorden, en al helemaal als je ze vanaf zee naderden. Zoals gezegd, sta ik er zo min mogelijk bij stil, maar na verloop van tijd wordt de hardheid van dat leven vergeten en zie je je alleen nog in de avondschemering door het Grote Kanaal varen.

Het was een vrij normale reis naar de haven van Iraklion (of Candia, zoals wij Venetianen het noemden) op Kreta, waar ik je over wil vertellen. Dat was aan het begin van mijn carrière. Ik was nog jong en stond onder aan de zeemansladder en draaide lange diensten aan de riemen en meer dan genoeg nachtwachten.

Op de verschillende reizen zag je steeds dezelfde mensen, maar er waren ook altijd wel een paar nieuwe bij. In dit geval een zeeman die zelfs jonger was dan ik, hij was waarschijnlijk vijftien en ik achttien. Hij viel me op omdat hij zich op de vlakte hield. Hij zei weinig en deed nauwgezet wat hem was opgedragen, maar hij hield alles en iedereen om hem heen goed in de gaten. Ik zag bij hem geen verveling, geen ironie, geen brutaliteit en geen opschepperij, zoals normaal gesproken bij zeelui. Zijn ogen waren groot en intelligent, eigenaardig complex in zijn verder zo onschuldige gezicht. Hij heette Benedetto, maar de mannen noemden hem Ben of Benno als ze hem bevelen toeriepen of hem uitlachten, en dat waren in wezen de enige keren dat hij werd aangesproken.

Tijdens onze eerste diensten samen zeiden we geen woord. Maar ik voelde zijn blik op me rusten terwijl ik met de andere mannen sprak. Ik wist dat hij luisterde. Maar tijdens de vierde of vijfde dienst stonden wij beiden als enigen op het voordek, en omdat ik maar met moeite mijn ogen kon openhouden, begon ik een gesprek.

'Jij bent toch ook Italiaan?' vroeg ik hem in het platte Italiaans dat we aan boord spraken.

Hij keek me aan voordat hij antwoord gaf. 'Ja. Ik ben ten zuiden van Napels geboren.'

'Daar hebben ze lekkere wijn,' zei ik. Het sloeg nergens op, maar ik ben nu eenmaal niet zo goed in kletspraatjes en ik was nog nooit in Napels geweest. Hij leek slecht op zijn gemak en wist al bijna helemaal geen woord uit te brengen. Dacht ik toen.

'En jij bent ook Italiaans,' zei hij na een lange stilte.

'Uit Ravenna,' zei ik met gepaste trots.

'En daarvoor?'

'Daarvoor?'

'Waar kwam je daarvoor vandaan?'

Dat was een vreemde vraag en ik vroeg me af of hij vermoedde dat ik niet echt uit Ravenna kwam. Voor mij was status toen erg belangrijk. 'Ik ben vijftien kilometer ten oosten van de stad geboren,' zei ik, een beetje in de verdediging gedrukt.

Hij knikte rustig. 'Maar voordat je vijftien kilometer ten oosten van Ravenna werd geboren, waar kwam je toen vandaan?'

Ik was stomverbaasd. Ik weet nog hoe mijn gedachten door mijn hoofd raasden. Ik had toen al vele levens geleid. Ik wist hoe eigenaardig en zelfs buitenissig ik was. Mijn echte leven speelde zich zo diep in mijn geest af dat het nooit in me op was gekomen dat iemand daar toegang toe zou krijgen. Was het mogelijk dat hij net zo was als ik? Kon hij zich dingen herinneren? Het was zo'n gewoonte voor me geworden om dat soort zaken te verbergen dat ik de woorden niet kon vinden toen ik wat wilde zeggen.

Ben keek me nieuwsgierig aan. 'Was het soms in Constantinopel? Ik weet dat je daar in de buurt moet zijn geweest. Maar misschien was het nog eerder. In Griekenland, dan?'

Ik overwoog zijn woorden. Konden ze ook op een normale manier begrepen worden? 'Ik ben nooit naar Constantinopel geweest... met deze vloot,' zei ik langzaam.

'Ik bedoel ook niet zoals je nu bent, maar daarvoor. Ik ben voor Napels bijvoorbeeld in Illyrië geboren, en daar weer voor in Libanon.'

De adem stokte me in de keel. Ik vroeg me af of ik droomde of dat ik wellicht dood was. Zeemannen praten graag over de betoverende werking van de zee waardoor een man gek kan worden. Ik was plotseling bang dat ik belazerd werd. 'Ik weet niet waar je het over hebt,' zei ik langzaam. Mijn stem was zo gespannen dat ik hem bijna niet herkende.

Ben had een zeer onschuldig gezicht. 'Dat weet je wel. Ik heb er nog maar een paar zoals jij ontmoet... zoals ik... maar heel weinig. En ik ben al vaak teruggekomen op aarde. Ik kan me natuurlijk vergissen, maar dat denk ik niet.'

'Zoals jij?' vroeg ik voorzichtig.

'Wat je herinnering aangaat. Dat is zeldzaam, dat weet ik, dat mensen zich iets van voor de geboorte kunnen herinneren. Bij sommigen een leven of twee ervoor en bij anderen hier en daar een flard. Maar bij jou gaat dat verder, heb ik zo het vermoeden.'

Ik keek om me heen of er niemand in de buurt was. Ik keek naar de maan en de sterren. 'Het gaat inderdaad verder,' gaf ik toe.

Hij knikte. Hij keek niet triomfantelijk. Hij had er geen moment aan getwijfeld. 'Vijfhonderd jaar, of nog meer?'

'Nee, ongeveer vijfhonderd jaar.'

'Waar is het begonnen?'

'Ik ben de eerste keer in de buurt van Antiochië geboren.'

'Dat lijkt me logisch,' zei hij terwijl hij naar het oosten achter me keek, waar de zon net opkwam.

'Hoezo?'

Hij verjoeg een gedachte en keek me aan. 'De dag breekt aan.'

Wat hij daarmee wilde zeggen, is dat we zo afgelost zouden worden. Hij keek me meelevend aan. Hij zag dat het me meer pijn deed het gesprek af te kappen dan om het te beginnen.

'Hoe wist je het?' vroeg ik. 'Van mij?'

'Dat kan ik je niet goed uitleggen,' zei hij. Toch keek hij me rechtstreeks aan. Het was niet zijn bedoeling een antwoord te ontwijken. 'Dat wist ik... gewoon.'

En zo kwam ik in aanraking met de uitzonderlijke vaardigheden van Ben, en de bijna onbereikbare mogelijkheid ze zelf aan te leren.

Ben is erg oud. Hoe oud weet ik niet precies. Soms lijkt hij Vishnoe wel, met het hele verhaal van de mensheid in zijn hoofd, maar ik heb het vermoeden dat hij zelf niet eens weet wanneer hij de eerste keer is geboren. Hij vertelde me dat de eerste herinnering die hij had was dat hij uit de rivier de Eufraat dronk, maar dat soort herinneringen zijn meer impressies dan exacte herinneringen. Als hij inderdaad het hele verhaal van de mensheid kent, dan ben ik bang dat dat eerder is toevertrouwd aan een poëet dan aan een geschiedkundige.

'Uiteindelijk is alles een metafoor, vind je niet?' zei hij een keer weemoedig.

'Is dat zo?' zei ik, want ik ben dol op feiten.

Hij is zo oud dat zijn geheugen heel anders werkt. Zelfs anders dan dat van mij. Hij werd jaren later een groot fan van Lewis Carroll. (Hij was ook dol op de *Upanishaden*, Aristophanes, Chaucer, Shakespeare, Tagore, Whitman, Borges, E.B. White en Stephen King, om er maar een paar te noemen.) Toen ik hem een keer plaagde omdat hij iets wist wat hij onmogelijk kon weten, citeerde hij de volgende zin van Carroll: 'Wat heb je aan een geheugen dat alleen het verleden kan herinneren?'

Hij vertelde me eens dat volgens hem zijn eerste naam Deborah was, maar dat wist hij niet zeker. Ik wilde weten of ik hem zo moest noemen, omdat mijn naam erg belangrijk voor me is, maar dat hoefde niet omdat hij al lang niet meer Deborah was.

Ben en ik hebben samen drie reizen op rij gemaakt, waardoor we de kans kregen over heel veel dingen te praten. De derde en laatste reis was naar Alexandria en Ben bracht meteen een heel scala aan grappige en fragmentarische meningen over Julius Caesar, Marcus Antonius en Cleopatra te berde, alsmede over Ptolemeus, haar akelige broertje dat tevens haar echtgenoot was. Ik kwam erachter dat het geen nut had de manier waarop zijn geheugen werkte letterlijk te begrijpen. Hij gaf nooit rechtstreeks antwoord. ('Spreek de waarheid, maar wel enigszins aangepast,' werd een tijd later zijn favoriete uitspraak van Emily Dickinson.) Maar het was heerlijk om hem over dat soort vreemde en fascinerende dingen te horen praten.

Hij was de vrolijkste zeeman die ik ooit heb gekend en was zeer toegewijd aan zijn eenvoudige werk. Ik ken niemand die zo aandachtig een knoop kan leggen. Het was waarschijnlijk het ergste moment van mijn leven op zee toen ik hoorde hoe Ben in het donker buiten Thira door een paar dronken lansiers in elkaar werd geslagen. Hij was niet echt geschikt voor het zeemansleven.

Na die derde reis was hij opeens weg en pas na honderden jaren zag ik hem weer, maar daarvoor hadden we nog een gesprek dat me van alles nog het meest is bijgebleven.

Op een lange avond voor de kust van Kreta, vertelde ik hem over Sophia. Toen ik eenmaal bezig was, kon ik niet meer ophouden. Ik begon met die fatale gebeurtenis en vertelde hem vervolgens over al onze ontmoetingen. Ik kan je niet uitleggen hoe fijn het was om met iemand te praten die net als ik was, aangezien ik aan de meeste mensen maar weinig over mezelf kwijt kon. Ik ging heen en weer in mijn lange verleden zonder iets te hoeven uitleggen of me ergens voor te verontschuldigen. Ik was net een pianist die jarenlang alleen op de witte toetsen in het midden heeft mogen spelen en opeens alle toetsen mag gebruiken.

Ik sloot mijn verhaal af met onze meest recente ontmoeting, dat ik als kind in haar kleine huisje op het klif in Midden-Anatolië was geweest, maar het gedeelte van mijn vertelling over mijn broer Joaquim intrigeerde Ben het meest. Hij bleef er maar over doorvragen.

Ik had er genoeg van. Ik wilde het over Sophia hebben en niet over mijn broer. Maar Ben wilde alles weten, te beginnen met de ruzie in mijn eerste leven, en liet me alles vertellen over mijn dood door het mes die ruim tweehonderd jaar later plaatsvond. Hij deed zijn ogen dicht alsof hij het voor zich zag.

'Dat is gelukkig over,' zei ik uiteindelijk. 'Ik hoef niet meer aan hem te denken.' Mensen als ik hadden een lang leven. Lang genoeg om de scherpe kantjes van de verschrikkelijke dingen die ons waren overkomen af te halen. Dat dacht ik toen althans.

Ben zat voorovergebogen, met zijn hoofd in zijn handen. Hij wiegde een beetje heen en weer, geen idee waarom. Hij leefde ontzettend met iedereen mee, dat was me bekend, maar dit was wel een tikje overdreven.

'Zo erg is het nu ook weer niet, Ben. Het was maar een van mijn levens.' Ik weet nog dat ik dat zei, en dat ik over wilde stappen op een ander onderwerp. 'Het leven gaat door. We vergeven en vergeten. Ik vergeef hem in elk geval en hij vergeet het.'

Ben hief ten slotte zijn hoofd op. Hij keek me onderzoekend aan. Ik kende die blik, maar om een of andere reden was die nu iets somberder.

'Denk jij dat hij het zal vergeten?'

'Hoe bedoel je?'

'Jij zult het hem wel vergeven, maar weet je zeker dat hij het vergeten zal zijn?'

'Hij is er vast al lang niet meer,' zei ik snel. 'Hij is al minstens honderd jaar dood. Ik heb hem tot nu toe in nog geen enkel leven ontmoet, maar dat zal in de toekomst vast wel eens gebeuren.'

Ik hoopte dat mijn luchtige toon de bezorgdheid uit Bens ogen zou halen, maar dat was niet zo. Ik was slecht op mijn gemak. 'Hoe bedoel je?' vroeg ik opnieuw.

'Weet je zeker dat hij het vergeten zal zijn?'

'Iedereen vergeet,' zei ik bijna strijdlustig.

'Niet iedereen.'

'Nee, jij en ik niet, maar verder wel iedereen.' Ik keek Ben aan, wanhopig op zoek naar een vrolijke blik in zijn ogen, maar die was nergens te bekennen. 'Weet jij soms meer?' vroeg ik, ongeduldig en gefrustreerd. 'Als je iets weet, zeg het dan.'

'Ik weet het niet, maar ik heb wel een vermoeden,' zei Ben langzaam. 'Ik heb over hem nagedacht, en ik denk dat hij vergeeft noch vergeet.'

'Hoezo dat? Daar heb ik bij Joaquim niets van gemerkt. Hij leefde als een man zonder verleden,' ging ik tegen hem in. 'Het geheugen is zeldzaam, toch? In vijfhonderd jaar ben jij de enige die ik ken die het ook heeft. En jij, die hem helemaal niet kent, denkt dat hij dat ook bezit?'

Volgens mij wilde ik dat Ben ook boos op mij werd, maar dat deed hij niet. Ik wilde dat hij ruziemaakte, maar dat gebeurde niet. 'Denk je dat iemand weet dat jij het hebt?' vroeg hij. 'Denk je dat je broer dat weet over jou?'

Daar stond ik en angst maakte zich van me meester. Joaquim was er op die beslissende momenten in mijn eerste leven geweest. Als ik me die tijd nog kan herinneren, waarom hij dan niet? Ik kon geen woord uitbrengen. Ik kon Ben niet tegenspreken. Ik wilde er niet bij stilstaan wat dat voor Sophia, waar ze ook mocht zijn, en voor mij kon betekenen.

'Hopelijk heb ik het mis,' zei Ben, en hij keek me vol medelijden aan. 'Maar volgens mij herinnert hij het zich ook.'

In de loop der tijd heb ik vaak gewenst dat Ben het bij het verkeerde eind had. Maar helaas, heeft hij het, voor zover mij bekend, nooit bij het verkeerde eind gehad.

Als ik terugkijk op mijn zeemanstijd, schiet me altijd weer een hond te binnen in Venetië. Hij heette Nestor, was een straathond, een vuilnisbakkenras, en ik gaf hem tussen mijn reizen door regelmatig eten. Het was een slimme hond. Hij kwam altijd naar de kade om me te begroeten als ik terugkeerde van een reis, ook al was ik nog zo lang weggeweest. Ik heb hem een keer meegenomen aan boord om ratten te vangen tijdens de reis naar een paar havens in Spanje waar de pest was uitgebroken, en hij kweet zich uitstekend van zijn taak. Ik was gek op die hond.

Hij is waarschijnlijk op zeer hoge leeftijd gestorven, want na mijn dood werd ik weer in dezelfde stad geboren, en toen ik zes of zeven jaar was slenterde ik door de haven op zoek naar oude vrienden. En daar zag ik opeens Nestor weer. Hij was oud en stond stijf van de reumatiek, maar ik herkende hem meteen. En vreemd genoeg wist hij ook wie ik was. Daar ben ik van overtuigd. Hij snuffelde aan me en toen kwispelde hij zo hard met zijn staart dat ik bang was dat die eraf zou vallen. Hij likte me, speelde met me en wilde net als vroeger weer lekkers. In al mijn levens ben ik maar zelden zo gelukkig geweest. Ik leek wel een kleine Odysseus die eindelijk door iemand herkend werd.

Soms wilde ik wel dat honden net zo lang leven als mensen. Ik zou dan een stuk minder eenzaam zijn. Maar Nestor overleed niet lang daarna. Terwijl ik in dat leven ouder werd, ging ik telkens terug naar de haven in de hoop Nestor weer te zien in zijn nieuwe gedaante, als jonge hond. Maar ik heb hem nooit meer gezien. Inmiddels weet ik dat honden, net als de meeste dieren, geen individuele ziel hebben. Ze hebben een groepsziel, als je het zo tenminste kunt noemen. Bijen en mieren zijn daar een goed voorbeeld van. Ze dragen de kennis van hun soort in zich, en dat voorrecht hebben wij niet. Maar daardoor kun je ze in een ander leven bijna niet meer herkennen.

Soms denk ik wel eens, en Carl Jung zal het waarschijnlijk met me eens zijn, dat een vroege versie van de mensheid, zoals de Australopithecus of de Neanderthaler, ook een soort groepsziel heeft gehad. Ik vermoed dat de ware voorouder van de mensheid, het moment dat de mens zich onherroepelijk van de apen en andere soortgelijke wezens afscheidde, ontstond toen de eerste onderscheidbare ziel geboren werd. Wat heel veel verdriet tot gevolg heeft gehad.

Charlottesville, 2006

Hij had het nog niet helemaal uitgedacht, maar ging er toch mee door. Hij was bang om haar te zien. Hij hoopte haar te zien. Hoop was iets wat je wilde, angst niet, maar bij hem wilde dat nog wel eens verkeerd gaan.

Nadat hij Joaquim op tv had gezien, kon hij alleen nog maar aan Sophia denken. Oké, hij dacht altijd al aan haar, maar nu ging het om haar veiligheid. In de afgelopen twee jaar had hij haar vanaf een afstand in de gaten gehouden, zich goed bewust van waar ze zich bevond, maar hij wilde niet bij haar in de buurt komen, omdat hij niet nog meer schade aan wilde richten. Nu moest hij met eigen ogen zien of het goed met haar ging. Hij was bang dat Joaquim haar op zou sporen en haar kwaad zou doen. Hij was ook bang dat Joaquim op de een of andere manier Daniel zou zoeken, en via hem bij Sophia zou komen. Daniel werd verscheurd tussen de wens om haar te beschermen (oké, en om bij haar te zijn) en de angst dat zij door zijn aanwezigheid gevaar zou lopen.

Doordat Joaquim wreed was scheen hij wel een paar beperkingen te hebben. Zijn versie van het geheugen werd gecombineerd met een uiterst wraakzuchtige aard, maar hij kon niet iemands ziel herkennen als die in een ander lichaam was overgegaan. 'Hij kan niet in mensen kijken,' zoals Ben het verwoordde. Maar door zijn wreedheid kon Joaquim weer andere dingen – bijvoorbeeld een lichaam stelen – en Daniel had het akelige vermoeden dat Joaquim in de loop der tijd steeds meer van dat soort dingen leerde.

Daniel zette zijn auto bij het ziekenhuis neer en liep bewonderend het gazon op naar de hal. Voor dit land was het gebouw oud, en het droeg het stempel van een meesterlijke geest. Hij had graag in de Nieuwe Wereld willen zijn toen Thomas Jefferson nog leefde. Hij vond dat een van de boeiendste perioden uit de geschiedenis, maar in die tijd had hij een vreemd, kort leven in Denemarken geleid. De meeste levens schenen in elkaar te grijpen en door hem geregeld te zijn, maar af en toe belandde hij opeens in Denemarken of zo, tussen wildvreemden.

Hij had Jeffersons werk uitgebreid bestudeerd. Hij had de man zelfs een keer herkend dacht hij, in 1961, tijdens een rit naar een vredesdemonstratie in Oxford in Mississippi. Daniel had van hem ijsthee en een zak perziken gekocht bij een kraampje langs de weg. De man had zich voorgesteld als Noah. Hij was oud en der dagen zat, verbouwde hetzelfde land als waar zijn grootvader slaaf was geweest en zijn vader mede-eigenaar, had hij Daniel verteld. Daniel was er niet zeker van dat het Jefferson was, omdat hij de man nooit in het echt had gekend. Hij had hem alleen op tekeningen en schilderijen gezien, en die waren niet erg geschikt om een ziel op te herkennen, hoewel nog altijd beter dan op foto's. Maar Daniel kreeg heel sterk het gevoel. In de ogen van Noah was nog een glimp van zijn vroegere ik te onderscheiden.

Noah was op dat moment zielsmoe. Het was waarschijnlijk zijn laatste leven, vermoedde Daniel, het laatste van zijn opmerkelijke bestaan. Daniel vond het toepasselijk dat Jefferson, die niet alleen de minnaar van Sally Hemings was maar ook slaven hield, terug was gekomen als zwarte voordat de cirkel werd gesloten. Noah zou nooit hebben vermoed wie hij was geweest. En hoewel Daniel het hem graag had willen vertellen, deed hij het niet. Het gaf een verlaten gevoel als je dingen over iemand weet die ze zelf niet eens weten.

Het zweet stond Daniel op de rug. Het was zo drukkend dat je de lucht kon ruiken en horen en aanraken en zien en er zelfs bijna op kon kauwen. Hij vond het een rotgevoel dat zijn lievelingsoverhemd doornat was. Het was het linnen overhemd dat ze hem bijna negentig jaar eerder had gegeven toen ze Constance was. Het was van haar grootvader de graaf geweest. Dit overhemd bewaarde hij bij de kostbare dingen die hij van het ene leven naar het andere meenam, en hij droeg het zelden omdat hij het zo lang mogelijk wilde houden. Toen ze het aan hem had gegeven was het te groot geweest, en hij had verondersteld dat de graaf een reus was geweest, maar in dit leven was hij zo groot geworden dat het overhemd hem bijna niet meer paste. Hij was nog nooit zo lang geweest als in dit leven. Hij had het overhemd aan omdat hij het mooi vond en omdat hij van mening was dat, hoewel het een tikje strak zat, het hem heel goed stond. (Hij was maar zelden ijdel, maar dit lichaam was eenentwintig en af en toe kon hij de verleiding niet weerstaan.) Maar de werkelijke reden waarom hij het aanhad was omdat hij hoopte, hoewel hij wist dat het zinloos was, dat het haar eraan zou herinneren wat hij ooit voor haar had betekend. Na al die jaren rook hij nog zijn oude koortszweet en het grote oude huis waarin hij ooit had gewoond, het poetsmiddel, de boenwas en een vaag ziekenhuisluchtje. En heel in de verte rook het ook een klein beetje naar haar. Niet alleen naar een van haar verschijningsvormen, maar echt naar haar. Daarom was hij zo gek op dat overhemd.

Daniel vermoedde dat reukzin het enige buitengewone talent was van dit lichaam. Zijn eigen supervermogen. Hij was Geurman, of misschien wel De Neus. Zijn gehoor was niet bijzonder. Hij kende veel liedjes en kon ook vrij veel muziekinstrumenten bespelen, maar zijn gehoor was niet altijd even zuiver. In een paar lichamen was het goed en soms zelfs uitzonderlijk geweest, maar in andere weer bedroevend slecht. Hij dacht altijd dat hij na verloop van tijd de grenzen van zijn lichaam met zijn wil en ervaring kon overtreden, maar zo werkte het niet. Hij raakte er steeds meer van overtuigd dat talent biologisch bepaald was. Alleen een lichaam kon bepaalde gaven bieden, en een daarvan was een goed gehoor.

Zijn ogen waren niet bijzonder. Hij kon een hoop dingen herkennen, maar dat was meer omdat hij op aarde al zo veel onder allerlei weersomstandigheden had gezien. Hij was meer dan eens zeeman geweest en was tergend langzaam over de zeeën voortgevaren, op plekken waar tijd niet heerste. Maar zijn ogen hadden het soms mis. Hij was maar twee keer een echt goede kunstenaar geweest. Ook een goed oog kon je niet meenemen.

Tast was een rudimentair zintuig, je kon er weinig mee en door oefening verbeterde het niet echt. Door oefening voelde je zelfs steeds minder. Wat hem betrof waren anticipatie en gewoonte de twee akeligste parasieten van oude zielen, en veel ervaring. Ze voedden zich aan oefening en namen je gewillige zintuigen over totdat niets meer nieuw voor je aanvoelde. Bepaalde dingen had hij graag weer voor het eerst willen voelen.

Reuk en smaak waren natuurlijk onafscheidelijk met elkaar verbonden. Zoals Siamese tweelingzusjes, bij wie de ene de meeste organen heeft, inclusief de hersens. Het andere zusje was er voor de lol en af en toe bedoeld als waarschuwing. Maar de reuk was het belangrijkst voor het geheugen. Hij wist het nodige van neurologie en ook recent neurotechnologisch onderzoek wees uit dat dat wel erg kort door de bocht was, maar zo zag hij dat nu eenmaal. Reuk was net een opening tussen jou en de andere delen van je leven. Herinneringen en geur vervaagden niet, en ze zorgden zelfs voor kortsluiting in je hele psyche, ze hoefden niet door eindeloze hoeveelheden ervaringen te graven om bij je geest te komen. Ze verbonden je in een flits met die vorige keren, zonder zich aan een bepaalde volgorde te storen. Het was op aarde de enige vorm van reizen door de tijd. Als hij iets moest aanwijzen om zijn ongebruikelijke vermogens te illustreren, zou dat waarschijnlijk zijn neus zijn. Hij had in de loop der eeuwen heel wat vermogens gehad, maar zijn goede neus zat er elke keer weer bij.

Hij liep door Alderman Street, langs het stadion, naar het studentenhuis van Hereford College, waar zij woonde. Hij zou haar hier kunnen tegenkomen. Hier woonde en wandelde ze. Door de toename van adrenaline in zijn bloed werd elk geluid versterkt. Het gebrom van een maaimachine. Het geritsel van bladeren. De vrachtwagens op de snelweg uit het zicht. Dit was haar plek, en hoe dichter hij bij Whyburn House kwam, hoe meer hij haar overal zag. Haar stoep, haar stuifmeel, haar hemel. De mensen die in de richting van het studentenhuis liepen hadden allemaal, ook al was het maar heel even, haar gezicht.

Het viel hem zwaar zich voor te stellen hoe ze er nu uit zou zien. Hij zag haar als Sophia en liet haar beeld in zijn hoofd als in een fotoshopprogramma veranderen. Maar zij bleef altijd in elke versie te zien. Het zou niet meevallen haar vast te houden zoals ze nu was als hij haar zag lopen. Haar lichaam was dit keer kleiner, dacht hij, ze was lichter gebouwd en voller. De laatste keer, toen ze een oude vrouw was, had ze sproeten en aderen en levervlekken op haar handen gehad, maar nu was ze weer schoongewassen.

Hij dacht aan de eerste keer dat hij haar in dit leven had gezien, samen met Marnie op de stoep, toen ze vijftien was en een korte broek droeg. Ze straalde alsof ze was uitverkoren door de zon. Dat was voordat hij naar Hopewood was verhuisd, voordat ze hem kende.

Hij dacht aan de keer dat hij haar had gadegeslagen tijdens keramiekles, een paar maanden nadat hij bij haar op school was gekomen. Hij was niet van plan geweest haar te bespioneren. Hij was naar het kunstgebouw gegaan om zichzelf op te geven voor een etscursus, en toen hij de leraar niet kon vinden was hij wat gaan ronddwalen. Hij stond in de gang tussen twee kunstlokalen toen hij besefte dat zíj het eenzame figuurtje aan het pottenbakkerswiel was. Hij wilde iets zeggen en daar niet gewoon maar blijven staan, maar was als verdoofd door haar aanblik. Tegen de tijd dat hij weer normaal kon nadenken, was er al te veel tijd voorbij gegaan. Ze had niet opgekeken. Dat was gedeeltelijk ook de oorzaak van zijn verdoving geweest. Ze joeg het wiel aan met haar voet, de klei draaide rond, haar handen bewogen in een hypnotisch ritme, de zon scheen mat door de vieze ramen, en haar ogen waren op iets gericht wat hij niet kon zien. De klei zat tot aan haar ellebogen en op haar t-shirt en stukjes zaten op haar gezicht en in haar haar. Het viel hem op hoe geconcentreerd ze was en dat hij haar niet kon bereiken. Hij vond het bewonderenswaardig dat ze haar t-shirt zo vies had gekregen.

Hij dacht weer aan die avond op school toen ze de lichtpaarse jurk aanhad en paarse bloempjes in haar haar droeg. Zijn bloed ging sneller stromen toen hij haar weer in zijn armen voelde. Ze was deze keer net zo mooi als de vorige keren. Misschien lag het aan hem, maar haar glimlach was een openbaring. Hoewel erg jonge kinderen allemaal op elkaar lijken, tekent de ziel al snel het gezicht en lichaam, en dat neemt met de jaren alleen maar toe. Een liefhebbende ziel bleef over het algemeen mooi, maar een knap gezichtje duurde niet lang. Hij dacht vroeger dat het eerlijk zou zijn als lichamelijke schoonheid te danken was aan hoe een ziel leefde, maar zo werkte het niet. Eerlijkheid was een menselijk begrip, waar het universum niets aan had. Sophia was heel erg mooi.

En dit keer. Wat zou hij doen als hij haar zag? Dat was een droom die hij al verschillende keren had afgedraaid. Zou ze blijven staan en hem herkennen? Zo niet, zou hij haar dan staande houden? Wat zou hij zeggen? Zou het voldoende zijn om haar alleen maar te zien? Hij maakte zichzelf wijs van wel. Hij wilde haar alleen maar even zien om te weten dat haar leven zich in dezelfde tijdspanne en in dezelfde ruimte afspeelde als zijn leven. Alleen dat zou al een troost zijn, een vorm van intimiteit bijna. Was het verkeerd om dat als een intimiteit te beschouwen?

Samen met Marnie had ze een kamer op de tweede verdieping in Whyburn House. Hij was alleen dat nagegaan. Als hij meer te weten was gekomen, had hij zich een stalker gevoeld, maar als hij dat niet eens had geweten, had hij als een kip zonder kop rondgelopen. Hij wilde niet dat hij alles wist en zij niets. Hij wilde dat ze gelijk waren. Maar bovenal wilde hij zo weinig mogelijk weten en verrast worden. Ergens wilde hij dat het een normale ontmoeting tussen een jongen en een meisje zou zijn en dat ze verliefd zouden worden.

Ze woonde in dit rode bakstenen gebouw. Haar glazen deuren, haar antislipzeil op de grond. Haar postbus. Een van hen moest in elk geval van haar zijn. Hij hoorde hoe de enorme airconditioner zijn best deed voor haar.

Hij had ook een keer in een studentenhuis gewoond, maar hij kon er niet aan wennen. Het was niet zo praktisch als bijvoorbeeld de cellen in een klooster. Er hing de willekeurige en lichtelijk verplichte sfeer van sociaal contact. Dit gebouw was bijna verlaten, wat de indruk nog eens versterkte. Hij begroette de portier aan de balie en wierp een blik op de lijst met mensen die binnen waren. Er stond één naam op en die was niet van haar.

'Uw identiteitsbewijs, graag,' zei de bewaker.

'Pardon?'

De portier zette de radio zachter. Op zijn naamplaatje stond CLAUDE VALBRUN. 'Als je geen bewoner bent moet je een identiteitsbewijs bij je hebben, en jij woont hier niet, anders had ik je wel gekend.' Hij was absoluut niet onaardig. Hij zei het duidelijk met trots.

Van de wijs gebracht trok Daniel zijn rijbewijs tevoorschijn. 'Ik... ik wou niet... ik wou eigenlijk niet het gebouw in,' legde hij uit.

'Wat doe je dan hier?'

Daniel stond met zijn mond vol tanden. De vraag was volkomen terecht, maar hij had er geen antwoord op.

De portier wees naar de telefoon aan de muur naast de balie. 'Ook als je alleen de huistelefoon wilt gebruiken, moet je je nog steeds aanmelden.'

Wilde hij die telefoon gebruiken? Kon hij gewoon de hoorn oppakken en haar bellen? Hij zou niet weten hoe. Kon hij haar nummer vragen? Zou Claude Valbrun dat aan hem geven? Waar was hij in hemelsnaam mee bezig?

'Je bent naar iemand op zoek,' zei de portier vriendelijk.

Daniel knikte.

'Wie dan?' De man wilde Daniel graag helpen.

Daniel kreeg het gevoel dat hij bij de psycholoog was. Moest hij het gewoon zeggen? Hij kon er niets aan doen. Hij ging Sophia bellen voordat hij zichzelf tegen kon houden. 'Lucy Broward.'

'O, Lucy.' Hij glimlachte. 'Met het lange haar. Lucy van de tweede etage. Leuke meid.'

Daniel knikte ijverig.

'Ze gaf mij bonbons met de kerst en voor mijn vrouw een plant met rode bloemen. Wat was dat ook alweer voor plant?' Hij deed zijn ene oog dicht om beter na te kunnen denken. 'Sommige dingen kan ik me zo herinneren en andere dingen totaal niet.' Hij deed ook het andere oog dicht. 'Hoe heette die toch weer? Mijn vrouw wist het wel.'

'Ik heb geen idee,' zei Daniel eerlijk. 'Een kerstster?' Hij wilde dat de portier een beetje opschoot.

Die deed zijn ogen weer open. 'Hm. Nee. Volgens mij begon het met een C. Of een G. Het schiet me wel weer te binnen als je net weggaat. Maar goed, Lucy is er niet.'

'O, nee?' Zijn wereld stortte in. Dat was duidelijk op zijn gezicht te lezen.

'Nee. De meesten zijn weg. Op 4 mei was de laatste les. Het blijft hier rustig totdat de zomerstudenten na 4 juli op komen dagen.'

'Is ze de hele zomer weg? Ze komt hier niet terug?' Had hij nou echt verwacht dat hij haar gewoon weer zou zien?

'Die lange vriendin van haar en zij zijn de afgelopen week vertrokken.'

'Marnie?'

'Ja, Marnie.'

'Geen idee waar ze volgend jaar naartoe gaan. Misschien wel weer hiernaartoe. Of ergens anders.'

Daniel knikte uitdrukkingsloos. Misschien kwam ze wel niet meer terug naar de campus. Misschien deed ze mee aan een uitwisselingsprogramma. Hij wist totaal niet waar ze was.

Claude leek medelijden met hem te hebben toen hij zijn rijbewijs teruggaf. Zelfs zozeer dat het gênant was. 'Het lijkt wel of school elk jaar eerder afgelopen is,' zei Claude filosofisch, en hij schudde het hoofd zodat Daniel wist dat hij met hem mee voelde. Deze man zag ze jaar in jaar uit langskomen, elke keer weer jonger en verder van hem verwijderd.

Daniel moest zijn rijbewijs weer in zijn portefeuille steken, zich omdraaien en weglopen. Maar opeens wilde hij niet meer gaan. Hij wilde met die aardige man praten die Sophia een leuke meid vond. Hij wilde dat Claude weer ging piekeren over de naam van de plant.

Daniel kreeg het gevoel dat hij meedeed aan een spelletje warm-koud. Dit gebouw was niet zo warm als hij had gehoopt – Sophia woonde er niet meer – maar het was een stuk warmer dan buiten, waar het spoor weer ijskoud zou zijn.

Hij stopte zijn identiteitsbewijs in de portefeuille en stak die in zijn zak, maar hij draaide zich niet om. 'Wat voor dingen kun je wel goed onthouden?' vroeg hij, zo luchthartig mogelijk.

Claude haalde zijn schouders op. Hij leek blij te zijn met wat gezelschap. 'Ik herken mensen, en ik kan me hun naam herinneren.'

Na drie biertjes was Daniel weer optimistisch. Misschien zat ze in de zomer wel in Charlottesville. Misschien had ze ergens een baantje gekregen en was ze een paar maanden uit het studentenhuis getrokken. Misschien was ze serveerster of werkte ze in een computerzaak. Misschien kwam ze deze bar in lopen als hij maar lang genoeg bleef zitten.

'Nog een biertje,' zei hij tegen de barkeeper, terwijl hij zijn glas omhooghield. Het duurde even voordat hij de aandacht van de man had getrokken. Het was zo druk dat de barkeeper plotseling Oost-Indisch doof was geworden en tunnelvisie had ontwikkeld.

'Bedankt,' zei hij toen zijn vierde Bass-ale eindelijk werd neergezet. Hij wist dat al die misschiens geen nut hadden. Ze was niet het soort dat zomaar een appartement ergens huurde en ging werken. Hij had al twee kinderen van haar school gezien, eentje liep langs op de stoep en de andere had haar borsten op het tafeltje in de hoek voor zich uitgestald, maar zij was er niet bij geweest. Niets was meer van haar, en hoe meer hij dronk, hoe verder weg zij leek.

Het was waarschijnlijk maar goed ook. Wat had ze nu aan hem? Maar hij wilde haar alleen maar even zien. Daar zou hij al blij mee zijn. Daarom was hij er. Hij had er spijt van dat hij zijn beste overhemd had aangetrokken, die ochtend had hij met zo veel plezier en hoop naar zichzelf in de spiegel gekeken. Had hij maar een ander overhemd bij zich dat hij aan kon doen. De lucht van de bar en zijn zweet en de eau de toilette die het meisje aan de hoektafel op had zou in de stof sijpelen en het kostbare beetje dat er van haar nog in had gezeten, zou vervliegen. Hij moest er niet aan denken.

De man die aan zijn rechterkant zat had een onderkin en droeg voetbalschoenen en werd nog sneller dronken dan hij. Hij kwam Daniel enigszins bekend voor, maar hij had er geen behoefte aan te onderzoeken hoe dat kwam.

Tegen de tijd dat het meisje aan het hoektafeltje op de kruk links van hem ging zitten, had hij zijn vijfde Bass voor zijn neus staan. Hij had er niet bij stilgestaan dat zij hem zou herkennen, maar dat was wel het geval.

'Jij hebt toch op Hopewood gezeten?' vroeg ze.

'Niet zo lang.' Haar tanden waren erg wit. Mensen hadden tegenwoordig allemaal erg witte tanden.

'Ik weet het nog. Jij was...' Ze zag eruit alsof de wodka haar tong losmaakte en zij dat niet wilde. 'Laat maar,' zei ze ondeugend.

Hij staarde naar haar nek. 'Oké,' zei hij, hoewel ze duidelijk wilde dat hij haar aanspoorde.

'Zit je hier ook?' vroeg ze. Ze had op school bij de cheerleaders gezeten, viel hem opeens in. Hij zag haar weer voor zich in een pakje met een erg kort, geplooid rokje, radslagen makend.

'Op school, bedoel je? Nee, jij wel?'

'Ja. Nog even en dan ben ik student.'

Ze kende Sophia ongetwijfeld. Ze glansde een beetje doordat ze een bekende was van Sophia. Hij onderdrukte de neiging het haar te vragen.

'Waar studeer je dan wel?'

Hij nam een grote slok bier. 'Nergens, ik werk.' Hij had geen zin om haar de waarheid te vertellen.

De belangstelling in haar ogen nam af. Die verschoof in elk geval.

'Ga je nog wel met mensen van Hopewood om?' vroeg ze.

'Nee.' Hij nam nog een slok. Wat was het warm in de zaak. 'Jij wel?'

'Ja. Heel veel. Ongeveer negen mensen van school zitten hier.'

Hij knikte. De gloed werd nog wat sterker. Hij bestelde daarom een wodka-tonic voor haar.

'Mag ik je wat vertellen?'

Dat vond hij best. 'Ga je gang.'

'We dachten dat je dood was.'

'O, ja?'

'Iemand heeft je van een brug af zien springen.'

Hij deed zijn best niet te reageren. Hij wilde daar liever niet aan denken. 'Dat hadden ze dus mis.'

Ze knikte en nam een slok. 'Fijn dat je niet dood bent.'

'Nou, dank je.'

Ze boog zich naar hem toe en gaf hem een kus naast zijn mond. Hij voelde het spuug en het zweet dat ze op zijn huid achterliet.

'Met wie ga je dan nog steeds om?' vroeg hij.

'Uit onze klas?' Haar armbanden rinkelden bij elk gebaar dat ze maakte.

'Ja.'

Hij wachtte tot ze een hele lijst had opgesomd en bij Marnie, Lucy's vriendin, uitkwam.

'Volgens mij ken ik die.'

'Raar wicht. Met zwart-blond haar?'

'Zij was bevriend met...' Het was stom dat hij net deed of hij naar de naam zocht van degene die alles voor hem betekende.

'Met wie?' Ze keek hem aan alsof hij een open boek voor haar was. 'Lucy, bedoel je toch?' vroeg ze toonloos.

Hoewel hij graag over haar wilde horen – of ze drugdealer, travestiet, tambour-maître of wat dan ook was geworden, zolang ze nog maar leefde – ging dit hem te ver. Hij stond op. 'Ik moet pissen,' mompelde hij. Hij smeet een briefje van twintig op de bar om zijn rekening te betalen.

'Je weet vast niet meer hoe ik heet.'

Hij liep door.

'Wacht even,' zei ze. De armbanden rinkelden hevig toen ze hem bij de pols greep. 'Waar ga je hierna naartoe?'

'Weer naar huis.'

'Wacht nog even,' zei ze. 'Er is een feestje bij Deke thuis. Ga mee.'

Zijn stomme reptielenhersens vroegen zich af of Sophia er misschien zou zijn. 'Nee, ik moet ervandoor.' Hij kon het vijfde en zesde biertje in zijn stem horen. Hij moest in de auto slapen tot hij weer nuchter was.

'Weet je het zeker? Ik bestel nog een biertje, dan kun je er even over nadenken.'

Hij schudde het hoofd. Als hij nog een biertje zou drinken, zou hij zijn ogen niet meer uit haar blouse kunnen houden. En als hij er daarna nog een nam, zou hij waarschijnlijk met haar mee gaan naar haar kamer, in haar bed kruipen en haar met zijn ogen gesloten uitkleden omdat zij het niet was die hij voor zich zag. Het was al eerder gebeurd, en hij hield er elke keer een rotgevoel aan over. Ze studeerde waarschijnlijk economie of misschien zelfs politicologie, en kon wellicht heerlijke margarita's mixen, hield van haar vader en kon goed serveren, en wie weet wat allemaal nog meer, maar ze was ook het soort meisje dat op het kritieke moment bij de verkeerde naam genoemd werd.

'Ik heet Ashley,' riep ze hem achterna.

Hij raakte op het toilet een paar biertjes kwijt en toen hij het toilet uit kwam zag hij dat zijn kruk was ingenomen door de ontzettend dronken knul met de voetbalschoenen, met zijn neus zowat in Ashleys decolleté. Zij gedroeg zich inmiddels heel anders.

'Hou eens lekker op,' hoorde hij haar zeggen toen de jongen zich zo ver vooroverboog dat de kruk naar voren kantelde. De knul hield haar met beide handen vast toen ze hem een zet gaf, en de kruk wankelde en viel om. Ashley stond op en zette een stap naar achteren.

'Kutwijf!' riep de jongen haar lallend achterna. 'Kom terug, en breng die tieten mee.' Door het speeksel en de gin kon hij amper uit zijn woorden komen.

Daniel beende terug naar de bar. Hij ging voor de man staan terwijl Ashley haar spullen pakte. De jongen richtte zich tot Daniel. 'Wat moet je?'

Daniel keek hem aan, en het beetje lol dat hij door de dronkenschap had gehad, was meteen weg. Hij keek eens goed naar de ogen, wenkbrauwen, schouders en oren van de man, en er kwam iets bovendrijven. Hij zag weer iemand in een bar, die veel op deze leek. Maar het was... in de winter geweest. Koud. Het moet in St. Louis zijn geweest. Die vrouw had vette, uitgelopen rode lippenstift opgehad, zoals meisjes in die tijd droegen. Een bloemetjesjurk met een paar ongelooflijke neptieten eronder die boven de halslijn uitpiepten. Ze had hem verteld dat ze model was en hem een foto laten zien. Het was een advertentie voor een plaatselijke autohandel geweest. Waarschijnlijk Oldsmobile. Hij wist nog dat er een hoop kont en benen waren te zien, maar bijna niets van haar gezicht. Ze was ontzettend trots op die foto. Ze had gehoord dat hij stage liep bij zijn vaders krant en had hem daar een maand lang elke dag gebeld. 'Ik wil beroemd worden,' had ze hem verteld.

Niets zeggen, hield hij zichzelf voor. 'Ik ken jou,' zei hij.

'Mooi niet.'

'Jawel. Ida. Ik ken je echt. Je bent geen steek veranderd. Je drinkt nog steeds te veel.'

De man zat te dubben of hij hem een stomp zou geven.

'Je vindt het leuk om voor foto's te poseren. Dat doe je vast nog steeds. Je bent nog steeds gek op lingerie en schoenen. Kant en hoge hakken en zo. Moeilijk te krijgen in jouw maat, denk ik zo?'

De barkeeper luisterde inmiddels mee en Ashley was ook teruggekomen om te luisteren.

Als Ida minder dronken was geweest, had hij zijn verbazing en gêne beter kunnen verbergen. Daniel was er niet erg trots op dat hij gelijk had. Dit soort dingen zei je niet snel over iemand. Als je in je levens van sekse veranderde, hield dat bijna altijd in dat je in de war raakte. Exhibitionisme was een van de neurotische tics waar iemand van het ene leven na het andere mee behept was.

'Mooi niet,' zei de jongen weer, maar met beduidend minder overtuiging.

Het was stil in de bar toen Daniel wegging. Hij schaamde zich. Hij was teleurgesteld en moe. Dat soort dingen deed hij vroeger. Toen strafte hij mensen met de geheimen en de zwakheden die ze niet begrepen. Maar daar was hij al levens geleden mee opgehouden. Uiteindelijk zouden zij de straf vergeten, maar hem zou het altijd bijblijven.

In zijn vorige leven had hij op zijn zevende bij zijn oom op kantoor een man ontmoet, die vurig wenste dat zijn gezonde been boven de knie zou worden geamputeerd. Iedereen dacht natuurlijk dat de man gestoord was, de man zelf ook, en geen enkele dokter wilde de operatie uitvoeren. Maar Daniel kende hem uit een eerder leven en begreep het. Niet alles, maar wel een gedeelte. Hij wist dat de man soldaat was geweest en op zijn zeventiende bij de Somme zijn been was kwijtgeraakt. Daniel vertelde hem alles wat hij zich kon herinneren. Maar dat was niet om hem te straffen of om zich te wreken. Dat was uit medelijden.

Charlottesville, 2006

Lucy zat op een vrijdagavond in oktober alleen in haar kamer, toen in de gang de huistelefoon rinkelde.

'Spreek ik met Lucy?'

'Ja.'

'Hoi. Met Alexander.'

'Alexander? Wat doe je hier? Sta je beneden?'

'Ja. Mag ik boven komen?'

'Marnie is er niet. Die zit tot morgen in Blacksburg.'

'Mag ik toch even boven komen?'

Lucy wierp een blik op de klok. Ze keek naar haar pyjama. Ze had die avond in bed Emily Brontë willen lezen, maar ze kon moeilijk Marnies jongere broertje wegsturen. 'Goed. Ik moet me aankleden, dus wacht even.'

Dat deed hij niet. Binnen een minuut bonkte hij al op de deur.

Ze liet hem wachten. Toen ze de deur opendeed sloeg hij meteen zijn armen om haar heen.

'Wat doe je hier?' vroeg ze hem opnieuw toen ze zich uit zijn omarming had bevrijd.

'Ik kijk naar welke universiteit ik wil gaan.'

'Echt waar? Zit je dan al in de bovenbouw?'

'Ja, ik zit al in de bovenbouw.' Als hij het had gekund, had hij gekwetst gekeken. 'In januari word ik achttien.'

'Weet Marnie dat je hier bent?'

Hij haalde zijn schouders op. 'Ik geloof dat ik het wel verteld heb. Ja, volgens mij wel.'

'Eigenaardig, want ze heeft er tegen mij niets over gezegd, en ze is gewoon naar Blacksburg gegaan.'

Hij haalde opnieuw zijn schouders op en zag er totaal niet uit alsof hij spijt had. Ze kende Alexander al vanaf dat hij een baby was, en hij was waarschijnlijk wel de aardigste en minst gewetensvolle persoon die ze kende.

'Mag ik blijven?'

Hij keek haar met zijn buitengewoon aantrekkelijke glimlach aan.

'Weten je ouders dat je hier bent?'

'Ja, natuurlijk,' net zo overtuigend als altijd.

Ze moest onwillekeurig lachen. 'Nou goed dan, je mag blijven.' Ze had het nog niet gezegd of hij gooide zijn tas op de grond, sprong op Marnies bed en ging liggen.

'Je bent weer gegroeid,' zei ze.

Hij knikte. 'Jij niet.'

'Je haar is langer.' Hij had prachtige donkerblonde krullen. Marnie en zij waren er altijd mee in de weer toen hij nog klein was en ze hem zover kregen om stil te blijven zitten.

Hij sprong overeind en liep naar Sawmills terrarium. 'Heb je die slang nog steeds?' vroeg hij ongelovig.

Lucy zuchtte. Op deze manier zou hij nog langer leven dan Dana. 'Ja, wil jij hem hebben?'

Alexander lachte. 'Zullen we uitgaan? Is er ergens een feestje? Of naar de bar in de universiteit? Ik heb een vals identiteitsbewijs bij me,' zei hij enthousiast.

Lucy wierp een smachtende blik op *Woeste hoogten*. Het regende en was waterkoud buiten, maar ze voelde zich als de grote zus van Alexander en beschouwde het als haar plicht om hem de studentenervaring te geven waar hij vast over had gedroomd.

Twee feestjes, een bar en een kroeg later was Lucy moe en erg dronken. Alexander hield van dansen, dus hadden ze gedanst. Ze zag dat er heel wat meisjes naar hem keken, en zij bezag hem opeens ook met een andere blik. Tweeënhalf jaar had zo veel geleken toen ze tien was, of zelfs zestien.

Lieve hemel, wat zou Marnie ervan vinden als ze wist dat Lucy haar broertje op zo'n manier bekeek? Ze hoopte maar dat hij dit niet als een afspraakje beschouwde. Ze had hem aangemoedigd met andere meisjes te dansen, maar dat had hij niet gedaan.

'Ik heb honger,' verklaarde Alexander aangeschoten, en sloeg zijn arm om haar heen. Hij was ongeveer dertig centimeter langer dan zij.

Hij had haar op de dansvloer stevig tegen zich aan gedrukt. Zij was daaraan gewend geraakt en vond het niet zo'n punt. Bij hem kwam het natuurlijk over.

'Ik ook. Zullen we pizza gaan halen?'

'Ja, lekker!'

Ze liepen door de regen naar een pizzatent aan West Main Street. Door de felle lampen in de zaak voelde ze zich nog meer dronken. Alexander haalde galant zijn portefeuille tevoorschijn en betaalde de drie pizzapunten, een voor haar en twee voor hem. Buiten gingen ze op een bank zitten en vielen als hongerige wolven op het eten aan. Lucy had het niet meer koud, maar haar sweater rook naar natte hond.

'Weet je nog dat Marnie en ik je haar in staartjes en knotjes deden?'

Hij lachte. 'Weet jij nog dat Dorsey jouw verjaardagstaart heeft opgegeten?'

'En dat Tyler in je blikje fris plaste?'

Hij knikte. 'Toen hij het blikje aan me gaf was het nog warm. Dat vond ik knap verdacht.' Hij nam een hap pizza. 'Weet je nog dat je op me paste en pannenkoekjes met frambozen voor me bakte?'

'Is dat zo?'

'Je deed overal frambozen in.'

'Nee, ik bedoel heb ik op jou gepast?'

'Marnie moest het eigenlijk doen, maar die ging er stiekem vandoor met een knul en jij viel voor haar in.'

'Dat weet ik geloof ik nog. Was je niet een beetje te oud voor een oppas?'

'Ja. Ik was veertien. Maar mijn ouders waren toen naar een huisje of zo voor hun trouwdag.'

'Nu weet ik het weer, ze waren een weekendje naar Greenbrier.'

'Mag ik je iets opbiechten?' Daar was ze nog niet zo zeker van, als ze de uitdrukking op zijn gezicht zo zag. 'Ik klom langs de zijkant van het huis naar boven om jou onder de douche te zien.' Zo te zien schaamde hij zich daar niet voor.

'Alexander!'

'Sorry.' Maar hij leek er eerder trots op.

Ze bloosde. 'Niet te geloven dat je dat hebt gedaan.'

'Dat had ik natuurlijk niet mogen doen,' zei hij. 'Maar het was wel de moeite waard.'

Ze gaf hem een stomp in zijn maag.

Hij moest lachen. 'Nee echt. Ik zou het zo weer doen.'

Ze wilde hem weer stompen, maar hij greep haar armen beet en ze stoeiden een beetje. Voor ze weer overeind kon komen, gaf hij haar een zoen.

'Alexander, niet doen,' zei ze lachend terwijl ze zich terug wilde trekken.

Hij gaf haar nog een kus. 'Waarom niet? Ik wil nog wel even doorgaan.'

'Je bent Marnies kleine broertje. Ik ben te oud voor je.' Ze wilde niet echt dat hij ermee op zou houden, en dat leek hij te weten.

Het ging harder regenen, en hij pakte haar hand. 'We gaan terug naar je kamer,' zei hij.

Van de regen in de drup, besefte ze toen ze naar Whyburn House renden. Ze had nu ook weer niet zo ver willen gaan wat zijn dromen over het studentenleven betrof. Dit moet je niet doen, zei ze tegen zichzelf. Ze herinnerde zich er weer aan dat ze als zijn grote zus was.

'Het is al laat, en we gaan meteen naar bed. Ieder naar zijn eigen bed,' verduidelijkte ze toen ze de sleutel in het slot van de kamerdeur stak. 'Oké?' Ze keek hem aan. Stond hij te grijnzen?

Hij liet haar lang genoeg met rust zodat ze kon opdrogen en naar de badkamer kon gaan om haar tanden te poetsen en een totaal niet sexy pyjama aan kon trekken. Toen ze weer de kamer in kwam lag hij er in een boxershort op Marnies bed bij alsof hij er thuishoorde.

'Ik doe het licht uit. Jij blijft aan die kant van de kamer en anders moet je op de gang slapen, begrepen?' Ze deed het licht uit en stapte in bed.

'Dat meen je niet,' zei hij treurig.

Dat meen ik inderdaad niet, dacht ze. 'Ja hoor, toch wel,' zei ze.

Ze lag daar in het donker. Ze kon amper ademhalen, laat staan in slaap vallen. Ze zag steeds weer zijn bovenlijf voor zich net voordat ze het licht uitknipte. Alsof het op haar netvlies stond gebrand. Hij lag te neuriën.

Wat mankeerde haar? Ja, hij was jong. En ja, hij was Marnies kleine broertje. Wat wilde ze nou? Hij werd haar als op een presenteerblaadje aangeboden, en dan wilde zij gaan slapen? Daniel was er niet meer. Hij was überhaupt nooit een goed excuus geweest, en nu al helemaal niet meer. Daniel was altijd een apart geval geweest, niemand anders was als hij. Alexander leek totaal niet op hem. Maar Alexander leefde toevallig wel. Alexander was hier en zijn mond was warm, en ze wilde hem gewoon in haar bed, meer niet.

'Hé, Alexander?' fluisterde ze.

Zijn hoofd kwam omhoog. 'Ja?'

'Kom eens hier.'

Hij was in een flits bij haar in bed, onder de dekens terwijl hij haar in zijn armen nam en kuste.

Niet te geloven dat ik dit doe.

'Als Marnie er ooit achter komt, vermoord ik je,' fluisterde ze toen hij onder de dekens naar beneden kroop. Het was misschien niet erg romantisch om te zeggen, maar dat maakte hem niet uit. Hij knikte tegen haar navel.

Hij trok haar pyjamabroek met een hand uit, met een air alsof hij het al honderden keren had gedaan. Waarschijnlijk was dat ook zo. Hij was sexy en leuk en ongecompliceerd. Volgens Marnie was minstens de helft van de meisjes op Hopewood High School verliefd op hem, en hij op hen. Hij ging waarschijnlijk met elk ongetrouwd meisje tussen de vijftien en de dertig in heel Hopewood naar bed. En waarschijnlijk op zo'n sympathieke manier dat niemand hem dat kwalijk nam. Het was maar goed dat hij een condoom bij zich had. Hij had ze waarschijnlijk in zijn zakken, in zijn schoenen en achter zijn oren zitten, voor het geval dat.

Toen hij haar sokken uitdeed, viel haar opeens iets te binnen. Alsjeblieft, dacht ze bang. Kom er alsjeblieft nooit achter dat dit voor mij de eerste keer is.

'Je moet nu gaan,' zei ze tegen Alexander toen hij de volgende ochtend wakker werd.

'Waarom?' zei hij slaperig. 'Kom weer terug in bed. Ik vind het hartstikke leuk, zo'n bezoek aan een universiteit.'

'Omdat Marnie voor de middag terug is, en als ze ons zo ziet, weet ze wat er is gebeurd.'

'Ach, welnee.'

'Natuurlijk wel.'

'Lucy,' zei hij klaaglijk.

'Hop, aankleden, meneertje.' Ze wees naar zijn kleren op de grond. 'Kom maar een ander keertje terug. Trouwens, als je universiteiten bezoekt, moet je dan ook niet naar de leslokalen en naar de administratie en zo?'

Hij lachte betrapt. 'Nou, goed dan, ik ga wel.' Hij kwam overeind. 'Als je nog even terugkomt.'

'Alexander!'

Ze ging inderdaad terug en het duurde wel wat langer dan even. Toen dirigeerde ze hem door de gang naar buiten. Hij kon haar nog net een zoen op de mond geven voordat hij in de blauwe Suburban van zijn moeder stapte.

'Tot ziens, Lucy,' zei hij vrolijk.

Terwijl ze door de gang liep, hield Claude de portier haar tegen met een knipoog. Het was het tweede jaar dat ze hier een kamer had, en ze wist dat hij haar niet zonder een opmerking zou laten gaan.

'Nieuw vriendje?' vroeg hij.

Het was duidelijk dat Alexander was blijven slapen. Ze wist niet zeker of ze wel keihard kon liegen.

'Nee.'

'O, nee? Was een knappe knul.'

'Dat is hij zeker.'

'Ik vond de andere leuker, moet ik eerlijk zeggen.'

'Welke andere?'

'De jongeman die verleden jaar naar je vroeg.'

'Wie was dat dan?'

'Net zo lang als die van daarstraks, maar met donker haar. Aardig gezicht.' Claude keek peinzend voor zich uit. 'Droevig gezicht.'

Lucy had meteen naar de lift willen rennen om alle sporen van de wilde nacht uit te wissen, maar bleef staan door wat hij zei.

'Die andere was volgens mij dol op je,' voegde Claude eraan toe.

'Ik heb geen idee wie dat is geweest. Waar was ik toen?'

'Je vriendin en jij waren net weg voor de zomer.'

'En hij vroeg naar mij?'

'Ja. Hij was teleurgesteld dat je er niet was.'

Ze dacht na over wie het kon zijn geweest. 'Is hij nog eens terug geweest?'

'Ik heb hem niet meer gezien. Dus niet tijdens mijn dienst. Ik heb erop gelet.'

'Hm. En je weet toevallig niet hoe hij heet?'

'Hij heeft zich niet voorgesteld, voor zover ik me kan herinneren, maar hij heeft me wel zijn identiteitsbewijs gegeven.' Claude fronste zijn wenkbrauwen en dacht even na. 'Volgens mij heette hij Daniel.'

Dit was de enige avond in Lucy's leven dat ze had verwacht niet in slaap te vallen terwijl ze aan Daniel dacht. Dit was de avond dat ze

nog wat beurs was en het gevoel had alsof ze aan iemand anders toe-
behoorde, en dat haar bed anders leek en rook. Dit was de avond
dat ze in slaap wilde vallen met levendige gedachten aan Alexander:
aan de heerlijke manier waarop hij met haar had gevrijd en allerlei
gevoelens bij haar had opgewekt.

Maar nadat ze talloze keren haar kussen had opgeschud en van
houding was veranderd, bleef ze toch denken aan de jongeman
met het droevige gezicht die langs was geweest en misschien wel
Daniel had geheten. En zelfs op deze avond, vanwege de goede
Claude Valbrun en zijn krakkemikkige geheugen, viel ze ook dit
keer in slaap terwijl ze aan Daniel dacht.

Hastonbury Hall (Engeland), 1918

Al een paar honderd jaar was ik, net als de zon, langzaam richting het westen getrokken. Ik heb er een theorie over waarom zovelen van ons dat doen. Ik weet het niet zeker, en niet elke ziel leeft vaak genoeg om die reis te maken. Sommige zielen leven maar een keer. Minstens één ziel, Ben, heeft waarschijnlijk de hele reis voltooid. Maar als je het Oosten oud en wijs vindt en het Westen onzinnig en nieuw, dan is dat waarschijnlijk niet zonder reden.

Ik werd geboren in de buurt van Boekarest, in Montenegro, twee keer pal bij Leipzig, in de Dordogne. Ik heb, zoals je je wel voor kunt stellen, onderweg een hoop talen en vaardigheden opgepikt. Ik ga nooit erg ver naar het zuiden of naar het noorden. Ik ben maar één keer in Afrika geboren, in het oosten, in wat tegenwoordig Mozambique wordt genoemd, en nooit heb ik me meer gezegend of verlaten gevoeld dan op die prachtige, meedogenloze plek. Ik droom nog steeds af en toe dat mijn handen donker zijn; dat hoort nu eenmaal bij me. En dan heb ik ook een keer in het koude Denemarken gewoond. Maar verder schijn ik me zo rond het midden van het noordelijke halfrond op te houden.

Tijdens Sophies korte, ellendige leven in Griekenland zag ik haar maar een keer erg kort. Ik was op handelsreis geweest van Athene naar Montenegro. In die tijd was ik politicus en handelaar en in het bezit van een groot vermogen. Het was een van de vele levens waarin ik zo veel mogelijk macht en geld bij elkaar schraapte omdat ik er geen idee van had wat ik anders moest doen. Het kostte me zes van die levens voordat ik het onderscheid tussen een middel en het doel kon maken.

Ik was in die periode redelijk tevreden. Ik had een mollige vrouw en twee prachtige maîtresses, een jonge en een oude. Ik had een kasteel met uitzicht op Dalmatië en honderden kunstvoorwerpen die ik veilig had opgeborgen en waar ik nooit naar omkeek. Ik was Sophia niet vergeten, maar de gedachte aan haar was naar de achtergrond geschoven.

Dus daar was ik, in Athene, in mijn schitterende kleding, omringd door mijn dienaren, die naar adem snakten door mijn gevatte opmerkingen en lachten om mijn grapjes, toen ik haar opeens achter in een steegje zag. Ze had donker haar, zwarte ogen, en zat gebogen over een stuk brood. Ze had het waarschijnlijk gestolen, want toen ik naar haar toe liep rende ze weg. Ik holde achter haar aan, mijn bedienden in verwarring achterlatend. Ik was behoorlijk dik en stram en het kostte me wel even om haar in te halen. Toen ik haar had bereikt, huilde ze. Ik pakte haar beet en ze leek wel een gratenpakhuis, zo mager was ze.

'Er is niets aan de hand,' zei ik troostend tegen haar in verschillende talen totdat ze het scheen te snappen. 'Ik ben je vriend.' Ze was een jaar of zes, zeven, denk ik, maar ze zag er veel jonger uit omdat ze zo dun was. Ze wilde niet met me meegaan, dus ging ik daar bij haar zitten. Ik wilde eten en drinken en kleren voor haar kopen, maar durfde haar niet alleen laten, omdat ze de benen zou nemen zodra ik me om had gedraaid.

We zaten daar heel lang samen. Ik praatte met haar en vertelde haar over mezelf totdat de zon onderging en de maan opkwam. Ik hield haar vast tot ze in slaap viel. Haar hart sloeg zo snel en ze ademde zo gejaagd, dat ik mijn hand op haar voorhoofd legde en besefte dat ze gloeide van de koorts. Ik nam haar mee naar mijn villa en haalde de beste Arabische dokter uit de stad erbij. Toen we haar op bed legden zagen we dat ze een gruwelijk ongeluk had gehad. Haar linkerarm was boven de elleboog bijna helemaal afgehakt. De wond was slecht verbonden en ernstig ontstoken. Ik verzorgde haar en bleef bij haar, tot ze twee dagen later overleed. Er was niets aan te doen.

Daarna duurde het heel lang voordat ik haar weer zag. Bijna vijfhonderd jaar. Ik was bang dat haar ziel klaar was. Ze had een zwaar leven geleid, en daar zou ze niet zo snel van bijgekomen zijn. Bepaalde zielen houden ermee op als ze eenheid of evenwicht hebben verkregen, maar andere geven het uit pure frustratie gewoon op. Zoals ik al zei, komen we uiteindelijk weer terug omdat we dat willen. Als je hebt gedaan wat je wilde doen, is het meestal over.

Schandalig genoeg hoopte ik er altijd op dat Sophia en ik één zouden worden. Ik vind dat een vreselijke uitdrukking (net als 'zielsverwanten'), maar ik zou er zo snel niets anders voor kunnen verzinnen. Ik dacht dat ik door haar mijn zonden weg kon wassen en een beter mens kon worden. Ik was zelfs zo brutaal om te denken dat ik meer van haar kon houden dan ieder ander. Ik was altijd bang dat ze één zou worden zonder mij, en dat ik dan dom en onvolmaakt voor eeuwig rond zou moeten hangen.

Ik kwam eindelijk in Engeland terecht. Op de laatste dag van de negentiende eeuw werd ik op het Engelse platteland, in de buurt van Nottingham, geboren. Ik vond het behoorlijk leuk daar te zijn. Hoewel het Britse Rijk gigantisch uitgestrekt is, was ik nog niet eerder Engels onderdaan geweest. Mijn moeder zorgde voor de kinderen en de tuin. Ik had drie zussen, van wie een in Frankrijk een zeer geliefde oom van me was geweest, en een ander mijn vrouw, wat nogal gênant was.

Mijn vader werkte in een textielfabriek en hield duiven als hobby. Er stond een duivenhok achter het huis en de vogels waren al meer dan twee eeuwen in de familie. Ik vond de vliegwedstrijden en de jacht niet erg boeiend, maar wel hun vliegkunst en het feit dat die dieren hun huis konden vinden. Het idee van mensen die konden vliegen fascineerde me buitengewoon.

Percy Pilcher, de overleden zweefvlieger, was mijn held, en toen ik negen was, volgde ik gespannen de verrichtingen van Wilbur en Orville Wright en smeekte mijn vader me mee te nemen naar Le Mans om hun eerste openbare vliegdemonstratie bij te wonen.

Toen de Eerste Wereldoorlog uitbrak droomde ik ervan duiven te trainen om boodschappen en medicijnen over de vijandelijke linies heen te vliegen, en in die oorlog waren de Britten en ook de andere kant afhankelijk van duiven, maar ik was jong en sterk en uit de arbeidersklasse, dus prima geschikt als kanonnenvoer. Ik was een trouwe aanhanger van de kroon en wilde zo graag mijn bijdrage leveren dat ik me al op mijn zestiende als kruitdrager had willen melden en waarschijnlijk in Passchendaele of Verdun zou zijn gesneuveld. Maar ik moest wachten tot 1918 voor ik als infanterist bij het leger kon, en het lukte me dat jaar pas tijdens de tweede strijd om de Somme om de dood in de ogen te zien. Alsof het gisteren was.

Ik kan een hoop over die periode vertellen, maar tijdens dat gevecht werd ik vergast en neergeschoten en bleef bewusteloos in de verschrikkelijke modder liggen. Ik was nog nooit zo dicht bij de dood geweest zonder ook werkelijk te sterven. Toen ik bijkwam moest ik met mijn ogen knipperen tegen het zonlicht dat door een groot antiek raam naar binnen viel. Doordat ik bewoog – voor het eerst in een paar dagen, werd me later verteld – kwam een jonge vrouw met een wit verpleegsterskapje op naar me toe. Ik knipperde nog een paar keer met mijn ogen om het gezicht beter te zien dat boven me hing en zo mooi en bekend was, dat ik dacht dat ik droomde. Ik had kunnen geloven dat ik in de hemel was als ik niet al zo vaak het leven na de dood (voor het leven, tussen levens door) had gezien.

Ze legde haar hand op die van mij, en daardoor dacht ik dat ze me ook had herkend. 'Sophia,' bracht ik hijgend uit, terwijl mijn hart als een razende tekeerging. 'Ik ben het.'

Ze keek me medelijdend aan in plaats van dat ze me herkende. Ik was halfdood en in de war, maar dat viel me toch op. 'Ik heet Constance,' fluisterde ze. Ik voelde de ademstootjes tegen mijn wang. 'Wat fijn dat je bij bent gekomen.'

Zij was het. Zij was het echt. Vond ze het echt fijn? vroeg ik me af. Kwam ik haar enigszins bekend voor? Wist ze wel hoeveel ze voor me betekende?

'Wat zal dokter Burke blij zijn. Gisteren kwam er een andere jongen uit jouw eenheid bij bewustzijn, en nu jij.'

Ik was gewoon de zoveelste jongen in een hospitaal, besefte ik. Ik betekende een dode minder. Ik genoot van haar leuke accent en haar nette witte jurk. 'Ben je verpleegster?' vroeg ik.

'Niet gediplomeerd,' zei ze zowel bescheiden als trots. 'Maar daar ben ik voor aan het leren.'

Ze was zo vertrouwd en lief. Ik wilde het haar zo graag vertellen, maar ik wilde haar niet wegjagen voordat ik haar goed had bekeken.

'Waar ben ik?' vroeg ik. Ik keek naar het grote raam en het prachtig bewerkte plafond.

'In Hastonbury, in Kent.'

'In Engeland?'

'Ja, in Engeland.'

'Het lijkt wel een paleis,' zei ik, moeizaam ademhalend.

'Het is maar een landhuis,' zei ze. Ze sloeg haar ogen neer en keek me toen weer aan. 'Maar nu is het een hospitaal.'

Ik kreeg bijna geen lucht en mijn borst deed vreselijk veel pijn. Ook andere pijnen kwamen bovendrijven. Ik probeerde me te herinneren wat er met me was gebeurd. In al de jaren dat ik had gevochten, was er nooit mosterdgas gebruikt. Ik was blij dat ik Sophia weer zag, maar was opeens bang hoe ik eruitzag. 'Heb ik alles nog?' vroeg ik.

Ze bekeek me van top tot teen. 'Je hebt een behoorlijke klap gehad, maar verder schijnt alles op zijn plaats te zitten,' zei ze. Er schemerde een vleugje humor in door, daar ben ik van overtuigd.

'Ik ben niet verbrand?'

Ze vertrok bijna onmerkbaar haar gezicht. 'Wel wat blaren, maar niets ernstigs. Je hebt erg geboft.'

Ik bewoog mijn benen. Dat deed veel pijn, maar ze waren er nog, en ik kon ze bewegen. Ik voelde haar hand op de mijne. Dus ik was niet verlamd. Ik kreeg weer hoop. Sophia zat daar en ik was niet dood en ook niet verminkt.

Ze legde haar hand op mijn voorhoofd dat nat van het zweet was. Haar tederheid bezorgde me een ander soort pijn op mijn borst en in mijn keel. Kende ze me wel?

'Kom op, Constance. Je moet verder met je ronde,' zei een oudere vrouw, waarschijnlijk wel een gediplomeerd verpleegster, die niet zo'n mooie stem, of zo'n mooi gezicht had, of zo lief was als Sophia.

Sophia keek opeens op. 'Patiënt...' Ze keek op de status. 'D. Weston is bijgekomen, zuster,' zei ze enthousiast. 'Zal ik het dokter Burke vertellen?'

De verpleegster vond het lang niet zulk goed nieuws als Sophia. 'Dat doe ik wel,' zei ze, met een onderzoekende blik op mij.

'Goed, zuster Foster,' zei Sophia.

Ik vond het vreselijk dat Sophia haar hand weghaalde en ik vond het vreselijk dat ze naar het volgende bed ging en haar hand op het voorhoofd van de jongen daar legde. Mijn nek deed pijn toen ik mijn hoofd draaide, maar ik wilde het zien. Ik hoorde haar met hem praten en zag dat hij blij werd toen hij haar zag.

Ik was inderdaad de zoveelste jongen in het hospitaal die in de kreukels lag, en zij was de liefste zuster in opleiding die je je maar kunt voorstellen. Door haar konden wij weer aan liefde denken en kregen we hoop. Ze wist niet dat ze Sophia was, en ze wist niet wie ik was. Maar we waren in dit leven even bij elkaar, en daarom alleen al was ik ontzettend blij en oneindig dankbaar.

Charlottesville, 2007

Lucy reed een paar keer verkeerd, maar uiteindelijk kwam ze er toch. Het was bijna een jaar geleden dat ze er was geweest en er stonden dit keer meer rozen. Het gras was langer. Ze klopte op de deur van de stacaravan, maar er werd niet opengedaan. Op haar auto na was er geen een te bekennen.

Lucy kon niet zomaar weer naar huis gaan. Ze had al haar spullen gepakt en was twee dagen eerder uit haar kamer vertrokken. Ze had twee keer in Marnies zomerappartement aan Bolling Avenue geslapen en nu was ze bepakt en bezakt onderweg naar Hopewood voor een verblijf van drie maanden. Dit was de enige kans die ze had. Ze ging in de warme, benauwde auto zitten wachten. Wat doe ik hier? Ze leek wel een stalker.

Zo zie je maar weer, dacht ze. Een jaar geleden had ze geen greintje vertrouwen in Madame Esmé gehad, en nu zat ze voor de aftandse caravan zonder wielen te wachten op wat Madame Esmé misschien te vertellen had.

Lucy legde haar wang tegen het raam en was bijna in slaap gevallen toen er een auto de oprit op kwam rijden. Het was een oude, roestige, rode Nissan. Het duurde even tot Lucy doorhad dat het meisje dat uitstapte Madame Esmé was.

Lucy stapte ook uit en onderschepte het meisje onderweg naar de voordeur.

'Pardon? Ik wil je niet lastigvallen, maar...'

Het meisje draaide zich om en Lucy zag dat ze een donkerblauwe polo aanhad met het logo van de Wal-Mart in het wit erop gestikt. Op het naambordje stond DAG, IK HEET MARTHA.

'Ik ben al eens eerder langs geweest,' ging Lucy door. 'Ongeveer een jaar geleden. Jij bent toch Madame Esmé?'

Het meisje knikte langzaam. Ze gaf geen enkele blijk van herkenning en zag er ook niet aangenaam verrast uit.

'Sorry dat ik zo maar op kom dagen. Je hebt toen mijn hand gelezen. Misschien weet je dat nog? Nou ja, waarschijnlijk niet. Je doet het vast heel vaak. Maar...'

Het meisje haalde haar schouders op. Lucy had het hele Madame Esmé-gedoe zwaar overdreven gevonden, maar achteraf was het ook indrukwekkend en buitenissig geweest. Zonder die kleding was het meisje erg jong en klein. Lucy zag de blauwe plek op haar kaak en vroeg zich af hoe dat gekomen was. Automatisch ging haar hand afwerend omhoog naar haar eigen gezicht.

'Hoor eens, ik heb nagedacht over wat je me toen vertelde. Ik hoop dat je een paar vragen kunt beantwoorden. Of dat je misschien weer mijn hand kunt lezen. Ik heb geld bij me.'

Het meisje schudde al het hoofd voordat Lucy uitgesproken was. 'Sorry, maar nee.'

'Maar zou je dan...' Lucy's stem trilde. Ze wist niet wat ze moest doen. Dat ze hiernaartoe was gegaan, was een noodsprong geweest. Ze had neergekeken op Madame Esmé, aan haar getwijfeld en haar bespot, maar ze moest uiteindelijk toch toegeven. Esmé/Martha was misschien wel zo gek als een deur, maar Lucy had haar nodig. Lucy kon geen kant meer op. Ze had er zelfs niet bij stilgestaan dat ze niet geholpen zou worden. Niet nadat ze vijftig dollar bij zich had gestoken.

'Mag ik je alleen maar wat vragen, dan?' vroeg Lucy. 'Je weet waarschijnlijk niet meer wie ik ben, maar je zei een hoop vreemde dingen, en zoals ik al zei, heb ik daarover nagedacht. Ik snapte het toen niet, maar nu denk ik...'

Martha schudde weer het hoofd. Het viel Lucy op dat het meisje eerder slecht op haar gemak dan ongeïnteresseerd leek. Ze keek Lucy aandachtig aan toen die doorging.

'Doe je dat werk niet meer?' vroeg Lucy.

Ze haalde haar schouders op. 'Daar gaat het niet om. Ik wil het gewoon niet doen.'

'Maar die kleding en dat gedoe eromheen hoeven toch allemaal niet? Als jij het niet erg vindt, zit ik er ook niet mee. En als je het toch wilt, dan wacht ik wel. Ik kan wel even...'

'Ga nou maar,' zei Esmé/Martha met lage stem. Ze draaide zich om en liep naar haar deur.

Lucy was in alle staten. Dit was haar laatste kans. Wat bleef erover als je je zelfs niet kon overgeven?

'Alsjeblieft,' zei Lucy. 'Sorry dat ik je zo er mee overval. Ik weet dat het raar overkomt. Ik wil je niet lastigvallen, maar zou je... zal ik anders een andere keer terugkomen? Moet ik een afspraak maken? Dat had ik natuurlijk moeten doen, maar ik heb je telefoonnummer niet.' Lucy hield haar tas omhoog. 'Ik heb geld bij me,' zei ze weer, maar zonder veel vertrouwen.

Het meisje stond in de deuropening en keek achterom naar Lucy. Lucy zag medelijden in die blik maar ook bezorgdheid.

'Ik heet Lucy, maar jij noemde me Sophia. Kun je je mij nog herinneren?'

'Ik moet naar binnen,' zei het meisje.

Er zat voor Lucy niets anders op dan naar de auto te lopen en in te stappen. Eigenlijk had Lucy gehoopt meer te weten te komen. Al was het dan om te bewijzen dat Madame Esmé er geen bal vanaf wist, ze uit haar nek kletste en soms toevallig iets goed had, en het allemaal alleen maar deed om het geld. Maar dat was allemaal niet gebeurd.

Ze zakte onderuit in de auto en wierp een hopeloze blik op de caravan. Esmé/Martha stond nog steeds in de deur. Ze zag er net zo ongelukkig en opgelaten uit als Lucy zich voelde. Lucy wilde net het portier sluiten toen ze de mond van het meisje zag bewegen. Ze boog zich uit de auto.

'Hij is niet dood.'

'Wat zeg je?' vroeg Lucy verbijsterd.

'Dat hij niet dood is.'

Lucy hield het portier zo stevig vast dat haar knokkels wit werden. 'Heb je het over Daniel?'

Het meisje zei verder niets meer. Ze trok de deur met een klap achter zich dicht.

Hastonbury Hall, 1918

Ik leefde van de ene dienst die Sophia draaide tot de andere. De pap voor het ontbijt was een delicatesse als zij hem aan me gaf en een smakeloze smurrie als zuster Foster of Jones of zelfs de jonge, mollige Corinne hem naar me bracht. Als Sophia mijn voorhoofd of mijn handen aanraakte of me medicijnen gaf, leek het alsof mijn hele lijf binnenstebuiten keerde. Ik kon niets voor haar verborgen houden, en dat wilde ik ook niet; daar was ik niet sterk genoeg voor.

Sophia mocht alleen mijn hoofd en handen behandelen. De oudere verpleegsters hadden de grovere taken, zoals de ondersteek geven, wassen en het verband verschonen. Ze hadden het druk en weinig tijd voor me, en ik vond het eerlijk gezegd frustrerend om aan hen overgeleverd te zijn. Mijn hoofd zat vol ervaringen, meningen. Ik had in oude steden gewoond, de wereldzeeën bevaren en perkamentrollen uit de bibliotheek van Pergamon gelezen, en nu had ik een ondersteek nodig. Zij zagen me voor wat ik was: de zoveelste achttienjarige gewonde soldaat.

Ik was nog nooit zwaargewond geweest. Net als ieder ander had ik wel eens wat gehad in mijn levens. Maar aan de echt zware verwondingen was ik overleden. De medische wetenschap stelde in die tijd nog weinig voor. Toen waren er niet een lange tijd en een hoop gedoe tussen leven en dood zoals tegenwoordig.

Maar mijn ongeduld en zwakte daargelaten vond ik het evengoed boeiend. De medische verzorging was met sprongen vooruitgegaan, en ik lette goed op. Ik was al iets aan het plannen voor mijn volgende levens. Ik heb aanleg voor wetenschap, maar ik ben waarschijnlijk geneeskunde gaan studeren omdat ik in dat hospitaal zo liefdevol was verzorgd.

Nu ik bij bewustzijn was en mijn verwondingen al wat ouder waren, werd ik overgeplaatst naar een kamer een verdieping hoger. Het was een grote ruimte met gele muren en nog vier andere bedden. Het had uitzicht op de tuin. Als ik rechtop in mijn bed zat, kon ik een stukje groen en wat herfstrood zien. De ramen waren groot en lieten, zelfs als het regende, veel licht binnen. Tussen de geur van ontsmettingsmiddel en ammoniak door ving ik een vleugje van Sophia op en in mijn koortsdromen klampte ik me daaraan vast.

's Avonds was de koorts het hevigst, maar dat vond ik niet erg, want Sophia kwam dan soms bij mijn bed zitten.

'Sophia,' mompelde ik toen ze mijn hand vasthield. Het was de derde avond in mijn nieuwe kamer.

'Constance,' fluisterde ze terug.

Ik keek haar aan. 'Je hebt dit keer blauwe ogen.'

'Ze zijn altijd blauw geweest.'

'Nee, ooit waren ze zwart.'

'Is dat zo?'

'Ja, en net zo mooi.'

'Gelukkig maar.'

'Je haar was de vorige keer langer, en niet zo... met al die dingen erin.'

'De kammetjes?'

'Ja. Het was donkerder, maar je ogen waren precies hetzelfde.'

'Ze waren toch zwart?'

'Ja, de kleur was anders, maar verder hetzelfde. Hetzelfde waar het telt. Dezelfde mens als je erin keek.'

Ze knikte. De koorts was zo hoog dat ze me overal in tegemoet-kwam.

'De laatste keer dat ik je zag was je een klein meisje. Volgens mij was je zes.'

'Hoe kan dat nou? Jij bent toch niet hier in Kent opgegroeid?' vroeg ze.

'Nee, dat was in Griekenland.'

'Ik ben nog nooit in Griekenland geweest.'

'Jawel. Je had toen een vreselijk leven.' De koorts werkte als een waarheidsserum. De tranen sprongen me in de ogen, maar ik knipperde ze weg. 'Ik wilde je helpen.' Opeens viel me iets in. 'Mag ik je arm zien?' Ik deed mijn ogen dicht om het voor de geest te halen. 'Je linkerarm.'

Ze stak hem met tegenzin naar me uit.

'Stroop je mouw op. Daar zit iets, dat weet ik zeker. Op die plek.' Ik wees naar een punt op de mouw van haar vest.

Ze keek me onderzoekend aan. Het was ongebruikelijk dat patiënten haar verzochten een lichaamsdeel te laten zien, laat staan dat ze toestemde. Maar ze was nieuwsgierig. Ze trok haar groene gebreide vest uit en stroopte de katoenen mouw op om mij haar arm te tonen. Ik keek haar zo intens aan dat ze moest blozen.

Op de tere onderkant van haar arm, een stukje onder haar oksel, zat in de lengte een bruine moedervlek. Ik wilde hem aanraken, maar hield me in. Dat was een intiem stukje van haar lichaam, en kwam bij Engelse meisjes zelden in de openbaarheid.

'Hoe wist je dat?' vroeg ze. 'Had je het al een keer gezien?'

'Waar dan?'

Ze haalde haar schouders op. 'In Griekenland.'

Ik moest zo hard lachen als mijn longen het toestonden. 'Ja, maar toen was het nog erger.' De tranen schoten me weer in de ogen. Koorts, in combinatie met het meisje van wie je hebt gehouden en die je al vijfhonderd jaar niet hebt gezien, kan je hard raken.

'Hoe is dat gekomen?'

Ik wilde het haar liever niet vertellen. 'Geen idee. En ik wil het ook liever niet weten. Misschien had je wel een nalatige moeder, als je er al een had.'

Dat greep haar aan. 'En nu?'

'Een moeder?'

Ze keek me ernstig aan. 'Nee, die moedervlek. Waarom zit die daar nu?'

'Nou, dat is het eigenaardige. Elke keer dat je wordt geboren is je lichaam over het algemeen nieuw en ongeschonden, maar dan past het zich na een tijdje aan je aan. Oude voorvallen blijven je bij: verwondingen, onrecht, en ook ware liefdes.' Ik wierp haar een blik toe. 'En je bewaart die in je organen en op je huid. Je draagt het verleden met je mee, ook al herinner je je er niets meer van.'

'Jíj in elk geval wel.' Ze keek me weer toegeeflijk aan, maar dit keer minder zelfverzekerd.

'Iedereen.'

'Omdat we steeds opnieuw worden geboren?'

'De meesten wel.'

'Maar niet allemaal?' Ze toonde hoe langer hoe meer interesse.

'Sommigen leven maar één keer. Sommigen een paar keer. En sommigen blijven maar terugkomen.'

'Hoezo dat?'

Ik ging liggen. 'Dat kan ik niet zo gauw uitleggen. Ik weet het eigenlijk niet.'

'En jij?'

'Ik heb vele levens gehad.'

'En je kunt je ze allemaal herinneren?'

'Ja. Daarin verschil ik van andere mensen.'

'Dat kun je wel zo stellen, ja. En hoe zit dat met mij?' Ze keek me aan alsof ze mijn antwoord daarop niet ging geloven, maar er toch een beetje bang voor was.

'Jij hebt ook vele levens gehad. Maar jouw geheugen is gewoon gemiddeld.'

'Dat is duidelijk.' Ze lachte. 'Heb je mij in al je levens gekend?'

'Dat wilde ik wel. Maar nee, niet in alle.'

'En waarom kan ik me dat niet herinneren?'

'Dat kun je wel, beter dan je je voor kunt stellen. De herinneringen zitten ergens in je. Je reageert erop zonder dat je dat beseft. Zij bepalen hoe je met mensen omgaat, van welke dingen je houdt en waar je bang voor bent. Veel van ons irrationele gedrag zou rationeler zijn als je het kon zien tegen de achtergrond van je hele lange leven.'

Verbazingwekkend wat ik allemaal bereid was te vertellen, zolang zij maar bereid was te luisteren, en dat was ze. Ik raakte haar mouw aan. 'Ik weet genoeg van je af om te weten dat je van paarden houdt en dat je waarschijnlijk over ze droomt. Je droomt vast ook wel eens over de woestijn, en over een bad buiten. Je nachtmerries gaan hoofdzakelijk over brand. Je hebt af en toe last van je stem en je keel, want dat was altijd je zwakke punt.'

Ze was als betoverd. 'Hoezo dan?'

'Heel lang geleden ben je gewurgd.'

Ze keek me deels gespeeld en deels oprecht geschokt aan. 'Door wie?'

'Door je man.'

'Wat erg. Waarom ben ik met hem getrouwd?'

'Je moest wel.'

'En jij kende die man?'

'Het was mijn broer.'

'Die is hopelijk ook al lang dood.'

'Ja, maar in al zijn levens draagt hij helaas wrok mee.'

Ik kon zien dat ze het een plaats wilde geven. 'Ben je helderziend?' vroeg ze.

Ik glimlachte en schudde het hoofd. 'Nee, maar veel helderzienden, de goede althans, kunnen zich wel wat van hun vorige levens herinneren. Net als veel van de mensen van wie geloofd wordt dat ze krankzinnig zijn. De meeste mensen met een goed geheugen zitten in een inrichting. Ze krijgen er soms flitsen en visioenen van te zien, maar vaak in de verkeerde volgorde.'

Ze keek me meelevend aan en vroeg zich af of ik daar ook thuishoorde. 'En is dat bij jou ook het geval?'

'Nee, ik kan me alles herinneren.'

Washington, 2007

Het was heel wat anders dan de caravan van Madame Esmé met de rozen. Dit was een kantoor in een heus kantoorgebouw aan Wisconsin Avenue in Georgetown. Er was een lift en ook een wachtkamer en er hingen ingelijste diploma's aan de muur. Lucy dacht niet dat Esmé ook maar een middelbareschooldiploma had, maar deze man had diploma's van Haverford College, Cornell Medical College, Georgetown University Hospital en nog een paar andere.

Lucy moest toegeven dat het eigenlijk wel gek was dat ze daar was. Na de afschuwelijke ervaringen die Dana met psychiaters had gehad, had Lucy nooit gedacht dat zijzelf uit vrije wil naar een toe zou gaan. Maar misschien was dat nu juist de reden waarom het voor Lucy anders was. Dana was opgenomen, vastgebonden, platgespoten en naar binnen gesleurd. Zij had het niet zelf gewild.

Op een bepaalde manier had Lucy meer bewijs dan ooit voor haar eigen gekte, maar ze beschouwde zichzelf als minder gek omdat ze het onder ogen durfde te komen en er niet voor wegrende. Logisch of niet, door Daniel en Madame Esmé was ze gaan vermoeden dat de vreemde beelden in haar hoofd overeenkwamen met een bepaalde werkelijkheid, en dat ze er alleen achter moest zien te komen hoe dat zat. Ze wilde meer weten. Ze moest meer weten. Ze hoopte dat ze daardoor orde kon ontdekken in de chaos die in haar hoofd op de loer lag. En bovendien wist ze niet wat ze anders moest doen.

Toen dr. Rosen de kamer in kwam, leek hij net zo ernstig als zijn diploma's hadden doen vermoeden. Ze ging staan en gaf hem een hand, in de hoop dat ze er lang niet zo jong en radeloos uitzag als ze zich voelde.

'Aan de telefoon liet je weten dat je geïnteresseerd bent in hypnose,' zei hij, en hij gebaarde dat ze op de bank kon plaatsnemen.

'Ja, dat klopt.'

'Bij bepaalde angsten, zoals je aan me beschreef, kan het inderdaad nut hebben, maar in wezen werkt het het beste in combinatie met therapie en in sommige gevallen zelfs met medicijnen.' Hij zei het op een toon alsof het een verplichte riedel was.

'Dat snap ik,' zei Lucy zenuwachtig. 'Maar ik woon hier tweeënhalf uur rijden vandaan, en ik kan me momenteel maar één behandeling veroorloven. Kunnen we met de hypnose beginnen en kijken hoe het gaat?' Lucy had dr. Rosen op internet opgezocht en had ontdekt dat hij ietwat onorthodox was in zijn aanpak van hypnose en alleen met de juiste kandidaten wilde werken.

Hij keek haar aan. Hij knikte. 'Waarom niet? Sommige mensen zijn er ontvankelijker voor dan andere. Eens zien hoe het met jou gaat.'

Hij pakte een taperecorder uit de la van zijn bureau. 'Wil je dat ik het opneem? Veel mensen willen een behandeling graag achteraf beluisteren.'

Daar had ze niet aan gedacht, maar het leek haar wel een goed plan. Stel dat ze het gesprek met Madame Esmé op had genomen? 'Ja, graag.'

Hij zei dat ze moest gaan liggen en zich moest ontspannen. Hij vertelde dat ze naar zijn gouden pen moest kijken totdat haar ogen dichtvielen. Hij bleef een tijdje kalmerend praten, dat ze rustig moest liggen en naar haar ademhaling moest luisteren en dat soort dingen. Toen zei hij dat hij haar door een beeld zou leiden. Hij zou haar naar een huis brengen, legde hij uit, en dan moest zij hem vertellen wat ze daar zag. Ze richtte zich helemaal op zijn stem totdat ze erg slaperig werd. Opeens liep ze door een gang.

'Zeg maar wat je ziet,' zei dr. Rosen rustig.

'De houten vloer kraakt. Ik wil niet te veel herrie maken,' zei Lucy. Ze was meer verslag aan het uitbrengen dan aan het nadenken.

'Waarom niet?'

'Ik wil niet dat men weet dat ik weer naar zijn kamer ga. Ik sluip er altijd naartoe.'

'Wiens kamer is dat?'

Ze wist niet of ze het niet wilde vertellen of het niet wist, dus ging ze door. 'Zijn kamer is recht voor me. Het was vroeger mijn kamer.'

'Maar nu niet meer?'

'Nee. Vanwege de oorlog. Het is nu een hospitaal.' Lucy vertelde dat allemaal zonder dat ze echt besefte wat ze ermee bedoelde of waarom ze het zei, maar om de een of andere reden zat ze er niet mee dat het enigszins vreemd was.

'Wil je de kamer in?'

'Ja, ik wil hem zien.'

'Ga dan maar gewoon naar binnen,' stelde hij voor.

'Goed.'

'Wat zie je?'

Ze was opeens erg verdrietig. Alsof ze iets was vergeten wat heel erg was en wat nu weer boven kwam drijven. Haar keel deed pijn. 'Daniel is er niet.'

'Je bent overstuur.'

'Er zijn drie soldaten, maar hij is er niet bij.'

'Wat erg.'

De tranen stroomden haar over de wangen. 'Waarom dacht ik dat hij er zou zijn?' Ze huilde zo hard dat ze even geen woord kon uitbrengen.

'Je hebt hem verzorgd.'

'Ik hield van hem. Hij wilde niet weggaan. Hij zei dat we weer samen zouden zijn. Hij zei dat hij me nooit zou vergeten, wat er ook gebeurde, en dat ik mijn best moest doen hem niet te vergeten. Daarom heb ik dat briefje geschreven.'

'Welk briefje?'

'Een briefje aan mezelf. Voor in de toekomst. Zodat ik het me zou herinneren. Ik heb het in de nis achter de boekenplank in mijn oude kamer verstopt. Daar ligt ook zijn brief.'

'Zijn brief aan jou?'

'Ja.'

'In jouw oude kamer?'

'Ja.'

'Waar is die kamer?'

'In ons vorige huis. Het grote huis. Niet het huisje aan de rivier, waar we nu wonen.'

Ze beschreef het landschap rondom het grote huis, en het dorpje Hythe er vlakbij, en de rivier, de kippenren en de oude moestuin die vanwege de oorlog nu een parkeerterrein was. Ze beschreef de oude tuinen, de tuinen die vroeger schitterend waren.

'Vroeger?' wilde hij weten.

'Voordat mijn moeder overleed. Zij heeft de tuinen ontworpen.'

'Wanneer is je moeder gestorven?'

'Toen ik nog klein was, maar ik kan me haar nog herinneren.'

Op een gegeven moment leidde zijn trage stem haar het huis uit en terug naar zijn kantoor. Hij zei weer dat ze zich moest ontspannen en rustig moest ademhalen. Toen hij haar zei dat ze haar ogen open moest doen, deed ze dat.

Ze wist niet meteen waar ze was, maar was niet in de war of onzeker. Het was net of ze had gehuild, ze bespeurde nog sporen van verdriet, maar niet de emotie zelf. Ze probeerde het te begrijpen.

'Lucy?'

'Ja.'

'Gaat het?'

'Ja, hoor.'

'Weet je nog wat je hebt gezien?'

Ze dacht erover na. 'Volgens mij wel. Het meeste wel.'

Dr. Rosen leek nogal verbaasd, besefte ze, toen ze hem aankeek. 'Je was meteen heel diep weg,' zei hij.

'Is dat zo? Is dat normaal gesproken dan niet het geval?'

Hij keek haar aandachtig aan. 'Ik kan niet zeggen dat er een normale manier is. Maar je reageerde zeker erg vlot en... was misschien wel erg duidelijk over waar je was en wat je zag.'

Ze knikte.

'Weet je wat het betekende? Heb je het een keer meegemaakt?' vroeg hij.

'Nee, dat niet. Maar het kwam me wel bekend voor.' Ze keek naar haar handen. 'Was het een regressie, denkt u?'

Hij leek slecht op zijn gemak. 'Zou kunnen. Het gebeurt wel eens.'

'Ik geloof niet dat ik daar ooit een keer geweest ben. Maar denkt u dat het misschien...' Ze kon de zin niet echt afmaken, en hij scheen zich niet geroepen te voelen dat voor haar te doen.

Hij liet zijn adem ontsnappen. 'Lucy, de tijd is bijna om. Het was een... emotionele ervaring voor je, denk ik zo. Als je nog een beetje in de war bent, kom dan gerust in de wachtkamer even bij.'

'Het gaat wel,' zei ze. Ze dacht er weer over na. Het leek niet als iets uit haar verleden, maar ook niet als iets uit het verleden van iemand anders. Waar stond het huis? Was ze er misschien ooit in de buurt geweest?

'Denkt u dat er iets van waar was? Denkt u dat ik echt een briefje voor mezelf heb achtergelaten? Daar kan ik me niets van herinneren.' Ze vond het gek om hem die vraag te stellen.

Dr. Rosen scheen niet bereid een veronderstelling te doen. 'Het komt wel vaker voor dat er onder hypnose vreemde dingen naar boven komen. Net als bij dromen. Dat soort informatie kan enorm handig zijn voor je zelfkennis. Maar het is niet verstandig om het letterlijk te nemen. Je kunt het maar beter als een metafoor zien.'

Lucy keek hem recht aan. 'Het leek mij geen metafoor.'

Die avond luisterde Lucy in haar slaapkamer naar de opname van de hypnosesessie, met het geluid zacht en haar deur dicht. Wat haar meteen opviel was hoe krachtig haar stem was. Terwijl ze na aanmoediging van dr. Rosen de hal door was gelopen, was haar stem opeens dat van een Engels meisje geworden. Het was bijna eng. Ze speelde dat stukje drie keer met bonzend hart af, om er zeker van te zijn dat zij het echt zelf was die aan het woord was. En dat was inderdaad het geval.

Lucy was vreselijk slecht in accenten. Ze had een keer een plat Londens accent moeten nadoen in een opvoering van *Oliver!* voor school, maar het had nergens op geleken. Het was nog erger geweest dan Dick Van Dyke in *Mary Poppins*. Maar het accent op het bandje was griezelig subtiel en consistent geweest. Al had haar leven ervan afgehangen, dan had ze het niet na kunnen doen.

Ze luisterde naar zichzelf alsof er iemand anders aan het woord was, maar ze kon zich herinneren wat ze had gezegd en wat ze had gezien. De stem, de beelden, hoorden wel en ook weer niet bij haar. Ze wist nog dat ze het huis zag, en ze deed haar ogen dicht en luisterde, liggend op bed, naar het bandje, en zag het weer voor zich. De hal, de deur van de slaapkamer. Haar vroegere slaapkamer, zei het meisje – zijzelf – op de band.

Ze was niet meer gehypnotiseerd. Zo lang kon dat toch niet duren? Dr. Rosen zei dat hij haar had teruggebracht. Nadat ze zijn kantoor uit was gegaan, in haar auto was gestapt en naar huis was gereden, had ze heel veel gewone dingen gedaan en gewone dingen gedacht. Ze had getankt en een zak snoep gekocht. Ze had blauwe hortensia uit de tuin geplukt en in een vaas gezet. Ze had Sawmill vers water gegeven en de zoveelste vervilte huid uit zijn glazen huis gevist. Ze had samen met haar moeder gekookt en het eten opgegeten. Ze had haar vader thuis horen komen en hem geholpen het uniform van de Confederatie weg te hangen dat hij elk jaar in Chancellorsville in het levende museum droeg. Ze had zeer zeker niet als een ouderwets Engels meisje gesproken. Haar stem was net als anders, en ze was, ondanks de eigenaardige en trage opschudding in haar hoofd, min of meer nog steeds zichzelf.

Maar toen ze haar ogen dichtdeed en naar het bandje luisterde, zag ze weer alles wat ze onder hypnose had gezien. Ze zag zichzelf de slaapkamerdeur opendoen; ze zag de kamer zoals ze die eerder had gezien. Maar op het bandje werd het meisje – zij – erg emotioneel en kwam ze niet goed uit haar woorden. Lucy was nu niet meer zo aangedaan, en dus kon ze dit keer om zich heen kijken.

Met haar ogen dicht zag ze de gele muren, het groenachtige licht dat door de twee hoge ramen tussen het gebladerte door viel. Ze kreeg niet de indruk dat ze het verzon. Ze wist niet waar de beelden vandaan kwamen, maar het leek alsof ze iets aan het onderzoeken was, ergens in rond snuffelde, wat al uitgebreid in haar hoofd aanwezig was.

Er waren geen drie soldaten in de kamer. Er waren helemaal geen soldaten. Ze kon zich even een vaag beeld voor de geest halen van soldaten in de kamer, maar dat bleef niet lang hangen. Wat wel bleef was de kamer met daarin een groot hemelbed, een zware kast, een bureau met daarboven een wazige spiegel en aan de andere muur elegante ingebouwde boekenplanken. Ze had het eigenaardige gevoel dat ze de titel van elk boek kon lezen als ze naar die planken toe zou gaan. Maar het meisje – zij – was niet doorgelopen. Ze stond in de deuropening te huilen.

In haar eigen huis werd er beneden een deur dichtgeslagen en Lucy schrok ervan. Ze kwam met open ogen overeind, terug in haar kamer, waarvan de muren toevallig ook geel waren. Ze deed haar ogen dicht en weer open. Het leek net of ze honderd meter onder water had gezeten en weer boven was gekomen. Eenmaal aan de oppervlakte was het beeld dat ze had gezien wazig en ver weg. Eigenlijk kon ze het niet meer zien.

Die avond droomde ze over de gele kamer, de andere gele kamer. Ze zag Daniel erin, wat haar droom-ik totaal niet verbaasde. Hij leek niet op de Daniel die ze op school had gekend, maar ze wist dat hij het was. Zo ging dat vaak in dromen. Hij wilde haar iets vertellen. Hij zag er net zo gepijnigd uit als tijdens het feest. Hij wilde haar iets vertellen, maar kon geen woord uitbrengen. Er zat geen lucht in zijn longen. Hij deed vreselijk zijn best en zij had medelijden met hem. En toen wist ze opeens wat hij wilde zeggen.

'O, het briefje!' zei ze, en ze pakte zijn handen beet. 'Dat weet ik al.'

Hastonbury Hall, 1918

Ik kon gewoon niet geloven dat ik stervende was. De beste dr. Burke vertelde het me, en aanvankelijk geloofde ik hem niet. Ik was er volstrekt zeker van dat hij het mis had, want het lot kon niet zo wreed zijn, vond ik, ook al wist ik heel goed dat het lot zich daar totaal niets van aantrok. Maar na een tijd was het duidelijk dat mijn longen erop achteruitgingen. Ik was al eens gestorven aan tbc, ik wist hoe dat ging. En deze keer waren mijn longen al door gas aangetast. Ik was waarschijnlijk de enige mens op aarde die niet bang was om te sterven, maar dit keer vond ik het niet eerlijk.

Er waren heel wat levens geweest waar ik moeiteloos uit stapte, ook al was het soms een pijnlijke dood. Talloze keren was ik vol goede moed opnieuw begonnen, benieuwd naar het volgende leven en met de hoop dat ik Sophia weer zou zien. En nu was ik eindelijk bij haar en kon ik niet blijven.

Hoe zou ik haar weer kunnen ontmoeten? Het lot zou haar wel weer op mijn pad brengen, maar hoe lang ging dat duren? Vijfhonderd jaar? Dat werd me te veel.

Ik kon een einde maken aan mijn leven. Dat was misschien verkeerd, maar ik deed het soms toch. Waarom zou ik dan ook niet mogen leven wanneer ik dat wilde? Dat zou ik toch ook moeten kunnen bepalen, dacht ik zo. Ik wilde leven. Ik had mijn lichaam dat nooit gevraagd. Ik wist zo veel, mijn hoofd liep over van de feiten, dat had toch uit moeten maken. Ik kon Euskara spreken. Ik kon verdorie klavecimbel spelen. Daar had ik toch wat aan moeten hebben. Dus niet. Het kon mijn lichaam niets schelen.

Ik wist dat Sophia me achter kon laten. Ze zou eeuwenlang verdwijnen, zonder te weten dat ik zelfs bestond. Ik was altijd aan het zoeken en kon me altijd alles herinneren, en zij verdween en vergat. Ik wilde niet degene zijn die haar verliet. Ik klampte me die zeventien dagen zo verbeten aan het leven vast zoals ik nooit eerder iets had vastgehouden.

Ik kon alleen maar van haar houden. Meer kan een mens nu eenmaal niet.

Sophia wist het vast ook. Haar ogen stonden droevig en vragend toen ze die avond mijn kamer in kwam. Alsof ze daarmee wilde zeggen: je gaat toch niet echt weg?

De twee andere soldaten op de kamer waren weg, de een was van zijn leven verlost en de ander was naar een hospitaal in Sussex overgebracht, in de buurt van zijn familie. Ik miste hen niet echt. Sophia's bezoekjes waren er anders door geworden.

'Zal ik je iets vertellen?' vroeg ze, terwijl ze de kamer rondkeek.

'Ja, graag.'

'Dit was vroeger mijn slaapkamer.'

Ik liet me in de kussens zakken. 'Was dit je slaapkamer?' Ik wierp een blik op de gele muren, de hoge ramen met de gebloemde gordijnen, de boekenplanken aan de muur. Het leek inderdaad niet echt op een hospitaal. 'Hoe kan dat nou?'

'Voordat het werd gevorderd.'

'Echt waar? Dit was je huis?' Haar accent en haar manieren verraadden dat ze van goede afkomst was, maar ik had niet geweten hoe goed. 'Dus ik heb in je slaapkamer geslapen?'

Ze knikte een tikje ondeugend.

'Leuk.'

'Vind je?'

'Ja. Erg leuk. Waar woon je nu?'

'In een huisje aan de rivier.'

'Vind je dat erg?'

'Nee, hoor. Ik wil daar ook na de oorlog wel blijven wonen.'

'Maar je zult toch weer hier intrekken?'

'Dat denk ik wel. Als het ooit afgelopen is.'

'Wil je dat niet, dan?'

Ze haalde haar schouders op. 'Het is geen blij huis meer. Het is veel te groot voor mijn vader en mij, en de tuin is helemaal overwoekerd.'

Dat zij in dit statige huis was geboren, deed mijn aanspraak op haar geweld aan. Ze was waarschijnlijk lady Constance. Zij zou weer de adellijke dame worden en ik de wees op blote voeten.

Toen ik eenmaal wist dat het haar huis was geweest, raakte ik erdoor geboeid. Het was een oud huis en stond vol met oude dingen. Omdat ik stervende was, nam ze soms wat oude kleren van haar grootvader of achteroom mee. Ze verliet discreet de kamer terwijl ik ze moeizaam aantrok. Omdat ik stervende was, liet ze me de bovenste etages zien en vertelde ze welke beroemde mannen en vrouwen in welke kamers hadden geslapen, soms met elkaar.

De volgende middag had ze een paar boeken uit de immense bibliotheek voor me meegenomen.

'Als je inderdaad al zo lang hebt geleefd, ken je deze waarschijnlijk al.'

Ik las de titels op de rug. 'De meeste wel.' Ik wees naar een bundel van Ovidius. 'Deze heb ik in het Latijn gelezen. En het boek van Aristoteles in het Grieks.'

'Dus je kunt ook Latijn en Grieks lezen?' Door mijn accent en rang was duidelijk dat ik niet op kostschool had gezeten. Ze wierp me een onderzoekende blik toe, maar ik zag dat er ook vriendschap in doorschemerde.

'Hoe kan dat anders, als ik zo lang heb geleefd?'

'En welke talen spreek je nog meer?'

Ik haalde mijn schouders op. 'Zo veel.'

'Zeg eens?'

'Vraag maar en dan zeg ik wel of ik het spreek.'

'Arabisch?'

'Ja.'

'Russisch?'

'Niet de moderne variant, maar wel de oude.'

Ze knikte twijfelend maar ook geamuseerd. 'Goed. En Duits?'

'Natuurlijk.'

'Japans?'

'Nee. Nou ja, een klein beetje.'

'Frans?'

'Ja.'

Ze schudde het hoofd. 'Ben je wel eerlijk tegen me?'

'Maar natuurlijk. Altijd.' Ik keek ernstiger dan zij.

'Ik kan het maar nauwelijks geloven.'

Ik raakte haar lokken aan, ze liet me mijn gang gaan. Ik was gelukkig. 'Waarom ga je niet naar je bibliotheek om een boek in een taal die ik niet ken te halen?'

Dat vond ze een leuke uitdaging. Die avond kwam ze met acht boeken in acht verschillende talen aanzetten. Uit elk las ik een stukje voor en vertaalde dat voor haar. Ze kon me wat Latijn en Grieks betrof testen, en ze kende genoeg Italiaans, Frans en Spaans om overtuigd te zijn.

'Maar deze zijn gemakkelijk,' zei ik. 'Dit zijn allemaal Romaanse talen. Geef me maar iets in het Hongaars, of het Aramees.'

De plagende blik was uit haar ogen verdwenen. 'Hoe kan dit nou?' vroeg ze zacht. 'Je maakt me bang.'

De avonden erna bracht ze me voorwerpen uit het huis. De uitdaging na de boeken en talen was muziekinstrumenten. Haar overgrootvader had die verzameld. En ik kon van elk vertellen waar het vandaan kwam, en de meeste kon ik ook bespelen. Ik speelde op een aulos gemaakt van been en een panfluit bewerkt met oude was, en blies op een buccina, zoals ik in mijn militaire verleden in Anatolia bij twee verschillende gelegenheden had gedaan. Ze waren te oud om er echt geluid uit te krijgen, maar ik kon wel laten zien hoe het moest.

Ze kon alleen de instrumenten meenemen die ze kon dragen, maar op een avond leidde ze me, terwijl ik gekleed was in haar grootvaders rijbroek, uit haar vroegere slaapkamer naar de muziekkamer waar het klavecimbel stond. En ik speelde voor haar en vond het heerlijk. Ik was het ontwend en toonde aanvankelijk weinig blijk van talent, maar door het meisje en het moment en mijn geheugen rolde ik erdoorheen.

Daarna wilde ik haar dolgraag kussen.

'Je bent buitengewoon,' zei ze. 'Hoe is het mogelijk dat je dat allemaal kunt?'

'Je zou het niet zo buitengewoon vinden als je wist hoe lang ik al speel. Met deze vingers gaat het alleen niet zo goed.'

'Je doet net of je vroeger andere vingers hebt gehad.'

'Dat klopt ook. Wel honderden. Om echt goed te spelen moet je de spieren goed oefenen en moet je ook fysiek bepaalde dingen kunnen.'

Ze keek weg en ik was bang dat ik haar had afgeschrikt met de honderden vingers. Ik was opeens moe en had het benauwd, en was gefrustreerd doordat mijn lichaam me in de steek liet. Hoe zou ik haar ooit kunnen zoenen?

'Ik snap niet dat je op zo'n jonge leeftijd al zo veel dingen kunt,' zei ze zachtjes.

'En geen van alle iets waar je veel aan hebt, toch?'

'Hoe kun je dat nu zeggen?'

'Wat heb ik er nu aan dat ik een aulos of een panfluit kan bespelen? Die zijn al lang uit de mode. Je hebt geen idee hoeveel tijd ik aan die instrumenten heb verspild. Totaal nutteloos.'

'Dat was het niet,' zei ze vurig.

Ik moest wel lachen om haar verhitte gezicht. 'Je hebt gelijk. Ik kon er indruk op jou mee maken.'

Ze keek peinzend naar haar tien vingers en toen naar mij. 'Vond je het niet leuk om ze te leren bespelen?' vroeg ze.

'Het is al heel lang geleden, maar ja, ik vond het leuk om te kunnen spelen,' antwoordde ik.

'Dan heeft het dus toch nut gehad.'

De derde uitdaging was nautische instrumenten. Een van haar voorouders had die verzameld, dus wilde ze die op me uitproberen. Ik wist niet alleen hoe ze allemaal werkten, maar kon er ook verhalen over vertellen. In een storm Kaap de Goede Hoop bezeilen, varend op de sterren. Ik vertelde haar over enorme tyfoons, afschuwelijke aardverschuivingen, piratenovervallen, en vele verdrinkingen, waaronder de beide keren dat mij dat gebeurd was. Ze vond het prachtig om over Venetië te horen en Nestor de hond. Ze trok haar schoenen uit en ging bij mij op bed zitten met opgetrokken benen, en luisterde naar me zolang ik kon praten. Ze had haar hoofd op mijn knie gelegd en ik hoopte dat ze zo zou blijven liggen.

Ze zuchtte toen de lampen in de hal uitgingen en ze wist dat ze weg moest. 'Hoe komt het dat een jongen uit Nottingham zulke prachtige verhalen kan vertellen?'

'Ik ben een jongen uit heel veel plaatsen. Dit zijn gewoon de dingen die ik me kan herinneren.'

Ze keek me onderzoekend aan. 'Ik heb moeite je niet te geloven. Dat viel eerst wel mee, maar het kost me steeds meer moeite.' Ze keek me onderzoekend aan. 'Je hebt iets wat ik nog bij niemand heb gezien. Je hebt een eigenaardig soort zelfvertrouwen. Alsof je inderdaad de hele wereld kent. Of dat in elk geval gelooft.'

Ik lachte, ik was al blij dat ze mijn hand zo lang vasthield. 'Het komt door beide, neem ik aan.'

'Waarom ben je niet beroemd? Waarom heeft niemand over je geschreven en zijn er geen foto's van je gemaakt?'

Ik was gekwetst en liet dat merken ook. 'Omdat niemand het weet. Ik vertel het aan niemand. Ik wil niet beroemd zijn. En waarom zou men mij geloven?'

'Omdat je zo veel bijzondere dingen kunt doen.'

'Daar zijn er wel meer van.'

'Niet zoals jij.'

'Ik raakte het verband om mijn ribben aan. 'Ik wil zo rustig mogelijk leven. Ik wil niet dat men denkt dat ik gek ben. Ik wil niet net als andere mensen met oude herinneringen in een gekkenhuis gestopt worden. Ik heb het er nooit over.'

'Maar wel tegen mij.'

Ik keek haar aan. Ik was doodernstig en kon dat niet verbergen. 'Lieve hemel, Sophia. Jij bent niet zomaar iemand. Heb je wel gehoord wat ik tegen je zei? Jij denkt misschien dat ik de zoveelste zielige jongen bent voor wie je moet zorgen, en dat is ook zo. Maar jij bent álles voor mij.'

Ik kwam met een rood hoofd overeind, en wilde haar zo graag overtuigen dat ik de pijn in mijn longen niet meer voelde. Sophia had mijn hand losgelaten en stond op het punt in huilen uit te barsten.

'Geloof me, alsjeblieft,' zei ik. 'Dit is geen toeval. Je bent al sinds mijn allereerste leven bij me geweest. Elke keer ben jij mijn eerste herinnering, de enige rode draad in al mijn levens. Door jou ben ik mens.'

Hopewood, 2007

Lucy bracht in eenzaamheid peinzend haar dagen door. Ze stond achter de balie van Healthy Eats vruchten-*smoothies* te maken van een hele berg ingrediënten voor een eindeloze rij klanten, maar ze was met haar gedachten zo ver weg dat ze net zo goed alleen had kunnen zijn. Het gekraak van de ijsblokjes in de blender brak af en toe door haar overpeinzingen heen. Dat was die zomer haar soundtrack.

Ze had het Marnie niet verteld. Ze had het zichzelf nauwelijks verteld. Ze wachtte op het juiste moment.

Ze dacht het meest aan Daniel. Ze wist niet of hij nu dood was of nog leefde, maar ze moest toch aan hem denken. In haar hoofd was hij de enige met wie ze kon praten.

Ze had de indruk dat ze zijn eenzaamheid beter begreep. Zelfs zo goed dat het leek alsof ze het van hem had gekregen, net als de griep. Nou ja, eerst raakte ze besmet met zijn gekte, de eenzaamheid duurde wat langer. Als je wist dat je anders was, als je innerlijke wereld onbegrijpelijk was geworden, zelfs voor jou, dan kwam je daardoor uiteraard alleen te staan. Je kon niet meer bijhouden waar normale mensen aan hoorden te denken en waar jij aan dacht, en de kloof ertussen werd steeds breder. De eenvoudigste dingen werden steeds moeilijker, totdat je het maar opgaf.

Volgens mij is dit nu een 'geesteszieke', had ze een paar keer tegen zichzelf gezegd. Maar misschien ben ik wel de waarheid op het spoor, ging ze tegen zichzelf in. Misschien zijn een hoop gekke mensen de waarheid op het spoor, antwoordde ze zichzelf.

Ze had het allang geleden opgegeven om er een logische verklaring voor te verzinnen. Ze zocht naar de onlogische verklaring waardoor ze de dingen die ze had meegemaakt in elkaar kon passen. Ze was al blij als ze voor zichzelf een samenhang kon ontdekken.

Er waren mensen die dachten dat je via hypnose toegang kreeg tot vorige levens. Regressietherapie noemden ze dat. Dat betekende natuurlijk wel dat je aannam dat je vorige levens had gehad, en dat was nogal wat, maar dat liet ze even voor wat het was. Zij accepteerde het voorlopig, als een mogelijkheid. Dat was namelijk haar eeuwige vriend: mogelijkheid.

Dus dat zou betekenen dat Lucy in een vorig leven het Engelse meisje was geweest. Dat was nogal wat om te bevatten, maar het was niet anders. Dat zou ook betekenen dat het grote huis in Engeland werkelijk bestond of had bestaan. Dat zou betekenen dat ze ooit een moeder had gehad die graag tuinierde en stierf toen Lucy nog jong was. Dat zou betekenen dat er echt een jongen was geweest van wie ze had gehouden en die was overleden, en die ze Daniel had genoemd, en die in haar dromen dezelfde Daniel was als die bij haar op school had gezeten.

Dat zou betekenen dat er echt een briefje was, of was geweest, voor... nou ja, voor haar dus. Dat zou betekenen dat die dingen dus echt bestonden en dat ze, tenzij ze verloren waren geraakt of vernietigd, er nog waren. Het viel niet mee om deze beelden in haar hoofd een plaats in de echte wereld te geven, maar dat was voor haar veronderstelling wel nodig. Ze wilde het weten. Ze kon het pas loslaten als ze erachteraan was gegaan. Ze zou haar gekte volgen, ze zou de gekte niet toestaan haar te volgen. Als de plaats inderdaad bestond en ook het huis en het briefje, dan zou ze daarnaar op zoek gaan.

De zomervakantie werd eindelijk echt een vakantie, een vakantie van haar verstand. Ze dacht heel even aan Dana. Hopelijk zou ze weer veilig terugkeren.

Hastonbury Hall, 1918

Ze wilde meer weten over Sophia, dus vertelde ik over haar. Niet alles, maar wel veel. Constance luisterde zo aandachtig dat het erop leek dat ze het zich kon herinneren. Dat hield ik mezelf, in de uren die ik met haar door kon brengen, in elk geval voor.

'En wat deden we toen we door de woestijn trokken?'

Ze zat me een beetje op stang te jagen, zich nog steeds afvragend wanneer ik het op zou geven. En ze was tegelijkertijd geneigd me te geloven. Tot haar eigen verbazing was ze gaan geloven wat ik haar over mijn verleden vertelde. Dat zag ik. Maar toen ze naar zichzelf vroeg, toen ik haar rol in deze avonturen naar boven haalde, nam ze het nog steeds niet serieus.

'We hadden aanvankelijk haast. Zoals ik al zei, ik wilde je zo snel mogelijk uit de buurt van mijn monsterlijke broer zien te krijgen.'

'En toen?' Ik vond het heerlijk dat ze haar schoenen uittrok en bij me op bed kwam zitten.

'En toen gingen we langzamer rijden. De woestijn was volstrekt verlaten. We voelden ons veilig. Je had trek. Je hebt bijna al het eten opgegeten.'

'Niet waar.'

'Echt wel. Gulzig meisje.'

'Was ik moddervet?'

Ik schudde het hoofd en zag haar weer voor me zoals ze toen was. 'Bepaald niet. Je was net zo slank en mooi als je nu bent.'

'Dus ik was gulzig en at alles op. En toen?'

'Toen maakte ik vuur en spande een laken en legde onze dekens eronder.'

Ze knikte.

'En toen beseften we dat de sterren prachtig waren, dus kwamen we onder het laken vandaan.'

'Wat leuk. En toen?'

'Bedreven we de liefde onder de sterrenhemel.' Ik genoot van de blos op haar wangen.

'Dat is niet waar.'

Ik glimlachte naar haar. 'Je hebt gelijk, dat hebben we niet gedaan.'

'O, nee?' Ze leek teleurgesteld en ik lachte.

'Nee.' Ik streelde vrijpostig over haar wang. 'Maar dat wilde ik wel.'

'Misschien ik ook wel. Waarom deden we het dan niet?' Ze trok haar knieën op.

'Omdat je met mijn broer getrouwd was.'

'Die me wilde wurgen.'

'Ja. Hij was dodelijk jaloers, omdat hij dacht dat ik hem bedroog en misbruik van je maakte. Ik wou niet dat hij gelijk kreeg.'

'Dat verdiende hij wel.'

'Dat is zo. Maar wij verdienden beter.'

Ze werd emotioneel. 'Vind je?'

'Ja. Spijt raak je niet kwijt. Je vervormt er na verloop van tijd door. Ook als je je niet meer herinnert waar je spijt van hebt.' Ik legde mijn hand op haar voeten die in sokken gestoken waren. Ik wilde haar zo graag overal aanraken. 'Maar goed, onze tijd komt nog.'

Ik weet niet wat er die avond met Sophia gebeurd is, maar de volgende ochtend was ze anders. Ze was ernstiger en vastbesloten.

'Dokter Burke had het mis. Je wordt weer beter.'

Ik kon niet tegen haar liegen.

'Nee, echt,' zei ze strijdlustig.

'Zeg dat maar tegen mijn longen.'

'Dat zal ik doen ook.' Ze sloeg haar armen om me heen en legde haar wang op mijn borst. Ze maakte zich altijd zorgen dat iemand ons zou zien, maar dit keer scheen haar dat niet te kunnen schelen.

Ze hield me heel lang vast en toen keek ze me aan. 'Ik vind het zo erg dat je gewond bent geraakt,' zei ze. 'Wat moet jij een pijn hebben gehad. Dat heb je niet verdiend.'

'Het maakt niet uit,' zei ik snel. 'Ik heb wel erger meegemaakt.' Haar ogen stonden triest en dat vond ik vreselijk.

'Maar daarom doet het toch niet minder pijn?'

'Toch wel,' zei ik krachtig. 'Pijn is angst, en ik ben niet bang. Ik weet dat ik snel genoeg weer een ander lichaam zal hebben.'

'Je doet net of je lichaam een kamer is waar je in en uit kunt lopen.' Haar handen lagen op mijn armen. 'Maar dit ben jij.'

Ik was opeens gefrustreerd. Ik wees naar mezelf. 'Dit ben ik niet. Dit lichaam mag het opgeven, maar ik niet.' Ik wilde haar medelijden niet. Ik wilde niet zwak zijn in haar ogen. 'Echt, ik zal weer gezond zijn en dan ga ik naar jou op zoek.'

Ze keek me teder aan. Ze hield een tijdje haar mond en het viel me op dat ze er ouder uitzag dan toen ik bijkwam en haar voor het eerst zag. 'Wij verdienen beter,' zei ze zacht.

'Dat zal ook gebeuren.'

'Echt waar?'

'Ja, echt waar.' Ik keek haar ernstig aan. 'Dat vind ik niet erg. Ik kan nog wel wat langer wachten, omdat ik weet dat ik jou weer zal ontmoeten en weer sterk zal zijn. Ik zal voor je zorgen en van je houden en je gelukkig maken.'

'Je maakt me al gelukkig,' zei ze. Ze sloeg haar armen weer om me heen en opeens moest ik huilen, maar ik wilde niet dat zij dat merkte. De koorts was zo hoog dat ik moeite moest doen om niet te rillen.

'Nog één ding,' zei ze na een tijdje, een stuk vrolijker.

'Wat dan?'

'Als je me weet te vinden, hoe weet ik dan dat jij het bent?'

'Dat vertel ik je wel.'

'Maar als ik je nu niet geloof? Ik ben erg koppig, weet je.'

Ik hield haar stevig vast. 'Dat is zo. Maar er is nog hoop voor je.'

Op de laatste zonnige dag van mijn leven gaf Sophia me de jas van haar vader en ging met me naar buiten. Ik weet nog hoeveel moeite het me kostte om overeind te blijven. We liepen net ver genoeg bij het huis vandaan om te kunnen vergeten dat het een hospitaal was. Ze had een felblauwe wollen muts op en droeg een pluizige rode jurk die heerlijk aanvoelde. Ze leek eerder een mooi meisje dat zorgeloos met haar geliefde in de tuin wandelde dan op een verpleegster. We deden net of dat het geval was.

We gingen op een stuk gras liggen waar de zon op scheen. De zon en haar lieve hoofd op mijn schouder verwarmden me, en ik sloeg mijn armen om haar heen. Ik had zo eeuwig willen blijven liggen. We keken in stilte geboeid naar een gele vlinder die op de neus van haar laars ging zitten.

'Dit was vroeger een vlindertuin,' vertelde ze me. 'Je hebt nog nooit zoiets moois gezien.' Ze keek me aan en glimlachte. 'Nou ja, misschien dat jíj nog wel iets mooiers hebt gezien.'

Ik moest lachen. Ik hield van haar stem. Van mij mocht ze blijven praten, en dat leek ze te weten.

'Er waren duizenden, tienduizenden vlinders, in allerlei kleuren. En dan de bloemen. Ik was nog klein, maar ik ging hier gewoon liggen en de vlinders kwamen overal op me zitten en ik moest moeite doen niet te lachen omdat ze kietelden.'

'Dat had ik graag willen zien,' zei ik, terwijl ik naar de vlinder op haar laars keek die langzaam met zijn vleugels fladderde.

'Mijn moeder heeft hem aangelegd. Ze was beroemd vanwege de tuinen die ze ontwierp.'

'O, ja?'

'Ja. En omdat ze mooi was. En roekeloos.'

'Roekeloos?'

'Ze was dol op snelheid. Mijn vader zei dat ze geen rust in haar kont had, omdat ze nooit eens stil kon zitten.'

We dachten daar even over na. Ik wilde het niet bederven.

'En de vlinders? Wat is daarmee gebeurd?'

'Ze gingen weg toen ze was overleden. Mijn vader hield de tuinen niet bij nadat ze was heengegaan.'

Ik had het toch bedorven. Ik had haar dat niet moeten vragen. We kwamen daardoor weer terug in de werkelijkheid waar de klok tikte. Tijd betekende verlies, en daar had Sophia haar portie wel van gehad.

Ze tilde haar hoofd niet op, maar ik merkte het verdriet in haar lijf dat tegen me aanlag, en ik kon het niet weerstaan. Ik werd er ook verdrietig van.

'Ik hou van je,' zei ik tegen haar. 'Met heel mijn hart en ziel. Ik heb altijd van je gehouden.'

Ik hoorde de tranen in haar ademhaling. Ik legde mijn hand op haar wang en voelde de zilte tranen.

'Ik hou van jou,' zei ze.

In al mijn levens had ik op die woorden gewacht, maar ze bezorgden me een felle pijn. Hield ze maar niet van me. Ze was al zo veel kwijtgeraakt. Was ik maar in die modderige vallei van de Somme omgekomen zodat ze niet nog meer kwijtraakte.

Twee dagen lang lag ik te ijlen. Sophia was bij me. Ik zag haar als ik mijn ogen opendeed en voelde haar als me dat niet lukte. Ik vroeg me af of ze niet meer als verpleegster werkte omdat ze altijd bij me zat. Ik praatte tegen haar en zij praatte tegen mij, maar het staat me niet goed bij wat we zeiden.

En toen werd ik wakker. Mijn lichaam deed zeer, ik kreeg bijna geen lucht meer, maar mijn hoofd was helder. Sophia was dolblij toen ze zag dat ik overeind zat en mijn ogen open had. De naïviteit van haar reactie maakte me blij maar ook verdrietig.

Algauw besefte ze dat mijn kleur niet goed was. Mijn ademhaling ging moeizaam. Dr. Burke zei op zachte toon iets tegen haar op de gang, en toen ze weer binnenkwam, gedroeg ze zich anders. De tranen stonden haar in de ogen, en haar mond was in een meewerkende vorm geperst.

'Ben je daar alweer?' vroeg ik plagend en met zachte stem om niet in hoesten uit te barsten. 'Ben je er nog niet uitgegooid omdat je te veel tijd aan patiënt D. Weston spendeert?'

'Ze kunnen me er moeilijk uit gooien. Ze hebben het personeel hard genoeg nodig. En omdat het mijn huis is ligt het helemaal gevoelig.'

'Maar zeg dan in elk geval dat de verpleegsters je het kwalijk nemen.'

'Ze weten wel wat ik voor D. Weston voel.' Ze streelde teder mijn oor. 'Alle zusters vinden jou de knapste patiënt.'

Ik glimlachte omdat ik geen lucht meer had om te lachen. 'Hebben jullie het daarover?'

Ze kwam rustig een tijdje bij me op bed zitten. Ze was weer ernstig geworden. 'Ik wil met je meegaan,' zei ze.

Ik legde mijn handen om haar middel. 'Hoe bedoel je, lieveling?'

'Ik wil mee naar waar je naartoe gaat. Ik ben niet bang om te sterven. Ik wil bij je blijven en samen terugkomen. Jij zei dat zielen bij elkaar blijven. Ik wil bij jou zijn.'

'O, Sophia,' Door haar trui heen kuste ik haar ribben. Ik drukte mijn hoofd tegen haar buik. 'Je mag geen zelfmoord plegen.'

'Waarom niet?'

'Omdat je nog jong en mooi en gezond bent. Trouwens, je kunt alleen herboren worden als je wilt leven. Bij zelfmoord verwerp je het leven, dat is het einde. Als je werkelijk dood wilt, kom je daarna misschien niet meer terug.'

'Maar ik wil mijn leven niet verwerpen. Ik wil niet dood, ik wil juist leven. Maar wel samen met jou.'

Ik pakte haar handen beet en keek haar aan. 'Je weet niet hoe graag ik bij jou wil zijn. Maar je moet je leven zo vol en gelukkig leiden als je kunt. Je bent straks verpleegster. Misschien zelfs dokter. Je zult verliefd worden.'

'Ik ben al verliefd geworden,' zei ze en de tranen schoten haar in de ogen.

Ik kuste haar handen. 'Je wordt wel weer opnieuw verliefd. En misschien krijg je wel kinderen en word je oud en sterf je als het je tijd is. En af en toe kijk je wellicht terug en denk je aan mij. En als je terugkomt, zal ik op je wachten. Ik ga naar je op zoek.'

Ze schudde het hoofd. 'Hoe dan? Dat zeg je nu wel, maar hoe weet je waar ik ben?'

'Dat weet ik. Dat weet ik gewoon.'

'Maar ik zal je niet herkennen. Ik zal je beschouwen als een vreemde. Mijn geheugen is gemiddeld. Het is zelfs niet zo goed als dat van Nestor de hond.' Ze barstte in snikken uit en ik drukte haar tegen me aan, zo goed en zo kwaad als het ging.

'Je hoeft me niet te herkennen. Ik zal jou herkennen.'

Ze snikte tegen mijn borst. 'Ik zal mezelf niet herkennen,' zei ze.

Hopewood, 2007

Het bleek nog knap moeilijk te zijn om een jonge man genaamd Daniel Grey (in het jaarboek van school gespeld als Grey en Gray) aan wie je voortdurend moest denken, maar van wie je niets afwist, op te sporen. Lucy zocht op internet en kwam een gigantisch aantal Daniel Grey/Grays tegen. Het enige waarvan ze zeker was, was zijn leeftijd – maar niet zijn geboortedatum – en daar had ze niet veel aan. De school had geen verhuisadres van hem en ook geen gegevens, maar gelukkig was hij ook niet bekend bij het mortuarium.

Ze voelde Claude, de portier van Whyburn House, zo intensief mogelijk aan de tand om meer te weten te komen over de onbekende man die naar haar op zoek was geweest, maar Claudes aanvankelijke zekerheid verwaterde al snel. Hij was er niet zeker van dat hij Daniel heette, het kon ook Greg zijn. Hij wist niet zeker dat de ogen groen waren, misschien waren ze wel bruin. 'Als ik hem zou zien, zou ik hem wel herkennen,' zei hij verontschuldigend.

Het bleek eenvoudiger om een jonge vrouw zonder naam die al lang overleden was op te sporen, alleen op grond van wat een helderziende, een hypnotherapeut en zij in haar hoofd hadden, dan iemand die ze echt had gekend en zelfs had gekust. Hythe was een stadje in Engeland en een van de statige huizen daar in de buurt had in de oorlog als hospitaal dienstgedaan. Ze dacht eerst dat het de Tweede Wereldoorlog betrof, maar de familie van wie het huis was, had daar in de jaren daarvoor niet gewoond. Het leek te lang geleden om naar de tijd van de Eerste Wereldoorlog terug te gaan, maar toch deed ze dat.

En zo stuitte ze op de hooggeboren Constance Rowe. Er was ook nog een Lucinda Rowe, een vier jaar oudere zus, maar zodra Lucy de naam Constance zag, wist ze het. Madame Esmé had die naam ook laten vallen. Constance was de jongere vrouw des huizes van Hastonbury Hall, dochter van de lord, kleindochter van een burggraaf. In beide oorlogen was het huis een hospitaal geweest.

De Engelsen waren duidelijk dol op landhuizen, want er was heel veel informatie over, inclusief het feit dat Hastonbury nog bestond, maar in deze eeuw vrijwel altijd onbewoond was geweest. Lucy zat uren aan de computer naar foto's van het huis te kijken. Ze bekeek het hek, sloot haar ogen en dan zag ze de weg die niet op de foto stond erachter kronkelen. Het was griezelig dat ze precies wist hoe de grote bomen links hun schaduw wierpen en hoe het weiland rechts afliep naar de rivier. Hoe kon ze dat weten? Misschien wist ze het ook niet. Misschien had ze het mis. Misschien was het gewoon haar verbeelding.

Het leek wel alsof ze in *The Matrix* zat. Dat vond ze een fantastische film. Marnie en zij hadden hem al vijf keer gezien, maar dat wilde nog niet zeggen dat ze ook zo wilde leven.

Elke foto die ze zag onderschreef wat ze voor haar geestesoog had gezien. Ze herkende de bibliotheek aan de gebogen ramen in de pui, en toen ontdekte ze een foto waarop het interieur van de bibliotheek duidelijk te zien was. Ze kon de eetzaal, de muziekkamer, de keuken, aan de hand van de foto's van de buitenkant van het huis zo aanwijzen. En toen kwam ze bij een plattegrond waar alles op stond getekend zoals zij zich dat had herinnerd. Ze zag de trap in de grote hal voor zich. Hoe griezelig ook, het was wel een droom om jezelf in zo'n wereld voor te stellen.

Lucy vroeg zich af wat haar vader ervan zou vinden. Hij was er trots op dat zijn familie al zeven generaties in het Zuiden woonde. Los van de reïncarnatie, de helderziende, de hypnotherapeut en alles; wat zou hij ervan vinden dat zij nog niet zo lang geleden Engels was geweest? Dat was waarschijnlijk nog erger dan een noordeling.

Hoe meer Lucy te weten kwam over het tragische leven van

Constance Rowe, hoe werkelijker het leek. Na een paar dagen ging ze zelfs om haar rouwen. Haar moeder, beroemd vanwege haar tuinen en haar roekeloosheid, was bij een auto-ongeluk omgekomen toen Constance nog heel klein was (ze hadden een van de eerste auto's gehad, en haar moeder had er graag in gereden) en haar oudere broer was in de oorlog gesneuveld. Zij was verliefd geworden op een soldaat die ze verpleegde (voor dat gedeelte had Lucy nog geen bewijs kunnen vinden) en die was aan zijn verwondingen gestorven waarna zij achterbleef met een gebroken hart. Ze werd verpleegster en ging met een groep artsen en missionarissen naar wat in die tijd Belgisch-Kongo heette. Ze stierf op haar drieëntwintigste in de buurt van Leopoldville aan malaria.

Lucy, die overdag fruit mixte, treurde de hele tijd. Niet om zichzelf – dat gevoel had ze niet echt – maar het verdriet van Constance lag als een deken over haar heen.

Ze dacht nu ook steeds aan andere dingen. Ze had het helemaal gehad met die smoothies. Als ze nog één keer tarwegras moest snijden, zou ze in huilen uitbarsten, maar ze moest wel werken. Ze had het geld nodig om een vliegticket, een goedkoop hotelletje en een huurauto te kunnen betalen, en het pond stond hoog. Ze had het geld nodig om naar Engeland te gaan voordat de zomer voorbij was.

Constance had echt bestaan. Het huis was echt. Misschien waren de brieven waarover ze het had gehad ook wel echt en kon Lucy ze vinden. Misschien wist ze onbewust waar de brieven waren.

Het zou prachtig zijn als dat waar was, maar ook angstaanjagend, want dat was het bewijs dat de wereld niet zo in elkaar stak als bijna iedereen dacht.

Hastonbury Hall, 1919

In haar oude kamer, de gele kamer, lagen nu drie nieuwe bewoners. Ze waren zwaargewond en depressief en hadden haar nodig. Ze noemden haar niet Sophia. Ze konden geen Aramees spreken of lezen. Ze vertelden haar geen verhalen over een tocht te paard door de woestijn. Niettemin deed Constance haar best hen goed te verzorgen.

Daniel en zijn weinige bezittingen, inclusief het overhemd dat ze hem had gegeven, waren naar zijn ouders en zussen bij Nottingham overgebracht. Hij had geen contact met hen willen hebben, en ze wist niet waarom niet. Misschien omdat hij wist dat dit zou gebeuren.

Constance had op het stoffige trapje achter het huis gezeten en toegekeken toen de mannen de vrachtauto inlaadden. Daniel was niet de enige geweest. Ze gingen niet alleen naar de kleine boerderij bij Nottingham. Ze hadden de achterdeur dichtgedaan en waren weggereden. Ze had gekeken tot er nog een klein stipje te zien was en het opdwarrelende stof weer was neergedaald. Ze kon zich herinneren dat het parkeerterrein een moestuin was geweest waar komkommers en tomaten en sla en pompoenen werden verbouwd.

Hij had haar een brief nagelaten. Pas na een paar dagen kon ze het opbrengen om die te lezen. Ze had hem in haar oude verstopplekje, een nisje in de muur achter de boekenplank in de gele kamer gestopt. Ze wenste dat de zieke, kreunende mannen die niet Daniel waren eens uit die kamer zouden gaan zodat zij alleen kon zijn met de brief en haar overpeinzingen, en daar voelde zij zich dan weer schuldig over.

Ze wilde niet afgeleid worden, maar kon er niets aan doen. Ze wilde zich de naam en de achtergrond van deze jonge mannen herinneren alsof ze om hen gaf, en dat was ook zo, maar ze kon haar gedachten er niet bij houden. Ze moest steeds aan Daniel denken, maar met nog meer bezetenheid en angst dacht ze aan haar toekomstige zelf, die hem vergeten zou zijn. Ik wil hem niet vergeten. Hoe kan ik ervoor zorgen dat ik me hem weer herinner?

'Kun je een gemiddeld geheugen verbeteren?' had ze hem, twee dagen voor hij overleed, in tranen gevraagd.

'Als je het heel erg graag wilt,' had hij gezegd, 'denk ik dat het wel zou kunnen.'

Nou, ze wilde het heel erg graag. Als dat genoeg was, dan zou het lukken. Maar hoe kreeg je het voor elkaar? Hoe kun je jezelf over de jaren heen toeroepen? Hoe kon je een bericht in je ziel achterlaten dat zo diep zat dat het met je meeging in de dood en luid genoeg was om gehoord te worden? Ze hoefde zich niet hele levens te herinneren, ze wilde maar één ding onthouden.

Ik zal aanwijzingen voor mezelf achterlaten. Ik zal mezelf dromen sturen. Ik zal ervoor zorgen dat ik het me kan herinneren.

Ze dacht meer aan de dood dan aan het leven, en dat was niet goed in een hospitaal. Daniel was zonder haar ernaartoe gegaan. Wat gebeurde er nu met hem? Was hij bang? Stel dat hij dit keer niet meer terugkwam?

Stel dat hij zich niets meer kon herinneren? Stel dat hij door deze dood alles zou vergeten? Misschien zouden ze elkaar in een volgend leven in Madrid of Dublin of New York op straat passeren. Misschien dat ze zouden blijven staan en elkaar aan zouden kijken en een vreemd soort verlangen zouden voelen, maar geen idee hebben waardoor dat kwam. Ze zouden het gênant vinden en niet weten wat ze moesten zeggen. Dan zouden ze weer doorlopen. Wie weet? Misschien gebeurde dat elke dag wel met mensen die ooit van elkaar hadden gehouden. Het leek onbeschrijfelijk treurig dat je het zelfs niet eens zou weten.

Toen ze een keer 's ochtends droomde, viel haar opeens de gedachte in om zichzelf een briefje te schrijven. De droom was zo levendig dat het leek alsof het echt was. Zoals wanneer je het koud hebt en blijft denken dat je er een deken bij haalt. Of dat je moet plassen en je maar blijft denken dat je naar de wc bent geweest, terwijl je dat niet had gedaan.

Tegen de tijd dat ze haar ogen opsloeg was de brief al half af. Ze pakte pen en papier en schreef alles gedachteloos op, alsof ze een dictaat opnam. Ze vond het ergens wel veelbelovend dat haar droom-ik zich zo gedroeg. Daniel had ooit gezegd dat dromen vol beelden en gevoelens uit vorige levens zaten en omdat hij zich herinnerde waar het vandaan kwam, waren zijn dromen niet zo geheimzinnig als voor anderen. Misschien was dit een droom die ze vast kon houden.

Ik ken je niet, maar ik hoop dat deze brief in de juiste handen valt. Ik hoop dat je wat erin staat niet zonder meer zult verwerpen en zult begrijpen dat ik het in alle ernst heb geschreven. Ik ben Constance Rowe van Hastonbury Hall in Kent, vlak bij het dorpje Hythe. Over twee weken word ik negentien. Ooit heette ik Sophia, en ik heb nog vele andere namen gehad. Als jij degene bent voor wie de brief bestemd is, dan ben ik jou, volgens mij, in je verleden, een vroegere reïncarnatie van je ziel. Ik weet hoe belachelijk dat lijkt en dat het moeilijk te geloven is. Dat vond ik aanvankelijk ook. Maar geloof me, alsjeblieft.

Daniel heeft me verteld hoe het gaat, dit leven en sterven en opnieuw leven, maar ik snap het niet zo goed. Ik weet dat er dingen aan jou/mij zijn die in elk leven terugkomen. Ik vermoed dat er een moedervlek op je linkerarm zit. Je hebt waarschijnlijk vaak last van je keel. Je droomt over de woestijn, en je hebt nachtmerries over brand. Misschien droom je zelfs wel over mij en dit huis. Dat hoop ik tenminste.

Ik heb Daniel in dit grote huis leren kennen. In de oorlog was dit een hospitaal, maar het behoort aan mijn familie.

Hij is aan de Somme gewond geraakt en ik was verpleeghulp en verzorgde hem. Hij is elf dagen geleden overleden. Ik wilde samen met hem sterven.

Daniel heeft mij/jou in vele levens gekend. Hij kan zich nog alles herinneren. Ik weet niet wie hij is als jij hem ontmoet, waar hij vandaan komt of hoe hij eruitziet, maar hij zal Daniel heten. Hij zal zich jou herinneren als hij je ziet, en ik hoop bij God dat dat zal gebeuren. Hij zal je Sophia noemen en je buitengewone verhalen vertellen.

Aanvankelijk zul je geïrriteerd, in de war en misschien zelfs bang zijn. Geef hem de kans zich te bewijzen. Hij is niet zo'n opschepper, maar hij kan een onmogelijke hoeveelheid talen spreken en lezen, en hij weet hoe elk antiek instrument werkt, of het nu een muziekinstrument is of een wetenschappelijk apparaat. Hij draagt meer kennis bij zich dan een encyclopedie. Hij weet veel van je af: waar je over droomt en hoe je geest werkt, en dat zal je achtervolgen. Geloof hem, alsjeblieft. Stel je hart voor hem open. Hij kan je gelukkig maken. Hij heeft altijd van je gehouden, en ooit heb jij zielsveel van hem gehouden.

Hythe (Engeland), 2007

Lucy huurde op Heathrow een auto en reed naar Hythe, een schattig plaatsje met een lang, grijs kiezelstrand aan Het Kanaal. De lucht was zo zilt en nevelig dat alles vochtig aanvoelde, zelfs haar kleren, toen ze haar koffer uitpakte. Ze had een piepkleine kamer boven een restaurant aan High Street. Ze dacht dat het een pub zou zijn, maar het bleek een Indiaas restaurant. Binnen de kortste keren roken haar vochtige kleren ook nog eens naar curry.

Ondanks alle pijn en moeite om de Atlantische Oceaan over te steken, en de vreemde leugens die ze haar arme goedgelovige ouders op de mouw had gespeld over haar goede vriendin Constance, de Engelse uitwisselingsstudent, die er zo naar uitkeek dat Lucy bij haar op bezoek kwam, had Lucy moeite met het ritje van een kwartier naar Hastonbury. Ze wist hoe ze moest rijden. Ze had het thuis op internet opgezocht en uitgedraaid. Al die voorbereidingen waren tot daar aan toe, maar nu ze echt naar het huis toe ging waar ze al tweeënhalve maand over gefantaseerd had, was ze nerveus. Het was net of elke angst, elke droom, elke nachtmerrie die ze ooit had gehad, voortaan werkelijkheid konden worden. Alsof ze door naar Hastonbury Hall te gaan toestemming gaf om in een andere wereld te leven, en ze wist niet of ze dat wel wilde. Als ze het niet meer aankon, dan wilde ze alles weer terug op zijn plek kunnen zetten en naar huis gaan.

In een tearoom had ze een kop Earl Grey en twee plakken cake genomen. Ze had voor Marnie en haar moeder teensokken gekocht met op elke teen een afbeelding van een koningin.

Wat doe ik hier? vroeg ze zich af toen ze door High Street sjokte. Ik eet me rond en koop stomme toeristensokken. Ze zat eraan te denken alles weer in te pakken, de kamer te verlaten en naar huis te gaan. Ze zou weer terug naar school kunnen gaan en naar haar oude leventje. Ze zou naar feestjes gaan en praten met echte, levende mensen. Ze zou een vak leren. Ze kon dit vreemde spookleven dat ze nu leidde op elk moment achter zich laten. Ze zou Daniel en Constance en Madame Esmé uit haar hoofd zetten.

Ze ging op een bankje zitten en keek naar de langsrijdende autootjes. Zou ze dat echt kunnen?

Ze stapte in haar piepkleine huurauto en sloeg de routeaanwijzingen met trillende handen open. Ze begon aan een ritje dat ze in gedachten al talloze keren had gereden.

Het hek en het park voor het huis waren anders dan ze zich had voorgesteld. Toen ze naar het huis toe reed, besefte ze dat ze op dit reisje iets verschrikkelijks zou kunnen meemaken.

Ze was van plan geweest het bestaande universum te laten ontploffen, door de adrenaline die door haar aderen spoot was ze er helemaal klaar voor geweest. Maar stel dat het nergens op sloeg? Stel dat het huis haar helemaal niet bekend voorkwam? Stel dat er geen briefje was? Stel dat het er nooit was geweest? Stel dat haar band met deze plek niet bestond? Misschien had ze het ooit in een oude film gezien. Misschien was er een heel eenvoudige verklaring voor waarom ze het kende. Dat leek haar meer dan waarschijnlijk toen ze met angst in haar hart de dichtgeslibde, treurige rivier overstak. Ze zette de auto neer en stapte uit.

Het zag er in grote lijnen uit zoals ze had verwacht, maar in de details was het heel anders. Het huis was verwaarloosd, wat natuurlijk de boel vertekende. Het was bijna niet voor te stellen dat de tuin ooit mooi was geweest. Aan de zijkant van het huis stond een kraampje en er was een winkel waar je ansichtkaarten en theekopjes met een afbeelding van het huis erop kon kopen. Aan de andere kant, wist ze, woonde een oude man. Hij was een neef of zo van Constance.

Lucy ging naar de winkel. Ze wist dat ze voor zeven pond een rondleiding door het huis en het land eromheen kon krijgen, en daar had ze op gerekend.

De vrouw van middelbare leeftijd die de kraam runde stond zo te zien ook in de winkel. 'Wat kan ik voor u doen?' riep ze Lucy toe die in de deuropening van de verlaten winkel stond.

'Ik wil graag de rondleiding door het huis,' zei Lucy en ze liep naar de vrouw toe.

De vrouw schudde het hoofd. 'De gids is er helaas niet.'

'Ik dacht dat er elke dag tussen tien en drie rondleidingen waren?' zei Lucy. 'Zal ik anders morgen terugkomen?'

De vrouw wierp een lijdzame blik naar de andere kant van het huis. 'Je kunt het proberen. Maar eerlijk gezegd komt hij wanneer het hem uitkomt.'

Lucy had dat niet verwacht, maar het kwam haar eigenlijk wel goed uit. Ze haalde tien pond uit haar portemonnee. 'Ik ben een Amerikaanse studente, en ben hier om Engelse landhuizen te bekijken.' Ze stak de vrouw het biljet toe. 'Ik kan zelf wel even rondkijken. Dat maakt mij niet uit. Ik zal mijn schoenen goed vegen en nergens aankomen,' zei ze.

De vrouw aarzelde even. 'Nou, vooruit dan,' zei ze en ze pakte het geld aan. 'Het kan ook geen kwaad als je zelf rondkijkt. Maar ga niet in de kamers waarvan de deuren gesloten zijn. En je mag inderdaad nergens aankomen.'

'Dat spreekt vanzelf,' zei Lucy. 'Ik ben zo terug.'

'Kom even langs als je klaar bent, oké?'

'Doe ik.'

'De rondleiding begint in de winkel,' zei ze wijzend met haar vinger. 'Loop maar naar achteren en dan door de dubbele deur.'

'Dank u,' zei Lucy terwijl haar hart als een razende tekeerging.

Voor in de winkel zag Lucy bij de ansichtkaarten en de kruisbessenjam een indrukwekkende monografie over de geschiedenis van het huis en het landgoed. Ze rende terug naar het kraampje en gaf de vrouw nog een biljet van tien pond. 'Deze wil ik ook,' zei ze terwijl ze het boek omhooghield. Ze hield het stevig in haar bezwete hand toen ze door de winkel naar het huis liep.

O, de lucht. Zodra Lucy het huis in kwam, wist ze door de geur dat ze het huis niet kende uit een film of van een foto. Het rook niet smerig of zoet, maar oud. Ze kon er niet echt de vinger op leggen – het was waarschijnlijk een samenraapsel van geurtjes van honderden jaren – maar ze herkende het meteen. Het raakte een gevoel, een gemoedstoestand, een eigenaardig soort pijn die diep in haar begraven was geweest. Ze bleef een tijdje stilstaan en was blij dat ze alleen was.

De indeling was wel veranderd, vermoedde ze, maar ze wist de grote trap nog te vinden. Ze liep langs kamers die haar bekend voorkwamen. Voor de muziekkamer bleef ze even staan. Er stond een kleine piano in. Een klavecimbel schoot haar opeens te binnen. Had Constance erop gespeeld?

Ze wist dat ze naar de kamer moest gaan. Het zou misschien wel even tijd kosten, en ze wilde niet dat de vrouw van het kraampje achter haar aan kwam. Ze liep de trap op en wist bij elke tree of hij zou kraken. Daar hingen de gordijnen, vaal geworden door drie eeuwen zon en stof. Een lichtstraal weefde zich moeizaam een weg door het grote, smerige glas-in-loodraam. Ze zag zichzelf eronder staan, met de gekleurde stukjes licht op haar armen. Was dat een herinnering?

Ze ging boven aan de trap naar rechts. Deze gang zag er net zo uit als ze had verwacht. De ramen in de dikke muren, de houtnerven op de planken vloer. Er kwamen een paar deuren uit op de gang. Die van haar was achterin. Ze herinnerde zich opeens, terwijl ze voor de deur stond, dat ze geen gesloten deuren mocht openmaken. Ze pakte de deurknop beet en tot haar opluchting ging de deur open. Ze zag meteen waarom de kamer niet bij de rondleiding hoorde. De muren waren verwaarloosd, maar nog steeds in dezelfde kleur geel. Er stonden een paar meubels uit de jaren zestig of zeventig, schatte Lucy, tegen een muur aan. Een paar roestige tuinstoelen stonden bij elkaar. Het was een mooie kamer met een hoog plafond, maar overgeleverd aan stof en spinnen. Ze

vroeg zich af of hij na de Tweede Wereldoorlog alleen als opslag-
ruimte was gebruikt. Onder een laken zag ze het harnas dat ze voor
zich had gezien.

Ze keek naar de boekenplanken. Over de meeste lag besmeurd
plastic. Zonder erbij stil te staan, liep ze naar de middelste en ver-
wijderde het plastic. Ter hoogte van haar neus was een plank met
wat mandjes en een paar boeken erop. Ze schoof de boeken opzij.
De nis was erachter, zoals ze had geweten. Jeetje, dacht ze. Daar
gaan we.

Ze legde de monografie neer. Haar handen trilden en waren
zwart van de vuiligheid toen ze het schuifje openmaakte. Ze keek
in de nis, maar het was te donker om iets te zien. Ze vond het griezelig om haar hand erin te steken. Ze was bang dat het briefje er
niet zou zijn, maar net zo bang dat het er wel zou zijn. Beide mogelijkheden waren op dit moment ondenkbaar.

Haar keel was dik en gevoelig en ze kon amper ademhalen. Ze
stak haar hand in de nis. Ze voelde niets en haar hart zonk haar in
de schoenen. De nis was leeg. Ze voelde alleen ruw hout en stof.
Wat jammer. Wat een teleurstelling.

Ze stak haar hand er dieper in, helemaal naar achteren, en toen
kreeg ze weer een schok. Er was niet niets meer. Er was iets. Achter in de nis zat een vel dubbelgevouwen papier. Voorzichtig pakte Lucy het beet en trok het eruit.

Ze hield het even vast. Ze deed haar ogen dicht, en bevond zich
op de grens tussen twee zienswijzen, de oude en de nieuwe. Ze herinnerde zich het verleden en wat ze nu deed. Waren dat nu déjà
vu's? Ze wilde het snel weer opvouwen en terugstoppen maar tegelijkertijd ook openvouwen en lezen. Dus daar was het. Vergeeld
en verbleekt, maar nog steeds goed leesbaar, geschreven in een
mooi handschrift met een beetje flair. Ze keek wat eronder stond
en zag Constance' handtekening. Het was een enerverend maar
geen groots moment. Ze kon bijna de pen in Constance' hand voelen. Ze was toen verdrietig en vastbesloten geweest. Of ze dat raad-
de of het zich herinnerde wist ze niet.

Ze ging op de grond zitten om de brief te lezen. Ze veegde haar ogen met haar zwarte vingers af terwijl ze naar de woorden keek.

Ze moest zichzelf tot rust dwingen voordat ze door kon gaan. Ze moest al haar moed bij elkaar rapen. Hier was het alternatieve universum. Daarin bevond ze zich nu en ze kon niet meer terug. In deze wereld kon je je dingen herinneren die waren voorgevallen voordat je was geboren. In deze wereld kon je met jezelf communiceren lang nadat je was gestorven, en kon je verliefd worden op een jongen die je steeds weer niet herkende.

Je moet hem geloven. Sta open voor wat hij zegt. Hij kan je gelukkig maken. Hij heeft altijd van je gehouden, en ooit hield jij zielsveel van hem.

Belgische-Kongo, 1922

Constance keek koortsachtig naar de verduisterde kamer. De koorts hield haar steviger en liefderijker vast dan de klamboe. Ze droomde dat het dezelfde koorts was waaraan Daniel had geleden en die hem mee had genomen, en dat zij op de een of andere manier naar hem toe zou worden gebracht.

Ze hoorde haar medeverpleegsters en de nonnen om haar heen lopen, zich voorbereidend op een dag van gebroken ledematen zetten en zieltjes redden, maar zij zou blijven waar ze was. Ze wierpen haar een bemoedigende blik toe terwijl ze haar achterlieten. Geloofde ze maar net zo in genezing als zij. Zuster Petra legde haar hand op haar wang en zette een glas water voor haar neer. Ze hadden alles al geprobeerd. Maar in de fase van de malaria waarin zij zich nu bevond, was er weinig meer aan te doen.

Constance was al bijna twee jaar in Leopoldville. Ze had een half jaar na de oorlog haar verpleegstersdiploma gehaald en was kort daarna naar Afrika gegaan, samen met een groep, waar ook zuster Jones en twee dokteren die in Hastonbury hadden gewerkt bij hoorden. Er waren altijd wel goede zielen bereid om mensen beter te maken, en zij dacht graag dat zij daar ook bij hoorde, maar ze vermoedde dat haar motief wat minder ingewikkeld lag. Totdat ze ziek was geworden, was ze hier voortdurend aan het werk geweest. In het hospitaal was het altijd druk en lawaaierig en 's avonds op de slaapzaal sliep er aan weerskanten van haar iemand. Ze had de geesten van Hastonbury willen ontvluchten: die van haar moeder, van haar broer, van haar verdrietige, misleide vader. En uiteraard van Daniel. Ze kon daar niet langer blijven en nog meer mensen kwijtraken.

Daniel had ongeveer drie jaar voorsprong op haar. Dat viel mee. Het was een troostrijke gedachte dat ze vlak achter hem zat terwijl ze op sterven lag.

Ze wist dat ze zo niet mocht denken. Ze was pas tweeëntwintig. Niet echt het volle, gelukkige leven waar Daniel op aan had gestuurd. Maar de eenzaamheid had haar in de greep gekregen en niet meer losgelaten.

In haar koortsdromen dacht ze vaak aan de vrouw die ze in haar volgende leven zou zijn. Dat vond ze niet morbide, eerder spannend. Waar zou ze geboren worden, en hoe zou ze zijn? Zou Daniel haar echt kunnen vinden, zoals hij had beloofd? Zou hij van haar kunnen houden? Stel dat ze wratten op haar neus had, en last van winderigheid en slechte adem en praatte met consumptie?

Ze dacht aan het briefje dat ze had geschreven en in haar vroegere slaapkamer had verstopt. Hoe zou ze zichzelf zover krijgen om ernaar op zoek te gaan? Hoe zou ze zichzelf eraan kunnen herinneren om te gaan kijken? Het moest kunnen, en ze zou er achter zien te komen hoe. Ze zou niet gewoon rustig in haar nieuwe zelf blijven, wie ze dan ook zou zijn. Ze zou het zichzelf heel moeilijk maken.

Ze dacht er vaak aan hoe het was begonnen. Elke keer weer wilde ze begrijpen wat er die zeventien dagen samen met hem was gebeurd. Toen hij bij was gekomen en haar Sophia had genoemd, had ze medelijden met hem gehad en hem toegeeflijk toegesproken zoals bij de meeste jongens. Niet omdat ze gemeen was. Maar omdat er zo veel waren en ze zo veel nodig hadden en omdat hij maar een van de velen was. Ze had D. Weston erg knap gevonden, maar hij was wel een patiënt, en daar bleef het bij. Hij was te ziek om geen medelijden met hem te hebben. Ze luisterde naar de waanzin die uit zijn mond kwam en knikte bedachtzaam op de juiste momenten. Had ze maar beter geluisterd, en was ze maar niet zo sceptisch geweest, dan had ze zich het nu beter kunnen herinneren.

Want er was iets gebeurd. De verwarrende dingen bleken waar te zijn. Er waren er te veel om naast zich neer te leggen. En de manier waarop hij erover had verteld, de vreemde manier waarop hij haar zag en kende, raakte haar tot op het bot. Hij vertelde zijn verhalen niet alsof hij ze een keer had gelezen. Zijn wereldbeeld was gedenkwaardig, en zij hoorde erbij. Ze had daarna in haar leventje zoiets niet meer meegemaakt. In die zeventien dagen was haar medelijden omgeslagen in diep respect en verpletterende toewijding. Hij hield haar en alle plaatsen waar ze was geweest bij zich, zoals ze dat zelf niet kon.

'Waarom zeg je altijd Sophia tegen me?' had ze hem een keer gevraagd, omdat hij dat zo hardnekkig bleef doen.

'Als ik dat niet deed, zou ik je echt kwijtraken,' had hij gezegd.

Ze wilde iets betekenen nadat hij was gestorven, door voor zieken te zorgen. Bij elk ziek, opgezwollen kind dat Constance had afgelegd, wist ze dat het kind als iets beters terug zou komen. Want erger kon niet. Jij zult gravin zijn, zei ze tegen een lijkje. Je zult je neus optrekken voor elke uitglijer in de mode. Jij wordt politicus, zei ze tegen een ander lijkje. Dan kun je de hele dag debatteren en intimideren, en je dikke buik vol proppen met biefstuk en port.

Ze had haar best gedaan, maar een groot deel van haar stierf toen Daniel overleed. Dat had ze op het moment zelf beseft, en dat wist ze nu ook. Misschien dat de malaria het ook doorhad.

Ze hoopte maar dat God, of wie er ook over dat soort dingen ging, haar er niet te zwaar voor zou straffen. Vergeef me alsjeblieft dat ik niet beter mijn best heb gedaan. Ik hou heus wel van het leven. Maar dit leven is eenvoudigweg te eenzaam voor me.

Hopewood, 2007

Ze was sinds die vreselijke avond van het bal niet meer naar de middelbare school geweest, en ze had gedacht dat ze er nooit meer naartoe zou gaan. Maar om zeven uur 's avonds, op de dag voordat Lucy terug moest naar Charlottesville voor het laatste collegejaar, ging ze toch.

Ze ging door de zijingang naar binnen. Een paar onderhoudsmedewerkers waren nog in de school bezig voor het nieuwe seizoen. Ze had op het sportterrein grasmaaiers aan het werk gezien en twee mannen die frisse witte strepen op het footballveld aan het trekken waren. In de hal waren ze kastjes aan het opknappen en graffiti van de geschilderde muren aan het verwijderen. Ze zouden de studenten dat soort werk moeten laten doen, dacht ze opeens.

Ze keek er vanaf een afstand naar, terwijl ze zag hoe ze toekeek, en weer zichzelf zag hoe ze toekeek, onzeker over hoe ze de eenvoudigste dingen moest zien.

Ze nam tegenwoordig haar lichaam mee van de ene plek naar de andere. Ze was uit Engeland teruggekomen en had thuis haar spullen ingepakt. Ze had Sawmill bij haar dertienjarige buurjongen opgehaald die tijdens haar afwezigheid voor hem had gezorgd. (Ze had de jongen gesmeekt om hem te houden, maar het mocht niet van zijn moeder.) Ze had spullen voor school gekocht. Ze had zelfs twee nieuwe t-shirts bij Old Navy gekocht. Ze had in de kleedkamer naar zichzelf in de spiegel gestaard zonder te weten wie ze werkelijk was. Haar hart was gebroken maar ze wist niet door wie. Ze vermoedde grotendeels door haarzelf.

Ze liep langs haar kastje uit de bovenbouw en herinnerde zich de foto's en de aantekeningen die ze aan de binnenkant van de deur had geplakt. Ze herinnerde zich het roze spiegeltje waarin ze Daniel in de gang bespiedde, en waardoor ze langer naar hem kon kijken dan als ze hem echt in de ogen keek. Ze zag hem weer voor zich met een slobberige spijkerbroek aan die op zijn heupen hing, zoals dat op school mode was. Hij was eigenaardig en afstandelijk, maar wilde er toch graag bij horen. Ze zag de schoenen weer die hij altijd aanhad, lichtbruine suède Wallabees die zo uit 1972 leken te komen en gemakkelijk uit konden worden gedaan. Ze vroeg zich nu dingen af waarbij ze toen niet stil had gestaan. Wie waste zijn spijkerbroek? Wie kookte zijn eten? Wie gaf hem op zijn kop als hij een slecht cijfer haalde? Waarschijnlijk niemand. Maar ooit had iemand dat wel gedaan.

Ze liep het scheikundelokaal in. Ze deed de deur achter zich dicht en plofte neer op een stoel. Ze sloeg haar handen voor haar gezicht. Ze was bang dat de geesten haar zouden komen halen, en zo niet, dat ze wilde dat ze kwamen.

Ze wist niet wat ze moest doen. Ze wilde op zoek gaan naar Daniel. Verder wist ze het niet meer. Ze had al ruim een jaar geen keramiekles meer. Haar oude tuin stond nu vol onkruid; zelfs de frambozen kwamen dit jaar niet op. Ze had altijd graag dingen gekweekt en met haar handen dingen gemaakt, maar nu kon ze zichzelf er niet meer toe zetten. Ze wist niet wat ze met haar leven aan moest. Ze was volwassen, over negen maanden zou ze afstuderen. Ze moest haar leven inmiddels uitgestippeld hebben, maar ze scheen het alleen maar te kunnen ondermijnen. Hoe kon ze zonder hem doorgaan?

Ze moest denken aan een droom van lang geleden, waarin ze in een trein op het tussenstuk had gestaan. De trein was niet verlicht en raasde over de kronkelige rails, en ze wilde steeds in het rijtuig voor haar komen. Ze bonkte op de deur en schopte ertegenaan en schreeuwde ertegen, maar de deur bleef dicht. Uiteindelijk gaf ze het op en ging ze terug naar het rijtuig achter haar, maar kwam tot de ontdekking dat het ook op slot was.

Ze had Daniel die avond verkeerd behandeld. Dat vond ze heel erg. Stel dat ze alleen maar naar hem had geluisterd? Zo moeilijk was dat toch niet geweest. Ze had hem uit kunnen dagen, ruzie kunnen maken, hem zelfs vragen kunnen stellen. Zo had Constance het waarschijnlijk aangepakt. Lucy had kunnen zeggen: je kust verrukkelijk, maar waarom zeg je Sophia tegen me? Ze had hem de kans niet gegeven het uit te leggen, laat staan iets te bewijzen. Ze was als een hysterisch trillend rietje weggevlucht.

Misschien omdat alles in de verkeerde volgorde was verlopen. Ze hadden elkaar zowat verslonden voordat ze zich voor hadden kunnen stellen. Geen: waar kom je vandaan? Of: heb je ook broers en zussen? Het leek op dat moment heel normaal om naar hem toe te gaan. Zelfs noodzakelijk. Ze hunkerde naar hem, en nu wist ze een beetje beter waarom dat zo was. Ze kon niet van hem afblijven. En dat was misschien niet zo goed geweest.

Het was veel te intens. Het was te veel voor haar. Door de beelden die haar in haar hoofd bestormden dacht ze dat ze gek aan het worden was, en daar was ze altijd al bang voor geweest. Ze wilde niet net als Dana worden. Ze had altijd zorgvuldig voor haar geestelijke gezondheid gewaakt.

Misschien was ze bang dat haar geest werd overgenomen, want daar was Constance mee bezig. Het was nu duidelijk waarom Lucy zulke vreemde herinneringen en duistere dromen had, waarom ze als was geweest was in de handen van de helderziende en de hypnotherapeut. Haar bewustzijn zat vol gaatjes, die Constance erin had geprikt. Constance wilde dolgraag zichzelf kenbaar maken. Ze had haar schat zeer zichtbaar verstopt en smeekte Lucy die te vinden.

Soms vroeg Lucy zich af waar de andere brief, die Daniel aan Constance had geschreven vlak voor hij stierf, was gebleven. Hij had niet in het nisje gelegen. Misschien dat Constance hem mee naar Afrika had genomen. Dat zou Lucy hebben gedaan. Maar ze had geen idee waar hij was, en Lucy vond het frustrerend dat ze maar zo weinig wist, dat ze maar zo weinig aanknopingspunten had.

Lucy vond het vervelend dat Constance haar lastigviel maar ze vond het ook erg dat ze het had verknald. Na alle moeite die Constance had gedaan, had ze eindelijk een moment met Daniel alleen gekregen, en toen had Lucy hem laten gaan. Hij kan je gelukkig maken. Dat had in Constance' brief gestaan. Je kon toch niet kwaad op haar zijn omdat ze dat wilde?

Lucy vond het ook erg voor Daniel. Kon ze hem maar recht in zijn gezicht zeggen dat het haar speet. Als ze ooit iets in haar leven over wilde doen, dan was het dat wel. En hoewel er in deze nieuwe wereld buitengewone dingen mogelijk waren, behoorde dat helaas niet tot de mogelijkheden.

Maar je wist wel dat je van hem hield, zei een stemmetje in Lucy's achterhoofd. Ze wist niet of ze zich daar nu beter door voelde of niet. Ze had van hem gehouden, op een stomme, kinderlijke, verpletterende manier. Maar toch. Ze had iets vermoed, toch? Ze wist dat hij veel voor haar betekende. Ze vond hem waanzinnig aantrekkelijk. Ze had er alles voor overgehad om even met hem te praten. Ze wilde hem, hoe stom ze het ook had aangepakt.

Kon ze maar bij hem zijn. Het kan toch niet afgelopen zijn? dacht ze wanhopig.

Maar hij was verdronken in de Appomattox door haar schuld, of hij leefde nog en had haar opgegeven. Als hij nog leefde, zoals Esmé/Martha beweerde, dan kon hij haar toch op komen zoeken als hij dat wilde? Ze had genoeg aanwijzingen achtergelaten. Ze stond in de telefoongids, had haar verhuisgegevens aan deze school doorgegeven, haar adresgegevens bij de universiteit stonden online, net als die van haar ouders, en bovendien stond ze ook nog op Facebook. Hij wil je niet opsporen, zei ze tegen zichzelf. Hij heeft misschien een keer een zwakke poging gedaan, maar daar is het ook bij gebleven.

Ze dacht aan Marnies vroegere mantra: als hij je leuk vond, dan wist je dat wel. Ze gaf zich even over aan nostalgie. Hij had haar zeker leuk gevonden. Hij had haar in elk geval graag willen zoenen. Nou ja, hij had haar in elk geval leuk gevonden omdat hij dacht dat ze Sophia was. Daar moest ze even over nadenken. Betekende dat nu dat Marnie gelijk had of Lucy?

Dan was er nog iets. Wie was Sophia? Wanneer leefde Sophia? Was Sophia veel langer geleden dan Constance? Hoe lang geleden dan? Ze hief haar arm op. Daar zat een litteken, net als Constance had voorspeld, maar dat kwam door een vishaak, ze was er niet mee geboren. Was er nog iets van Sophia over? Hoeveel bleef er van een ziel over? Was er nog iets van Sophia over in haar geheugen en in haar persoonlijkheid? Waarschijnlijk niet. Het enige wat nog over was gebleven van haar was Daniels toewijding, en dat was ze inmiddels ook kwijt. Toen hij er eenmaal achter kwam dat het meisje van wie hij hield er niet meer was, had hij zich teruggetrokken.

Daniel moet van Sophia gehouden hebben om het zo lang vol te houden. Het was vast pijnlijk voor hem om te beseffen dat ze er niet meer was en dat haar plaats door een lafaard was ingenomen.

Lucy stond op en slenterde langzaam de school uit. De zon ging net onder, waardoor de weg naar huis in rode vlammen en vergetelheid gehuld leek. Die wandeling had ze al duizenden keren afgelegd, maar nu was het heel anders.

Dat kwam door het briefje. Het was gewoon maar een oud stuk papier dat in haar portemonnee zat, maar het was sterk genoeg om de wereld zoals zij die kende op losse schroeven te zetten en haar voortdurend bezig te houden. Maar ze had nog steeds geen idee wat ze moest doen. Er was geen nieuwe wereld in de plaats van de oude gekomen. Maar ze struinde nu wel door de restanten van de oude wereld.

St. Louis (Missouri), 1932

In de jaren dertig groeide ik op in een buitenwijk van St. Louis. Op het platte dak van onze garage had ik een duiventil gebouwd.

Ik kocht eieren van een duivenfokker en verzorgde de uitgekomen vogels heel goed. Ik ontwierp oefenvluchten om ze uit te dagen, maar mijn duiven waren altijd eerder thuis dan ik. Ik denk dat ik nooit dichter dan dat bij vaderschap ben geweest of nog zal komen.

Ik ben altijd dol op vogels geweest. Ik verzamelde al in een van mijn eerste levens veren van zeldzame of bijzondere exemplaren, en daar heb ik er nog veel van. Ik zal ze ooit wellicht aan een natuurkundig museum schenken. De meeste van die vogels zijn inmiddels niet meer zeldzaam maar uitgestorven, sommige al eeuwenlang.

Ik vond vliegen betoverend en bewonderde de gebroeders Wright. Toen zij voor het eerst in het openbaar vluchten ondernamen woonde ik in Engeland. Ik besefte een tijd later dat Wilbur al eeuwenlang mee ging en dat Orville een gloednieuwe ziel was, wat altijd goed was voor een succesvolle samenwerking. (Kijk maar naar Lennon en McCartney. Raad eens wie van hen de oudste ziel was.)

In dit leven heb ik voor het eerst in een vliegtuig gevlogen, in een 'Jenny', een Curtiss JN-4, zoals de dubbeldekkers die ik in de Eerste Wereldoorlog over zag komen. Mijn vader nam me een keer mee naar een vliegshow toen ik acht was en kocht een kaartje voor een vlucht. Ik weet nog dat ik als in een trance in het vliegtuig klom en neerkeek op het vliegveld dat steeds kleiner werd en mijn vader die maar een stipje in de menigte was. Ik zou zweren dat ik toen voor de eerste keer de kromming van de horizon heb gezien. Op dat moment had ik diep respect voor de mensheid. Er zijn meer van dat soort momenten geweest. Maar ook vaak dat ik het tegenovergestelde voelde.

Mijn vader nam me ook mee naar het Lambert-St. Louis vliegveld om Charles Lindbergh aan te zien komen nadat hij op een van zijn eerste vluchten met de post naar Chicago was gegaan en weer terug. In dat leven heb ik vliegles gehad, maar tegen de tijd dat ik overleed was ik nog niet volleerd.

Als ik aan dat leven terugdenk, zie ik mezelf altijd weer zitten tussen mijn duiven in de avondschemer, hoor ik weer de mensen uit de buurt, vaders die van hun werk thuiskwamen en kinderen die rondreden op hun fiets en de radio die door het huiskamerraam te horen was, en keek ik tevreden toe.

Ik verzorgde geregeld vluchten voor de duiven van en naar school. Ik stuurde een keer een berichtje naar een knap meisje in de Engelse les op die manier, en een andere keer verstuurde ik zo mijn huiswerk voor geschiedenis toen ik ziek in bed lag. Vaak als ik had moeten leren, keek ik door het raam naar buiten en dacht ik aan de hemel terwijl mijn duiven op de vensterbank kwamen zitten.

Ik gaf een neef van mij uit Milwaukee mijn duif Snappy cadeau, toen hij met zijn familie op bezoek was geweest voor de kerst. Snappy reed zeven uur mee in de auto naar Milwaukee en was op tijd terug bij mij voor het nieuwe jaar. Ik kon mijn ogen niet geloven toen ik haar in de voortuin op me af zag trippelen. Mijn neef was teleurgesteld, maar daarna wilde ik Snappy niet meer kwijt.

Op een keer was ik alleen en melancholiek en ik schreef een brief naar Sophia en die deed ik in het buisje aan Snappy's poot. Ik liet haar vliegen en verwachtte haar tegen etenstijd weer terug, maar ze kwam niet. Ik wachtte een week en nog een week. Toen er een maand was verstreken, zat ik diep in de put. Ik had Snappy opgeofferd aan een hopeloze missie en daar had ik erge spijt van.

De jaren vervlogen en af en toe als ik eenzaam was, zag ik Snappy over oceanen, continenten, bergen, bossen en dorpen vliegen. Ik droomde dat ik door haar ogen kon zien. Ik zag haar in

Kent, in Londen, vliegend over Het Kanaal in een poging de brief af te leveren. Ik zag haar op het dak van Hastonbury Hall zitten wachten tot Sophia thuis zou komen. Soms fantaseerde ik zelfs dat Snappy haar had gevonden, wat mij nooit was gelukt.

Ik hield bij hoe lang Snappy weg was en hoe oud Sophia zou zijn. Op de dag dat ik van school ging was Snappy al twee jaar en drie maanden weg en was Sophia veertig. Toen ik mijn opleiding begon was Snappy al elf jaar en een maand weg en was Sophia bijna negenenveertig.

Toen Snappy dertien jaar en twee weken weg was en Sophia eenenvijftig was, ging ik in ons oude huis bij mijn zieke vader op bezoek. Ik ging het dak op van de garage en zat bij de oude duiventil totdat de zon onderging. Ik keek naar beneden en zag een oude duif de inrit op trippelen. Ze spreidde haar vleugels en vloog naar me toe boven op het hok, waar al jaren geen duiven in hadden gezeten. Mijn oude brief zat nog steeds in het buisje aan haar poot. Sophia had ze niet kunnen vinden, maar wel haar eigen huis.

Hinesville (Georgia), 1968

In 1968 was ik negenenveertig jaar, ik ben zelden zo oud geworden. Ik weet nog dat ik een of andere verwaarloosde speelplaats van een legerbasis – Fort Stewart, als ik me niet vergis – in Hinesville op reed. De lucht was betrokken en de weinige toestellen die er stonden waren kapot en verroest. Ik keek rond omdat ik niet wist wat ik kon verwachten. Er was alleen maar een meisje aan het schommelen, vastberaden zwaaiend met haar beentjes alsof ze het net had geleerd. Ik keek op mijn horloge en wachtte op Ben. Ik had die avond een lange reis voor de boeg, en ik wachtte en keek naar het meisje op de schommel. Ze hield op met zwaaien en liet de schommel langzaam tot stilstand komen. Ze draaide met de kettingen in haar hand en schopte met haar voeten in het zand.

'Hoi, Daniel,' zei ze. Ze zwaaide met haar handje zoals kinderen dat doen.

Ik liep naar haar toe. 'Ben?' vroeg ik verbaasd.

'Nee, ik ben Laura,' zei ze. Ze leek me een jaar of zes, zeven. 'Heb je mijn brief gekregen?'

'Ja. Maar ik had geen idee dat je zo jong was.'

Ze knikte. 'Ik heb erg mijn best op het handschrift gedaan.'

'Hoe heb je me gevonden?'

Ze haalde haar schouders op. Ze schopte nog wat in het zand zodat haar witte schoentjes en roze sokken vies werden. Zelfs als kind was ik vaak zo nuchter als een volwassene. Ik dacht niet dat ze me het zou vertellen. Ik had geen flauw idee hoe Ben me altijd kon opsporen, maar het lukte hem elke keer weer.

'Woon je nu hier?' vroeg ik.

Ze knikte en speelde met een van de houten knopen van haar

jas. 'Eerst in Texas, toen in Duitsland en nu hier.'

'Je bent dus een soldatenkind?'

Ze keek me verwijtend aan. 'Dat is helemaal niet aardig.'

Ik wist dat mijn oude vriend Ben, samen met vele anderen, aanwezig was, maar het was moeilijk om dat in dit kleine meisje te zien. Ik glimlachte. 'Het is maar een uitdrukking. Dat wil niet zeggen dat je vader een gewone soldaat is. Dat weet je best.'

Ze haalde weer haar schouders op. Ze had een loopneus en die veegde ze ongeduldig af zonder een zakdoek te gebruiken. Haar knokkels en vingers waren mollig en ik keek er vol verwondering naar.

Ik heb nog nooit zo in mijn lichaam gezeten. Ik ben altijd nadrukkelijk aanwezig. Ik heb mezelf een naam gegeven en wil weer dezelfde man worden. Ik heb dezelfde hobby's en probeer dezelfde manier van leven te creëren. Ik heb ook veel dingen uit mijn vorige levens behouden. Ik gebruik zelfs op dezelfde manier mijn lichaam: dezelfde manier van lopen, hetzelfde kapsel, dezelfde gebaren, of in elk geval zo veel mogelijk.

'Je bent een hamsteraar,' heeft Ben een keer tegen me gezegd. 'Je vindt het verschrikkelijk om niet de touwtjes in handen te hebben.'

'Ik ga volgende week weg,' zei ik tegen haar. 'Ik denk dat ik wel een tijd weg zal blijven.'

'Waar ga je naartoe?' vroeg ze, en ze begon weer een beetje te schommelen.

'Naar Vietnam.'

'Waarom dan?'

'Ze hebben daar chirurgen nodig. Ik wil naar een oorlogsgebied,' zei ik een tikje te luchthartig. Ik stond niet achter de oorlog, maar dacht wel dat ik een paar mensen het leven kon redden en andere kon helpen. Ik was nog niet bij demonstraties voor de burgerrechten gedood, hoewel ik wel een paar keer opgepakt was. Dan had mijn dood tenminste iets betekend.

'Waarom wil je naar een oorlogsgebied?'

Ik keek in haar ogen of ik Ben erin kon ontdekken. Het viel niet mee. Als ik het niet had geweten, had ik hem volgens mij niet herkend. 'Sophia is al oud,' zei ik. Alleen tegen Ben kon ik zo eerlijk zijn. 'Ze is al een jaar of zeventig. Ik heb haar sinds de Eerste Wereldoorlog niet meer gezien. Ze is verdwenen. Ze is vast getrouwd en heeft haar mans naam aangenomen. Ik ben een bediende uit Hastonbury Hall uit die tijd tegengekomen. Hij dacht dat ze naar Afrika was gegaan.' Ik ritste mijn jas dicht tegen de kou. 'Het is bijna tijd om opnieuw te beginnen.'

Ze leek slecht op haar gemak. Ze zat weer met de knoop te spelen. Ze stapte van de schommel en liep naar het klimrek. 'Volgens mij heb je daar geen zeggenschap over,' zei ze al klimmend.

Ik was opeens gefrustreerd. Ben was de enige persoon ter wereld die het kon begrijpen. Dat wilde ik niet kwijt, in wat voor lichaam hij ook zat. 'Ben, ik weet dat je het begrijpt,' zei ik.

'Ik ben Ben niet.' Ze schudde het hoofd terwijl ze aan een stang zwaaide.

'Sorry,' zei ik. 'Maar voor mij is het gemakkelijker de oude naam te gebruiken. Ik snap niet hoe jij dat doet. Ik ben al heel lang Daniel.'

Ze luisterde aandachtig. 'Maar ik heet Laura,' zei ze. Ze klom boven op het rek en ging daar zitten.

'Laura,' zei ik, zo toeschietelijk mogelijk.

'Jij wilt altijd alles regelen. Straks ben je net als je oudere broer en zul je niet meer sterven of geboren worden.' Ze draaide zich van me af toen ze het zei.

Ik kwam dichter bij haar staan om haar beter te kunnen verstaan. 'Hoe bedoel je?'

'Dan neem je gewoon een lichaam waar nog een ziel in zit, zodat je kunt zijn wie je wilt, en dat is heel erg verkeerd.' Toen ze haar hoofd weer naar me toe draaide, stonden de tranen haar in de ogen.

Ik was ontzet. Ik kon even geen woord uitbrengen. 'Doet hij dat?' vroeg ik.

Ze knikte zo ernstig dat ik begreep dat ik daarom bij haar was geroepen. Ze moest me dat vertellen.

'Hoe dan?'

'Hij vermoordt ze,' zei ze eenvoudig.

Daar had ik nog nooit van gehoord. Ik had er zelfs nooit aan gedacht. Ik had geen idee dat dat kon. 'Hoe weet je dat?'

Dat was een domme vraag. Hoe langer ik Ben kende, hoe bijzonderder hij werd. Hij kon dingen herkennen en in de toekomst kijken, en alles daartussenin. Hij scheen het universum te bevatten, met of zonder tijdstructuur. En voor zover ik wist bleef zijn kennis niet beperkt tot zijn levens. Ik heb een keer een gedicht gelezen over een man die zo veel fantasie had dat de wereld zijn verhaal ging volgen, en dat deed me aan Ben denken. Maar je kon hem niet vragen hoe hij dat allemaal wist.

'Weet je het zeker?' vroeg ik, wat ook een domme vraag was. 'Misschien vergis je je.'

Ze keek me met grote meevoelende ogen aan. 'Was dat maar waar.'

Dat had ze al een keer eerder gezegd, toen ze nog Ben was. Ook die keer had ik gewild dat zij het mis had, maar tegen beter weten in.

'Ik heb hem al heel lang niet meer gezien,' zei ik. 'In geen zes-, zevenhonderd jaar. En toen heeft hij me niet herkend.'

'Omdat hij het niet kan zien.' Ze boog zich over een stang. 'Hij kan het zich herinneren en hij kan een lichaam stelen, maar hij kan niet naar binnen kijken.'

'Hoe bedoel je? Kan hij geen zielen herkennen?'

Ze schudde het hoofd. 'Als hij dat wel kon, had hij je allang opgespoord.'

Ik keek een tijdje toe terwijl zij op het klimrek speelde. Ze wilde me laten zien dat ze net als Tarzan van de ene kant naar de andere kon slingeren, en ik keek aandachtig toe, zonder een blik op mijn horloge of op de weg achter me te werpen, tot het haar na een paar pogingen eindelijk was gelukt.

Toen het ging schemeren liep ik met haar mee naar haar huis.

'Ik heb snoep bij me,' zei ze. Ze haalde een pakje Chiclets tevoorschijn. 'Neem maar.' Ze pakte er een groene Chiclet uit en stak me die toe. Haar handen waren zo kleverig dat ik hem niet wilde hebben, maar ik pakte hem evengoed aan. 'Het is eigenlijk kauwgum,' zei ze voldaan.

Ik knikte. Ze pakte mijn hand en hield die vast terwijl wij verder liepen.

'Daar woon ik,' zei ze, wijzend naar een klein huisje, een van de vele aan de straat.

'Goed,' zei ik. Ik keek haar verbijsterd aan. Hoe kon ze het verhaal van de wereld, met alle problemen en ellende, in haar hoofdje meedragen en zich nog steeds als een klein meisje gedragen? Ik snapte niet dat ze een gewoon kind kon zijn.

Ze keek me aan en wist, zoals altijd, wat ik dacht. 'Ik vind het fijn om gewoon te zijn, want dat is beter voor mijn moeder,' zei ze. Ze stak het pakje Chiclets in haar zak en rende naar huis.

Charlottesville, 2008

Daniel had op internet haar laatste verblijfplaats opgezocht. Over een paar maanden zou haar leven weer onvoorspelbaar zijn. Ze zou waarschijnlijk slagen. Hij wist niet wat ze daarna zou gaan doen, en was ook niet in de positie om haar dat te vragen. Het was bijna triest hoe blij hij was toen hij haar naam op het felverlichte scherm zag verschijnen. Absurd ook met hoeveel vreugde hij haar naam in zijn mooiste handschrift op een stukje papier had overgeschreven. Het was zelfs niet haar echte naam, alleen de naam die ze momenteel gebruikte. Dat betekende dat ze nog in dezelfde wereld leefde als hij. Ze was waar hij haar had verwacht. Ze was veilig.

Het was op een andere manier triest dan de bezorgdheid en de wanhoop die hij onderging als hij haar weer kwijtraakte.

Zijn leven was belachelijk eenvoudig geworden, had hij soms het gevoel. Hij was blij als ze in zijn gezichtsveld was en verontrust als ze verdween. En ze verdween regelmatig, soms wel honderden jaren lang. Als hij wist waar ze zich op aarde bevond, ook als hij haar niet kon aanraken, was hij voldaan, en hij verachtte zichzelf een beetje omdat hij zo snel tevreden was.

Ik zou naar haar toe kunnen gaan, dacht hij. Ik weet waar ze is. Ik kan haar spreken als ik dat zou willen.

Het was een zwakke geruststelling. Dat deel van hemzelf wantrouwde hij. Als je al zo lang leefde bestond het gevaar dat je, omdat je wist dat je weer terug zou komen, je leven steeds weer uitstelde totdat je helemaal niet meer leefde. Zolang het maar mogelijk was. Zolang je het maar kón, deed je het niet echt. Omdat je het niet wilde verpesten.

Daarom reed hij de afgelopen zomer drie keer langs haar huis in Hopewood zonder bij haar aan te kloppen. Daarom zat hij in november urenlang op een bankje voor het studentenhuis waar zij woonde, totdat hij bijna vastgevroren zat, maar zei hij niets tegen haar toen ze langs kwam lopen. Daarom keek hij altijd voordat hij naar bed ging op Facebook naar een foto of een update van haar, maar liet hij haar niet weten dat hij haar vriend was.

En hoewel hij blij was met het stukje papier, was het niet echt genoeg. Hij droeg het anderhalve week bij zich voordat hij in de auto stapte en weer naar Charlottesville reed.

Hij had een dag vrij genomen. Hij droeg een gleufhoed die hij nog uit de jaren veertig had. Hij had een zonnebril op die hij twee dagen eerder bij Target had gekocht. Het was belangrijk dat hij onherkenbaar was, maar dit was wel erg opvallend. Hij vroeg zich af of hij eigenlijk juist wel herkend wilde worden. Misschien niet door haar, maar door iemand die haar kende en haar die avond of de volgende dag zou zeggen: 'Kun jij je die rare knul van de middelbare school nog herinneren? Hij heet Daniel of zo. Die zag ik hier laatst nog op de campus.'

Wat zou ze daarvan vinden? Zou het haar interesseren?

Hij zat op een bankje langs een voetpad vlak bij het studentenhuis op haar te wachten. Volgens de plattegrond was dat het pad dat ze zou nemen om college te volgen, dus zou ze er uiteindelijk een keer gebruik van moeten maken. Hij had een krant opengevouwen maar kon er geen woord van lezen. Het was duidelijk dat hij totaal niet geschikt was als detective.

Aanvankelijk veerde hij op bij iedereen die langskwam. Maar na een uur was hij rustiger geworden. Al was het alleen al omdat zijn lichaam alle adrenaline had opgebruikt.

Twee uur later twijfelde hij eraan of ze wel bestond. Het was eigenaardig dat hij miljoenen uren had geleefd, maar dat deze twee uren oneindig lang leken te duren. Toen ze eindelijk aan kwam lopen, had hij het bijna niet door. Ze liep niet in een groepje meiden te kletsen, zoals zo vaak op de middelbare school het geval was geweest. Ze was in haar eentje. Ze liep met gebogen hoofd en was zo diep in gedachten verzonken dat hij haar nauwelijks herkende toen ze hem voorbijliep. Hij herkende haar loopje, op een bepaalde manier hetzelfde als in haar vroegere levens, maar langzamer, en ze was zich niet erg bewust van de wereld om haar heen. De zoom van haar donkerrode corduroy jasje zat los. De voering en een paar rafels hingen eruit. Hij werd er verdrietig van.

Hij stond op en liep op een afstandje achter haar aan. Haar blonde, steile haar zat in een paardenstaart. Haar scheiding was vroeger in dit leven, en ook daarvoor, altijd kaarsrecht geweest, maar nu zat hij schots en scheef. Haar tas hing lusteloos aan haar schouder. Iemand gooide een bal voor haar voeten, en hoewel ze ervan schrok, merkte ze het nauwelijks op.

Hij stond voor Bryan Hall te wachten tot het college was afgelopen en volgde haar toen weer over een prachtig kronkelend pad door het park, langs de hal, naar de bibliotheek. Hij liep achter haar aan naar boven en hield afstand terwijl zij naar een van de studeerkamers ging die afgescheiden was door een glazen muur. Hij kon daar ook naar binnen gaan zonder dat het haar op zou vallen. En hoewel hij in de verleiding kwam, deed hij het toch niet. Door haar afstandelijkheid vond hij het moeilijk naar haar toe te gaan. Dat woord deed hem ergens aan denken. Want men had hem ook vaak afstandelijk gevonden.

Hij liep langs de ene kamer na de andere waar studenten op de computer bezig waren. De lucht buiten was fris en helder, zo'n beetje het beste weer dat Charlottesville in de aanbieding had, maar toch waren de jaloezieën dicht en zaten gezonde jonge mensen, de beste van hun soort, voor het beeldscherm. Hij moest opeens denken aan de olijfbomen op Kreta tijdens het oogstfeest, een grote massa bewegende jonge en prachtige mensen. Hij dacht aan het zinderende testosteron aan boord van de schepen op de terugweg naar Venetië, het aantal kinderen dat verwekt werd en de ziekten die de eerste avond thuis verspreid werden. Hij zag de campus van de Washington University in St. Louis in de jaren veertig weer voor zich, en alle feestjes, en de lakens die op het gras in september als het zonnetje scheen werden uitgespreid. Hij had misschien gedacht dat deze generatie iets meer studeerde dan de vorige, maar als hij zo in de kamers rondkeek zag hij op de schermen hoofdzakelijk Facebook en YouTube en diverse nieuwssites. Ga wat meer naar buiten, zei hij bijna tegen ze.

Hij vond een tafel aan de kant waarvandaan hij haar in de gaten kon houden. Ze had haar tas niet opengemaakt om haar boeken eruit te halen, maar hield hem stevig vast op haar schoot terwijl ze door de ruit staarde. Zo te zien keek ze niet naar iets in het bijzonder.

Terwijl hij naar haar keek en zij naar niets, viel de avond. Hij vond haar trieste gezicht prachtig. Wist hij maar waarom ze zo bedroefd was. Wist hij maar dat als hij haar zou aanspreken, zij daar beter van zou worden. Hij voelde voorzichtig met haar mee. Hij ging daardoor een andere kant op dan hij wilde, maar hij kon niet goed zien waarnaartoe precies.

Hij wilde haar zien en hij wilde bij haar in de buurt zijn. Hij wilde haar geen moment uit het oog verliezen. Maar hij wist niet goed of hij wel contact met haar op moest nemen. Wat had hij haar te bieden? Een lang en gelukkig leven? Hij had nog geen lang leven gehad, dus dat leek zeer onwaarschijnlijk. Hij had vaak een manier ontdekt om het leven vroegtijdig te beëindigen, maar zelfs als dat niet het geval was, had hij nog niet lang geleefd. En geluk? Daar had hij maar weinig van meegemaakt, en dan nog bijna alleen met haar. Daar was hij dus ook niet goed in. Hij kon haar wel ongelukkig maken, maar gelukkig was een ander verhaal.

En hoe zat het met kinderen? Die hoorden normaal gesproken bij een lang en gelukkig leven, en ook daar was hij niet goed in. Niet dat hij niet goed was in bed, dat ging hem redelijk goed af, misschien zelfs erg goed, maar de laatste tijd had hij er niet veel ervaring mee gehad. Hij bestond natuurlijk al ruim duizend jaar, en in de meeste levens was hij volwassen geworden en had seks gehad, en dat bijna allemaal in de tijd voordat er geboortebeperking bestond. Hij had geen idee waarom er nooit een kindje van was gekomen.

Er waren mensen die het moeiteloos en vaak overkwam. Denk maar eens aan de keren dat een vent het in de auto deed met een meisje van wie hij niet eens de achternaam kende, en ja hoor, het was weer eens raak. Waren die mannen het op een bepaalde manier dan wel waard?

Hij had zichzelf altijd voorgehouden dat hij waarschijnlijk toch kinderen had, maar er alleen niet van wist. Maar eigenlijk geloofde hij daar niet meer in. Hij wist ergens wel dat het niet waar was. Bij de gelegenheden dat het had kunnen gebeuren, zou hij het hebben geweten. Het was niet iets wat gewoon niet was gebeurd. Het was iets wat hij niet kon. En hij had geen idee waarom niet.

Aanvankelijk rekende hij erop dat hij uiteindelijk eens in een lichaam terug zou komen waar de ballen wel van werkten en levend sperma produceerden. Inmiddels besefte hij dat dat waarschijnlijk al vaak gebeurd was. De ballen waren het punt niet. Het lag aan hem. Het kwam door zijn aanwezigheid in het lichaam.

Misschien kwam het wel door het geheugen. Stel dat het erfelijk was? Misschien had God beseft dat er iets mis was gegaan, maar dat hij het niet kon herstellen, en daarom maatregelen had genomen om ervoor te zorgen dat het nooit meer zou gebeuren.

Hij kwam overeind en liep naar de glazen wand tussen hen in. Hij legde zijn hand ertegenaan en toen zijn voorhoofd. Als ze nu op zou kijken, zou ze hem zien. Ze zou hem waarschijnlijk wel herkennen. Als ze nu op zou kijken, zou hij naar haar toe gaan. Als ze niet opkeek, zou hij haar met rust laten.

Kijk nu niet.

Kijk alsjeblieft.

Hij wist nog dat hij haar de laatste keer had gezien, tijdens dat afschuwelijke feest. Hij vond het elke keer weer gênant om er aan te denken. Hij had haar toen erg overstuur gemaakt. Zou dat nu beter gaan?

Hij keek naar haar terwijl ze daar zat, totdat het buiten donker was, maar ze keek niet op. Hij ging niet naar haar toe. Hij bleef daar staan met al zijn zorgen.

Hij had vaak aan haar veiligheid gedacht, maar nooit aan haar geluk.

Fairfax (Virginia), 1972

In de Slag om Khe Sanh in de lente van 1968 stierf ik zowaar een 'natuurlijke' dood. Tegen het einde van het bittere beleg, net voordat operatie Pegasus in april de basis bereikte, werd ik door artillerievuur gedood.

Vervolgens werd ik geboren als zoon van twee onderwijzers in Tuscaloosa in Alabama. We woonden in een huis bij een groot meer waar de ganzen tijdens de winter neerstreken. Mijn grootouders, de ouders van mijn moeder, woonden een eindje verderop in de straat.

In 1972, toen ik vier was, verhuisden we naar Fairfax in Virginia. Mijn vader kreeg daar een baan als onderwijsinspecteur. Ik weet nog dat ik met pijn in mijn hart afscheid nam van de ganzen en mijn grootouders, met name van mijn grootvader Joseph, die net zo dol op vliegtuigen was als ik.

Ik deelde de slaapkamer met mijn twee broertjes en omdat ik de oudste was, bepaalde ik hoe vaak en hoe hard we elkaar een pak rammel gaven. Met een van hen had ik in de Eerste Wereldoorlog gevochten, maar de andere was een verse ziel. Hij was zo hyperactief dat hij tijdens het eten een waas leek, maar hij was buitengewoon inventief, vooral met vuurwerk.

Mijn moeder was mijn juf van de eerste klas in het leven daarvoor geweest, en ik hield van haar omdat ze mooi voorlas, sinaasappels perste en koekjes bakte. Ze las sciencefictionboeken en kweekte dahlia's waarmee ze ook prijzen won, en was een fantastische moeder, een van de besten die ik heb gehad. Als ze mijn rug kriebelde of ons voor het slapen gaan voorlas, dacht ik steeds: jij bent een van de besten.

Een paar maanden nadat we in Virginia waren komen wonen, gebeurde er iets bijzonders. We zaten met ons vijven in de kerk. Mijn jongste broer was nog een baby. Ik keek naar mijn instappertjes, die een centimeter of vijftig boven de grond bungelden. Ik had wat door het gebedenboek gebladerd en een paar passages in het Latijn gelezen. Dat is vanouds het moment in mijn levens dat ik me dingen ga herinneren en mijn oude levens razendsnel verwerk. Ik wist niet dat ik Latijn kende totdat ik die teksten zag, want de gebedenboeken in Alabama waren niet in het Latijn geweest.

Direct naast me op de kerkbank zat niemand, maar iets verderop zat een vrouw van een jaar of vijftig met een wat oudere dame naast zich. Op de manier waarop ze naast elkaar zaten nam ik aan dat het moeder en dochter waren. Ik bekeek de jongste vrouw aandachtig. Haar haar was grijs en ze droeg een donkerblauwe jurk met een smalle riem. Ze had kousen aan en degelijke bruine schoenen met een ronde neus. Ze zag er een beetje vierkant uit, en ik zie nog de dikke blauwe aderen op de rug van haar hand. Ik wilde er een aanraken, om te voelen of hij meegaf of niet. Ik schoof een beetje haar kant uit.

Raymond, mijn jongste broertje, begon te piepen en de mevrouw draaide haar hoofd naar hem toe. Ik verwachtte een geërgerde blik te zien zoals bij veel mensen met grijs haar het geval is als baby's in de kerk huilen, maar zo keek ze niet. Haar gezicht was roze en niet boos.

En opeens besefte ik dat ik haar kende. Ik was net oud genoeg om mensen uit vroegere levens te herkennen, maar ik droomde wel al een paar jaar over Sophia.

Het was net alsof mijn hoofd in slow motion ontplofte. Ze keek weer voor zich uit, maar ik wilde erg graag naar haar blijven kijken. Mijn moeder liep weg met Raymond in haar armen zodat hij buiten, samen met de auto's en de vogels, lawaai kon maken. Ik schoof wat dichter naar de vrouw toe. Tegen de tijd dat ze naar me keek zat ik al bijna tegen haar aan.

Ik weet nog hoe stomverbaasd ik als vierjarige was. Het was Sophia. Haar ogen waren waterig en ze keek bedroefd, haar huid was slap en bespikkeld met levervlekken, maar toch was ze het. Ik zag haar zoals ze was toen ik haar de laatste keer had gezien, als Constance. Toen was ze jong en knap geweest, en nu niet, maar toch wist ik dat zij het was. Ik was niet alleen verbijsterd maar ook in de war en het duurde even voordat ik begreep waarom. Als ik aan mezelf dacht als volwassen arts, enkele jaren daarvoor, voordat ik stierf, weet ik weer dat ik verwachtte dat ze of erg oud en nog steeds Constance zou zijn, of dat ze erg jong zou zijn – net als ik of zelfs nog jonger – en iemand anders. Ik had niet verwacht dat ze ergens tussenin zou zitten en waarschijnlijk niet meer Constance zou zijn.

Ben je nog Constance? vroeg ik me af. Het was zelfs eenvoudiger voor me om haar te herkennen als Sophia dan erachter te komen of ze nog steeds Constance was, maar ik was ervan overtuigd dat het laatste niet het geval was. Dus zat ik te bedenken wat er gebeurd kon zijn. Hoewel ik een goed geheugen heb, valt het niet mee om dat in de wirwar van een vierjarige geest te gebruiken.

Op je vierde vergeet je maar al te gemakkelijk waar je lichaam is en waar het hoort te zijn. Terwijl ik zat te rekenen, was ik tegen haar aan gaan zitten. Toen ik besefte hoe dicht ik bij haar was, keek ik naar haar en ik zag dat ze nog steeds naar mij keek. Ik mocht dan in de war zijn, zij was dat ook. Als ik zat te rekenen, dan deed zij dat ook. Op dat moment dacht ik dat ze me misschien op een bepaalde manier had herkend, maar het lijkt me eerder dat ze gewoon niet gewend was aan een onbekende vierjarige die zich tegen haar aan nestelde.

Ze vond het vreemd, maar liet me mijn gang gaan. Ze legde haar arm om me heen. Ik zag dat mijn vader naar ons keek, hij leek ook in de war. Zij knikte naar hem om aan te geven dat ze het niet erg vond.

Ze drukte haar arm tegen me aan, en ik ontspande me. Ze legde haar hand op mijn bolle buikje.

Ik was enigszins teleurgesteld. Daar was ik me zeker van bewust. Maar omdat ik zo blij was dat ik fysiek in haar buurt was, onderging ik het lijdzaam, voor mijn oudere ik en mijn toekomstige ik. Dat was altijd heel vroeg bij me aanwezig, het woordeloze besef van mijn vroegere ikken. Sophia had dit keer jonger dan ik moeten zijn en niet oud en groot, en ik moest erachter zien te komen waarom dat zo was.

'Je bent de vorige keer zeker jong gestorven?' vroeg ik, tegen haar rib aanleunend.

Natuurlijk was ik teleurgesteld. Maar ik was vier en zij hield me vast, en op je vierde is het lichamelijke belangrijker dan het geestelijke.

Ik raakte de ader op haar hand aan, en die gaf inderdaad mee en zakte weg onder mijn vingertopje.

We gingen nog een jaar of wat naar die kerk in Fairfaix. Dan zocht ik Sophia op en ging ik snel bij haar zitten. Mijn ouders noemden haar mijn speciale vriendin en nodigden haar een keer uit voor een glas limonade na de dienst, maar dat sloeg ze af omdat ze haar moeder thuis moest brengen.

Op een gegeven moment had Molly, mijn moeder, het wel gehad met wat zij de seksistische preken in die kerk vond. Ze hoorde van een hippiekerk in Arlington waar de dominee de preken zong, begeleid door een akoestische gitaar. Ik weet nog dat er een hoop liedjes uit *Godspell* werden gezongen. Dat was inderdaad veel leuker, maar ik vond het vreselijk dat ik Sophia niet meer zag. Volgens mij was mijn vader opgelucht. Hij had mijn voorliefde voor haar erg vreemd gevonden. Toen ik haar telefoonnummer wilde hebben om haar op te bellen, stond hij niet te popelen om daarbij te helpen. Ik noemde haar Sophia, maar toen ik haar nummer in het dikke telefoonboek op wilde zoeken, besefte ik dat ik niet wist hoe ze echt heette.

Ik ging toen ik negen was met de bus naar onze oude kerk, maar ze was er niet. Dat hield ik twee maanden vol, maar ze kwam daar niet meer. Pas in 1985, op mijn zeventiende, zag ik haar weer.

Joseph, mijn moeders vader, uit onze oude straat in Alabama, was stervende. Molly, mijn moeder, liet hem naar een hospice overplaatsen bij ons in de buurt. Ze was haar moeder al kwijtgeraakt aan een hartaanval, en ze wilde graag voor hem zorgen. Ik ging met haar mee toen ze bij hem op bezoek ging. Ik werd niet zozeer overmand door mijn gevoelens voor hem als wel door de gevoelens van mijn moeder voor hem. Haar verdriet hing als een deken over ons heen. Ik weet nog dat ik dacht: het hindert niet. Zo erg is het nu ook weer niet. Je hebt straks wel weer een andere. Maar hoewel ik me dat altijd voorhield, kwam het dit keer toch niet goed over. Ik bestond al zo lang, had al zo veel meegemaakt, dus wilde ik het graag beter weten dan Molly, maar dat was niet zo. Wat liefde betreft kon ik niet aan Molly tippen.

Ik moest steeds denken aan Laura op die speelplaats in Georgia, dat zij een gewoon kind was om haar moeder een plezier te doen. Dat maakte me triest en ik wist niet eens waarom. Ik had er nooit bij stilgestaan dat ik een rol in het leven van anderen speelde. Ik was er zo op gebeten dat ik elke keer mezelf was, dat niemand er verder toe deed. Misschien omdat zij het vergaten en ik het me herinnerde. Dat dacht ik tenminste. Zij zouden al snel weg zijn, maar ik moest door. Het enige wat ik kon doen is aan hen denken nadat zij zichzelf waren vergeten.

Niet dat ik mijn plicht verzaakte. Ik zorgde ervoor dat al mijn moeders, behalve dan degenen die me verlieten of stierven voor ik volwassen was, te eten en een onderkomen hadden. Ik zorgde voor hulp als ze ziek of oud waren. Het geld dat ik had vergaard, gaf ik over het algemeen aan hen uit. Maar verder stond ik er nooit zozeer bij stil. In een bestaan als dat van mij zijn er nu eenmaal heel veel moeders, en je raakt er ook veel kwijt. Dat je er een hebt, daar sta je niet bij stil, maar als je ze kwijtraakt wel. Nadat er een paar moeders waren gestorven, zorgde ik beter voor hen. Je hebt maar één moeder uit duizenden, hield ik mezelf altijd voor.

Maar door mijn moeders verdriet merkte ik hoeveel ze van haar vader hield. Niet omdat hij haar vader was, ze hield gewoon van hém. Ze hield van hoe lief hij tegen haar was geweest, de keren dat ze samen dingen hadden gedaan. Ze hield niet van hem of van ons op een abstracte manier. Je hebt straks wel weer een andere, dacht ik, maar ergens wist ik wel dat dat niet zo was.

De tweede keer dat ik naar het hospice ging, keek ik per ongeluk in een kamer aan dezelfde gang als waar Joseph lag en zag ik een verschrompelde oude dame rechtop in een bed zitten. Ik was twintig stappen doorgelopen voor ik besefte dat ik haar kende. Ik liep terug en keek naar haar vanuit de deuropening. Het was Sophia. Ik had haar nog nooit zo gezien. Ze was hetzelfde als in de oude kerk, maar ouder en zieker. Nadat ik mijn grootvader gedag had gezegd, ging ik terug naar haar kamer.

Ik zat een tijdje bij haar bed. Ik hield haar hand vast. Ze sloeg haar ogen op en keek me aan. Haar ogen waren reumatisch en dof. Het waren Constance' en Sophia's ogen, maar zo kon ik ze niet zien. Ik zag een groot verdriet en kon er niets aan doen. Ik kreeg het eigenaardige gevoel dat ik opgetild werd en weg werd gevoerd, totdat alles op de grond piepklein was geworden en ik het grote geheel zag in plaats van de kleine, zorgelijke stukjes.

Zo blijf je niet lang meer. Straks ben je weer jong en sterk, zei ik steeds maar weer in mijn hoofd tegen haar. Niet om haar maar om mezelf gerust te stellen.

Ik ben nog een paar keer bij haar langs gegaan en heb met haar over ditjes en datjes gepraat. Volgens mij was ik de enige die aan het woord was, maar ik geloof dat ze het leuk vond dat ik er was. Een verpleeghulp vertelde me geërgerd dat ze elke dag een paar keer naar me vroeg. Ze had geen kinderen en geen kleinkinderen, vertelde hij me. Ik was de enige die op bezoek kwam.

Op een van die dagen leek ze meer bij de tijd en wierp ze me een vreemde blik toe.

'Weet je nog wie ik ben?' vroeg ik haar.

Ze bekeek me aandachtig. 'Ik weet nog dat er iemand was die hetzelfde als jij heette.'

'Is dat zo?'

'Maar dat is lang geleden.'

'Kende je hem?'

'Niet echt, nee. Ik heb op hem gewacht. Mijn moeder vond dat dom, maar zo was ik.'

'Hoe bedoel je?'

'Ik woonde in Kansas City, voordat mijn vader overleed en we naar het oosten verhuisden. Het was daar leuk. Veel feestjes en uitstapjes. Ik was erg romantisch maar mijn moeder zei dat ik liever fantaseerde dan met echte jongens uitging. En dat vond ze erg.'

Ik begreep nu dat de eenzaamheid niet alleen door haar leeftijd kwam, en besefte langzaam wat er was gebeurd. In de jaren dat ik op zoek was geweest naar Constance en haar oud zag worden aan de andere kant van de oceaan, groeide ze net als ik, een paar honderd kilometer verderop op. Ik moest aan Snappy de duif denken. Die had haar niet gevonden omdat ze overleden was.

Ik had het niet helemaal begrepen. Ik was een tiener, net zo egoïstisch als een tweejarig kind, dat is nu eenmaal zo. Ik had altijd gehoopt dat ze terug zou komen, en dat was ook gebeurd. Dat had ze tenminste geprobeerd. Ik had op haar gewacht en zij was in de buurt geweest en wachtte op mij. Ze had het zich op een bepaalde manier toch herinnerd.

Sophia's oude ogen sloegen me gade en ik verstopte mijn gezicht voor haar. Ze wist niet wat we allemaal kwijt waren geraakt. 'Hij heeft ook op jou gewacht,' zei ik. Ik had haar teleurgesteld.

'Ik ben altijd dom geweest,' zei ze.

Ik bleef zo lang mogelijk bij haar zitten, mijn hoofd liep over. Ik bleef totdat ze me om een uur of tien die avond eruit gooiden.

De volgende ochtend was ik er weer en vertelde ik haar over vroeger. Ik hield urenlang haar hand vast en sprak over onze tocht door de woestijn. Ik vertelde over de Eerste Wereldoorlog en dat zij in Hastonbury Hall had gewoond en dat het een hospitaal was geworden en dat ze me daar had verpleegd. Ik noemde haar Sophia en zei dat ik van haar hield. Dat ik altijd van haar had gehouden. Tegen die tijd sliep ze, maar ik vond dat ze dat moest weten. Ik was bang haar voorgoed kwijt te raken.

Tijdens het derde bezoek wist ik wat me te doen stond.

'Maak je geen zorgen,' zei ik tegen haar. 'Ik kom ook. We zullen samen terugkomen.' Dat had ze al willen doen toen ze Constance was, maar dat wilde ik niet. Maar dit keer zouden we het doen. Dit keer was haar leven ten einde en dat van mij nog jong en veelbelovend. Ik was degene die haar aan de andere zijde zou ontmoeten. Dat zou het er gemakkelijker op maken.

'Dit is onze kans,' vertelde ik haar.

Ik vond het jammer dat ik mijn leven moest opgeven. En al helemaal vanwege Molly, mijn moeder. Ze zou haar vader en haar zoon kort na elkaar kwijtraken, en ik wist – tenminste als ik erbij stil had gestaan, had ik dat geweten – dat het verschrikkelijk voor haar zou zijn. Maar ik had een aanpak ontwikkeld om tegen dat soort dingen te kunnen, en dat hield in dat ik niet te veel erover nadacht.

Ik wilde dat ik Molly kon vertellen dat ik het zo had gewild, en dat ik vlug weer terug zou komen. Ik wilde dat ik haar kon laten weten dat het goed was. Maar het stemmetje in mijn hoofd was het er niet mee eens. Ze houdt van je, zei het. Ze wil je helemaal niet kwijt, dus is het ook niet goed.

Ik wist dat het waar was, maar deed net of ik het niet hoorde. Ik was jong en onverstandig en had haast om Sophia weer te leren kennen. Wat had ik anders kunnen doen? Ongelooflijk wat we allemaal vanzelfsprekend vinden.

Ik kon Molly's liefde gedeeltelijk weerstaan. Ik was zelfs zo arrogant te denken dat ik het helemaal kon weerstaan. Het was moeilijk genoeg om je in elk nieuw leven aan iemand vast te klampen. Het was moeilijk genoeg dat degene van wie je hield jou steeds weer vergat. Misschien dat Ben van een oneindig aantal mensen kon houden, maar mij lukte dat niet.

Ik ging die winter op de avond voor mijn achttiende verjaardag naar een beruchte straathoek in Washington. Ik denk niet te vaak terug aan die avond, maar ik geef toe dat ik wel vaak denk aan wat er de avond daarvoor gebeurde. Het was voor het eerst in lange tijd dat ik rekening hield met mijn moeder en afscheid van haar ging nemen. Ik ga niet beschrijven wat ze tegen me zei of hoe ik me voelde.

Ik ben niet zo goed in het leiden van een betekenisvol leven, maar ik heb wel mijn best gedaan om mijn dood elke keer weer betekenis te geven. Ik wilde er iemand mee bevoordelen, maar in die tijd was ik nog te jong en had ik te veel haast om er goed over na te denken, het enige wat ik kon verzinnen was een paar drugs-verslaafden de schrik van hun leven te bezorgen.

Ik ging naar D Street, volgens mij in de buurt van de 9:30 Club, waar ik wel eens naartoe ging voor de muziek. Ik liep naar een kamer in een steeg waar de verslaafden zaten. Geen blije hasjrokers, maar de echte gebruikers. Ik had genoeg geld bij me om indruk te maken. Ik sprak Virgil aan, een wanhopige vrouw van in de dertig, aan wier arm te zien was dat ze verslaafd was. Ik beloofde haar ook wat te geven als ze het beste en sterkste spul voor me kon regelen. Zij dacht dat ik regelmatig gebruikte, en ik liet haar in die waan. Ze knoopte opgewonden de riem om mijn arm en stak haar naald in me.

Dat was de enige keer dat ik heroïne heb gebruikt, en meteen ook de laatste. Het is waarschijnlijk ook niet zo gunstig dat ik er meteen aan doodging. Misschien daagde ik het lot wel uit op die manier. Het was dan wel geen zelfmoord, maar het scheelde weinig. Ik was de boel aan het belazeren, wilde er door een vormfout onderuit komen. Ik hoopte dat door de gedachte alleen al dat ik Sophia weer zou zien, ik snel terug zou komen, en dat gebeurde gelukkig ook. Ik wilde niet echt dood. Dat werd me in mijn laatste ogenblikken wel duidelijk. Ik wilde heel erg graag leven.

Maar als je behept bent met een natuurlijke gave, dan word je ook gestraft als je er misbruik van maakt. Ik kwam inderdaad terug, maar als je in dat soort dingen gelooft, is het waarschijnlijk duidelijk waarom ik die moeder kreeg.

Tysons Corner Mall (Virginia), 2001

Mijn volgende moeder was verslaafd aan drugs. En ik werd verslaafd geboren. Dat vond ik wel passend. Ze was waarschijnlijk een nieuwe versie van een wanhopige figuur die ik in een vroeger leven heb gekend, maar ik was te jong om haar te herkennen, want toen ze me in de steek liet was ik pas een jaar of drie. Ik werd door een buurvrouw in het appartement verlaten aangetroffen. Volgens mij ben ik een paar dagen alleen geweest, en ik kan me nog herinneren dat ik erg bang was. Als je drie bent valt het niet mee om het grote geheel te zien.

Ik zat een maand in een weeshuis totdat ik in een pleeggezin werd geplaatst. Ik weet nog dat de maatschappelijk werker de dag ervoor langskwam. 'Wanneer leer ik mijn mama kennen?' vroeg ik.

Ik kwam in een pleeggezin bij Shepherdstown in West Virginia terecht. Ze hadden zelf twee kinderen en nog twee pleegkinderen. Ze keken daar in huis veel tv. Beide ouders rookten aan een stuk door. Als ik aan die tijd denk ruik ik weer de sigarettenlucht en word ik meteen misselijk.

Ik kan me niet herinneren dat we ooit aan tafel hebben gegeten. Ik kan me niet herinneren dat we ooit aten zonder dat de tv aan stond. Trevor, een van de andere pleegkinderen, was gewelddadig en liep vaak weg, dus was ik vaak alleen tenzij ik hen voor de voeten liep als er ruzie was, wat een paar keer gebeurde, en ik daar duur voor moest betalen.

Het was vreemd om vlak na elkaar twee sterk uiteenlopende kindertijden te hebben. De liefde voor mijn vorige familie en het verdriet om hen zaten me hoog. Dat vond ik erger dan die nieuwe mensen. Bij die nieuwe mensen was er tenminste niemand van wie ik moest houden of aan wie ik me verplicht voelde. Ze waren niet aardig genoeg om iets van me te verlangen en die onvriendelijkheid probeerde ik niet te beantwoorden. Ik had geen liefde, bevond me in mijn eigen wereldje en deed alles zelf. Ik denk niet dat ik veel overlast bezorgde. Ik weet nog dat ik op mijn vijftiende, toen ik de gebruikelijke afspraak met de maatschappelijk werker had, een dossier van mezelf onder ogen kreeg. 'Bindingsangst' stond er in grote dunne letters bovenaan.

Soms lag ik 's avonds in bed naar een sportwedstrijd op de radio te luisteren. De radio stond behoorlijk hard, maar ik kon de ouders erbovenuit horen ruziën. Dan dacht ik aan Molly en mijn vorige familie en vroeg ik me af wat zij op dat moment deden. Als ik ze heel erg miste dacht ik wel eens: wat heb ik gedaan? Maar toen ik wat ouder werd en niet meer echt een moeder nodig had, moest ik weer aan Sophia denken. Door de gedachte aan haar bleef ik doorgaan.

Ik had moeite met mijn lichaam omdat het sneller groeide en groter werd dan mijn vorige lichamen. Ik was niet snel en motorisch ook niet erg goed, zoals met mijn vorige lijf, maar ik was wel sterk. De pleegvader was maar één meter achtenzestig en mijn lengte beviel hem niet.

Ik sneed dieren uit hout en las boeken in de bibliotheek en dacht na over hoe ik Sophia op kon sporen. De meeste dieren verborg ik, maar de pleegmoeder zag me een keer bezig met een gans. Ze bekeek het aandachtig. 'Volgens mij is dat goed genoeg voor een museum,' zei ze tegen me, wat niet per se een compliment inhield.

We gingen naar een behoorlijk slechte school, maar ik had een paar goede leraren. Ik was duidelijk een prima leerling, dus een goedbedoelende leraar kreeg het in zijn hoofd dat ik 'superintelligent' was. Ik moest in mijn eentje in een klas zitten terwijl de rest pauze had en een intelligentietest maken. Ik weet nog dat ik de helft niet heb ingevuld.

Ik had al lang geleden geleerd dat het niet slim was om op te vallen. In de jaren veertig hadden mijn toenmalige ouders een keer mijn IQ laten testen. Dat was een ramp geweest, en daar had ik van geleerd. Je hebt uiteraard een groot en bijzonder geheugen om je duizend jaar te kunnen herinneren.

Toen ik oud genoeg was ging ik op zoek naar Sophia. Dit keer wist ik wel het een en ander. Ik wist dat ze eind 1985 of begin 1986 was overleden, en ik had haar dusdanig kort voor haar dood in het hospice gezien en gesproken, dat ik hoopte dat er nog wat in haar geest was blijven hangen. Ik was er zeker van dat ze hier in de buurt terug zou komen, dat voelde ik gewoon. Dat had ze al eens eerder gedaan en ik hoopte dat het weer zou gebeuren.

Ik kreeg een gigantische meevaller toen ik op mijn vijftiende op een middag in het winkelcentrum in Tysons Corner was. Ik zag dat meisje, dat nu Marnie heette, in een van de inmiddels verdwenen fotostalletjes vlak bij de ingang staan. Het duurde wel even voordat ik doorhad wie ze was. Ik kende haar natuurlijk niet als Marnie. Ik kende haar uit de kerk in Fairfax in de jaren zeventig. Door haar opgetrokken wenkbrauwen zag ik het ineens. Ze had de soort ogen die je tegelijkertijd neersabelden en je wilden vertrouwen. Ze was de oude vrouw geweest die naast Sophia had gezeten, Sophia's moeder. Ze moet net zo lang als haar dochter hebben geleefd. Ze hadden toen duidelijk een goede band gehad, en daardoor had ik het vermoeden gekregen dat ze weer een hechte band zouden hebben als ze terugkwamen.

Je kunt dit soort dingen niet regelen, hoorde ik Ben opeens zeggen, terwijl ik Marnie vanaf Tysons Corner volgde. Ik liep achter haar aan door de hal van een gebouw waar dokters en tandartsen hun praktijk hadden, en waar ze haar moeder trof en met haar naar de parkeergarage ging. Ik zag hen in een auto stappen en wegrijden. Ik schreef het kentekennummer op, en op die manier kwam ik in Hopewood terecht.

De eerste keer dat ik Sophia in haar nieuwe lichaam zag, was op de zaterdag erna. Dat was een dag met een gouden randje. Ik was nerveus in de bus ernaartoe. Je weet maar nooit wat je aantreft en of je die persoon aantreft. Ik ging die ochtend naar Marnies huis en liep zenuwachtig in de straat op en neer omdat ik niet wist wat ik nu moest doen. En toen zag ik haar. Ze kwam over de stoep naar me toe gelopen. Het was verbijsterend. Ik kan niet goed beschrijven hoe ik me voelde. Het was een schitterende lentedag, en de zon scheen op haar blonde haar terwijl ze met verende tred over de stoep liep. Ze had een afgeknipte spijkerbroek, teensandalen en een groen t-shirt aan. Vergeleken met toen ze in het hospice lag, was ze jong en pril. Haar benen waren lang en sterk en bruinverbrand en dun als van een klein meisje.

Dit is een herinnering uit mijn huidige leven, zoals iedereen dat heeft, maar hij zit al bij de beste gerangschikt. Als ik eraan denk, zie ik haar in slow motion op me af komen en hoor ik een nummer op de achtergrond. Het nummer dat ik er altijd bij hoor is 'Here Comes the Sun'.

Ik zag heel veel dingen die me bekend voorkwamen. De manier waarop ze haar hoofd hield als ze lachte. Haar slanke, zekere handen. De kromming van haar ellebogen, het puntje van haar oor dat door haar haren heen stak. Er zat een donker sproetje op haar kin.

Ik weet het nog goed. Dit is het begin van iets groots. Dit is onze tijd.

Ik was een beetje geschokt door haar aanwezigheid, merkte ik. Het was heerlijk om haar weer te zien, maar ik was bang dat ik iets verkeerds zou zeggen. Ik was weer een vreemde. Het zou dit keer moeilijker zijn contact te zoeken, het zou een stuk meer opvallen. Ze was te knap om zomaar op haar af te stappen. In mijn leven was bijna geen liefde en ik was het ontwend geraakt. Ik twijfelde of ik haar weer zover kon krijgen van me te houden.

Maar het voornaamste was mijn hoop. Ze was jong, en ik ook. Ik wist hoe ze eruitzag, ik wist waar ze woonde. Ze was weer in mijn blikveld en ze was niet met mijn broer of met iemand anders getrouwd. Dit was het leven waarin we eindelijk, naar ik hoopte, samen zouden zijn, als ik het tenminste goed aanpakte.

Sophia liep naar Marnies huis terwijl ik dom toe stond te kijken. Marnie deed de voordeur open en zei: 'Hé, wie is die knul?'

'Welke knul?'

'Daar aan de overkant.'

Tegen de tijd dat ze achteromkeek had ik me al omgedraaid en liep ik weg.

'Geen idee,' zei Sophia.

'Jammer,' zei Marnie. 'Het was een lekker ding.'

Mijn hart liep over dat ik dat had gehoord. Ik had het geluk dat ik een lekker ding was, want volgens mij was ik in de levens ervoor knap lelijk geweest.

Maar ik wist dat ik het voorzichtig aan moest pakken. Voor dit leven had ik alles opgeofferd en ik wilde het niet verknallen. Ik was eraan gewend met een schone lei te beginnen, een soort tweede kans voor de grote fouten die ik had gemaakt. Maar in dit leven zou Sophia's geheugen net zo goed zijn als het mijne. Er zou geen tweede kans zijn. Het lag allemaal erg ingewikkeld en de twijfel sloeg bij me toe. Ik wilde niet dat ze me als een gek of als een stalker zou beschouwen. Achteraf gezien had ik beter naar mezelf moeten luisteren.

In de volgende twee jaar ging ik nog twee keer naar haar toe, zonder dat ik de moed bijeen kon rapen haar aan te spreken. Een keer zag ik haar zonnebloemen planten in de voortuin. Een andere keer zag ik haar met haar zus Dana in een koffietent aan Coe Street. Het verschil tussen de twee zussen was frappant. Lucy lief en levendig, Dana wild en nerveus. Dana kwam me bekend voor, waarschijnlijk had ik haar al eens in mijn levens gekend, maar ook omdat haar ziel geagiteerd was en dat aan haar uiterlijk was te zien. Ze nam die agitatie in ieder leven met zich mee en veroorzaakte daardoor elke keer weer ellende. Ik weet zeker dat ze de mensen die van haar hielden veel verdriet deed, dat ze zich afvroegen wat ze verkeerd hadden gedaan, terwijl het waarschijnlijk niets had uitgemaakt wat ze ook voor haar deden.

Pas op mijn zeventiende zocht ik toenadering. Ik wilde niet te veel heisa veroorzaken met mijn vertrek uit Shepherdstown. Ik maakte me er geen zorgen over dat mijn pleeggezin me zou missen, maar wel dat de maatschappelijk werker moeilijk zou gaan doen. Ik verhuisde naar Hopewood, huurde een piepklein flatje boven een Indiaas restaurant, en schreef me in bij de Hopewood High School in dezelfde klas als Sophia.

Hopewood, 2008

De dag na de buluitreiking nam Lucy de bus terug naar Hopewood. Ze had twee tassen, een verwaarloosde filodendron, en Sawmill in zijn stomme glazen terrarium bij zich. De rest van haar spullen had ze in kartonnen dozen verstuurd. Ze kwam thuis en had nog steeds haar toekomst niet uitgestippeld behalve dan smoothies mixen of lingerie verkopen bij Victoria's Secret. Maar toen gebeurde er iets vreemds. Ze droomde twaalf nachten op rij over een tuin.

De eerste keer besefte ze dat ze nooit in die tuin was geweest, maar evengoed kwam hij haar bekend voor, en hij was zo echt dat het helemaal geen droom leek. De tweede avond was ze er weer. Ze herkende alles wat ze de avond ervoor had gezien: de fontein, het stenen muurtje, de prachtige roze, paarse en witte pioenrozen. Maar bovenal herkende ze de geur. Ze was er niet zeker van dat ze in de vorige droom iets had geroken, maar deze lucht drong door tot in haar poriën.

De volgende avond was ze blij dat ze voor de derde keer in dezelfde tuin was. Het was in alle opzichten hetzelfde, maar dit keer ging ze op ontdekkingstocht. Ze liep onder een eenvoudige pergola door waar rode clematis in bloeide en ontdekte een tuin met een laag muurtje eromheen en bloeiende roze kornoelje waar miljoenen vlinders traag tussen madeliefjes, leeuwenbekjes, zinnia's en cosmea rondfladderden. De vlinders waren er in alle soorten en maten en hingen op hun karakteristieke wijze boven de bloemen. En opeens vlogen ze allemaal weg. Ze fladderden over haar hoofd en ze was bang dat ze hen had verjaagd. Maar toen werd de vliegende spiraal steeds dikker en bewoog zich steeds langzamer totdat ze er middenin zat. Ze knipperde met haar droomogen en de vlinders vlogen weer terug naar hun positie boven de bloemen.

Op de vierde avond ging ze zelfs verder. De vijfde avond wilde ze zo graag weer dromen dat ze al om negen uur naar bed ging. Het was buiten nog een beetje licht. Ze was niet meer zo vroeg naar bed gegaan sinds op haar zesde haar amandelen waren geknipt.

Ze was gelukkig in de tuin, gelukkiger dan ze in lange tijd was geweest, toen ze nog heel jong was en lang voordat de ellende met Dana was begonnen. Het was een magische plek en in haar slapende geest kreeg ze zo de indruk hoe het was om kind te zijn. Elke avond lag ze in bed te wachten tot ze in slaap zou vallen, bang dat ze niet meer naar de tuin terug zou gaan, en ze smeekte zichzelf er alsjeblieft heen te gaan, en elke avond ging ze er weer naartoe. Als het mogelijk was geweest, had ze haar dagen ingeruild voor de nachten, de werkelijkheid voor haar dromen. Mocht je wel van de ene naar de andere kant overgaan?

Ze had nog nooit zo veel geslapen. Toch moest ze de hele dag in de gezondheidswinkel en tijdens het eten gapen, en wilde ze alleen maar naar bed en naar haar tuin.

Op de zesde avond droomde ze dat ze een bruggetje over een smalle rivier overstak en een ander gedeelte van de tuin ontdekte. De meeste planten kende ze niet, ze waren minder mooi en dunner, en het rook daar ook anders. Het was er dus niet zo mooi als de rest van de tuin, maar er hing nog wel een magische sfeer. Een paar planten waren zo apart dat ze ze goed in zich opnam, en zodra ze wakker werd, pakte ze een opschrijfboekje en maakte ze schetsen voordat ze ze vergeten zou zijn. De volgende avond legde ze een tekenboek en kleurpotloden op haar nachtkastje en toen ze in slaap viel en terugging naar dat gedeelte van de tuin bekeek ze nog een paar andere planten en leek ze in haar droom te weten dat ze er een tekening van zou maken. Ze wilde er zo veel mogelijk over te weten komen: hun geur en hoe de bladeren aanvoelden. Die morgen werd ze al vroeg wakker en was ze de twee uur voordat ze naar haar werk moest aan het tekenen.

Toen ze die avond thuiskwam na het werk, pakte ze haar geliefde *American Horticultural Society Encyclopedia of Plants and Flowers*, en zocht ze met bonkend hart de planten op die ze had getekend. Het duurde even, maar ze vond ze wel. Ze hoorden allemaal in een bepaald gedeelte van het boek thuis, het hoofdstuk over kruidenleer. Moederkruid, muur, alba, vrouwenwortel, strobloem. Het was dus een kruidentuin.

Pas op de achtste avond zag ze iemand anders in de tuin, bij de vlinders. Eerst dacht ze dat het Dana was en ze was al blij, maar toen viel het haar op dat het Dana helemaal niet was. Het was een vrouw van in de twintig, met lichtgrijze ogen en sproeten en glanzend donker haar.

'Ik ken je ergens van,' zei Lucy tegen de vrouw in haar droom.

'Maar natuurlijk, lieverd,' antwoordde de vrouw.

Toen Lucy wakker werd lag ze heel lang in haar bed na te denken over de vrouw in haar droom. Ze kende haar, maar ze had geen idee meer waarvan.

Toen ze opstond ging ze naar haar kast en pakte ze de monografie die ze in de souvenirwinkel in Hastonbury had gekocht. Ze bladerde naar het hoofdstuk over de tuinen en keek vol ongeloof naar de foto's. Geen wonder dat haar dromen zo duidelijk waren. Het was de tuin van Constance' moeder. Dit was de tuin waar ze een paar levens geleden als klein kind in had gespeeld. Ze sloeg het boek dicht. Ze wilde haar dromen nog niet vervangen door de waarheid.

Het hele weekend maakte ze schetsen van de tuin in haar droom, en toen ze er tevreden over was vergeleek ze ze met de foto's. Haar droomtuin was een stuk mooier en uitgebreider dan de foto's in de monografie en die ze op internet had ontdekt, maar die van haar klopten in alle details. Door de foto achter in het boek sloeg haar hart een slag over. Ze had hem eerder gezien, maar er nooit echt naar gekeken. Nu ze dat wel deed, wist ze meteen wie het was. Het was de vrouw die ze in haar droom had gezien. Het was natuurlijk Constance' moeder.

Op de twaalfde avond veranderde de droom. De tuin werd groter. Hij breidde zich in alle richtingen uit. Ze liep een pad op en stond plotseling in haar eigen achtertuin voordat de storm de frambozen had vernield. Via een ander pad was ze opeens op school, in de tuin van Thomas Jefferson, met de stenen muur eromheen. Ze liep weer een andere kant op en kwam tot haar verbazing uit bij haar zwembad met de bloemen aan de rand, zoals het er op haar tekeningen en in haar verbeelding uit had gezien.

Toen ze die ochtend na de twaalfde avond wakker werd, wist ze wat ze wilde worden. Ze zocht een aanmeldingsformulier op de computer op en printte dat. De rest van de dag was ze bezig het in te vullen en ze deed er een paar schetsen bij van de tuin in Hastonbury en van de kruiden waar ze over had gedroomd. In een opwelling deed ze er ook drie tekeningen bij van haar zwembad.

Op de dertiende dag stopte ze dat allemaal in een grote envelop, ging ermee naar het postkantoor en deed hem op de bus. Op de veertiende dag begon ze haar tuin te wieden.

Twee maanden later, in augustus, op de avond voordat ze voorgoed het huis zou verlaten, was Lucy aan het inpakken toen haar opeens iets inviel. Ze kon Dana's slang niet met zich meenemen. Sawmill had blijkbaar het eeuwige leven, maar zij niet. Zonder er echt bij stil te staan, haalde ze hem uit zijn terrarium en hij kronkelde zich om haar arm. Hij keek haar aan en zij keek hem aan. 'Wat jammer dat we maar zo weinig samen hebben gedaan,' zei ze tegen hem. 'Je was nu eenmaal niet mijn ideale huisdier.'

Ze ging naar beneden, door de keuken en de achterdeur en liet de hordeur achter zich dichtvallen. Ze liep door de tuin en ging in kleermakerszit op het gras voor de hortensiastruik zitten. Ze keek Sawmill nog een keer in zijn slangenogen. Ze had slangenogen altijd kwaadaardig en dubbelhartig gevonden, en dacht dat Dana hem eigenlijk had gekocht om haar ouders een hak te zetten. Maar terwijl Lucy zijn rustige kop bewonderde, geloofde ze dat niet meer. Ze dacht aan de keren dat hij verveld was, de lege hulzen die hij achter zich had gelaten terwijl hij steeds opnieuw werd geboren. Misschien was dat wel het belangrijkste voor Dana geweest.

'Vrijheid,' zei ze ernstig. Ze legde haar hand op de grond om te kijken wat hij zou doen. Hij bleef even om haar arm zitten. Maar toen stak hij dapper zijn kopje uit. Stukje bij beetje gleed hij van haar arm zodat hij steeds meer boven de onbekende grond kwam te hangen. Eindelijk belandde hij op de aarde en kronkelde hij het gras van haar oude sprookjesland in.

Charlottesville, 2009

Lucy had het al opgegeven dat wat ze het liefste wilde, ooit zou gebeuren, toen het er even na zes uur op dinsdagavond in januari toch van kwam.

Ze zat voor Campbell Hall, het gebouw waarin de tuinarchitectenopleiding ondergebracht was bij de Architectenschool, en waar ze tien uur in de werkruimte had gezeten. Nu zat ze in een hongerig waas, in haar gevoerde jas en de bruine wollen muts op, de koude lucht in te ademen en zichzelf even wat pauze te gunnen voordat ze zich weer in het gewone leven zou storten.

Marnie en haar vriend Leo kookten die avond chinees in hun flatje in de buurt van de Oakwood begraafplaats. Ze hadden het flatje in augustus gehuurd. Marnie werkte overdag in een kopieerzaak en 's avonds volgde ze een cursus om zich voor te bereiden op een rechtenstudie. Lucy had verwacht dat ze in de herfst en vroege winter fulltime als barista zou werken bij Mudhouse. Ze had het aanmeldingsformulier voor de school zo laat ingediend, dat ze tot januari moest wachten om de lessen te kunnen volgen. Maar er was een plek vrijgekomen en tot Lucy's grote vreugde hadden ze een oogje dichtgeknepen en mocht ze al in september beginnen. Dus werkte ze maar tien uur per week in Mudhouse en kwam ze door het lesgeld steeds dieper in het rood te staan. Marnie en zij hadden met z'n tweetjes de flat gehuurd, maar inmiddels was Leo onofficieel de derde bewoner geworden, alleen betaalde hij daar niet voor. Gelukkig kon hij wel goed koken.

'Vind je het niet jammer dat Marnie nu steeds bij haar vriendje zit?' had haar moeder haar een paar weken eerder gevraagd.

Lucy had door dat haar moeder wel dat gevoel had. 'Nee, hoor,' zei ze. 'Ik zit constant op school.'

'Je wacht toch niet nog steeds op Daniel?' had Marnie haar de vorige zaterdag verweten, toen Lucy niet met haar en Leo mee wilde naar een feestje.

'Nee,' zei Lucy. Marnie dacht dat ze onthutsend celibatair was en Lucy liet haar in de waan. Ze ging Marnie niet vertellen dat ze in de zomer vier keer met haar broer naar bed was geweest.

Lucy wachtte niet nog steeds op Daniel. Niet bewust althans. Ze had het geaccepteerd dat hij haar geen derde keer kwam halen. Maar in haar dromen verlangde ze nog steeds naar hem. Haar droom-ik dacht dat het verhaal Daniel en zij alleen maar tijdelijk tot stilstand was gekomen, dat het nog niet voorbij was. Ik kan niet eeuwig op je blijven wachten, dacht ze vaak, als ze 's ochtends in bed over haar dromen lag na te denken en wachtte tot de wekker afging.

En nu zat ze op het bankje in het donker, over dit soort dingen na te denken, toen een jongeman naar haar toe kwam en vroeg: 'Ben jij Lucy?'

Ze keek hem aan in de verwachting dat ze hem zou kennen. Hij was goed gekleed en glad geschoren, zoals een ouderwetse knul of het lid van een studentencorps. 'Ja,' zei ze. Ze kende hem niet. Hij zat waarschijnlijk in een van haar lessen, maar ze zag hem niet zitten.

'Ik ben Daniel,' zei hij.

Ze schrok een beetje van de naam, alsof die zo uit haar hoofd was geplukt. 'Ken ik jou?' vroeg ze. Dat was niet erg tactisch en als ze erover had nagedacht, had ze wel iets aardigers kunnen verzinnen.

Zijn ogen waren op een bepaalde manier geheimzinnig. 'Dat denk je misschien niet, maar het is wel zo.'

Ze had geen zin in spelletjes. Over het algemeen hoefde dat ook niet als ze de vormloze bruine muts laag over haar voorhoofd had getrokken en ze in haar jas gedoken zat. 'Hoe kan dat dan?' vroeg ze zonder het echt te willen weten. Ze pulkte aan haar handschoen. Misschien had hij op dezelfde middelbare school als zij gezeten. Misschien was het een vriend van een vriend die hem ertoe had aangezet omdat Lucy's vriendinnen vonden dat ze wel eens uit mocht gaan.

Hij boog zich naar haar toe, alsof hij wilde dat ze weer naar hem keek. 'Ik zie er nu anders uit. Het valt natuurlijk niet mee om het te geloven, maar ik ben Daniel. De Daniel die je vroeger hebt gekend.'

Ze keek hem nu inderdaad aan. 'Waar heb je het over?'

'Ik kende je op de middelbare school. En vele keren daarvoor.'

Ze kwam overeind, twijfelend maar ook gespannen. 'Ik snap er niets van.'

'Ik ben Daniel Grey. Uit Hopewood.'

Ze kon amper overeind blijven. 'Jij wilt dus beweren dat je Daniel Grey bent?'

'Ietwat anders, zoals je kunt zien. Maar in wezen wel, ja.'

Ze keek diep in zijn ogen. 'Hoe kan dat nou?'

'Zullen we een eindje gaan wandelen?' Hij liep al weg en zij kwam achter hem aan. Ze was duizelig, alsof ze alles vanuit een verkeerde hoek zag. Ze rilde en zweette tegelijk in haar jas. Hij nam lange passen en ze moest een paar stapjes meer zetten om hem bij te houden.

'Ik weet niet hoeveel je van me af weet,' zei hij voor zich uit, zonder naar haar te kijken.

Ze keek naar zijn gezicht. Was het soms een raar geintje? Hij kon toch niet echt Daniel zijn? Het was net alsof haar oude wens zo vurig was geweest dat er iemand door was verschenen, al was het dan niet de juiste persoon.

'Volgens mij weet ik helemaal niets,' zei ze en ze besefte meteen dat dat niet waar was. 'Nou ja, ik weet wel wat.' Ze liep snel naast hem door. Stel dat het hem echt was? Het zou kunnen. Ze struikelde over een stoeprand en er spatte modder en regenwater op haar broek. 'Ik weet van Constance af,' zei ze vlug. 'En van Sophia.' Ze had op dit moment geen behoefte aan zelfbescherming. Het maakte haar niet uit of ze al dan niet normaal overkwam.

'Dat is al heel wat,' zei hij. Zijn stem was scherper en anders dan ze had verwacht.

Ze wilde dat ze hem weer in zijn ogen kon kijken. Hoe kon hij nu Daniel zijn? Als hij het niet was, waarom deed hij dan alsof? Ze wilde best geloven dat mensen terugkwamen in een ander lichaam, maar hier begreep ze niets van. 'Ik snap het niet,' zei ze. 'Ik kan niet begrijpen dat jij Daniel bent. Als je drieënhalf jaar geleden zelfmoord hebt gepleegd op die brug, dan zou je nu toch een klein kind moeten zijn?'

Ze had erover gefantaseerd dat ze Daniel weer zou ontmoeten, en dan had ze voor zich gezien dat ze in zijn armen zou vallen, hem uren lang vast zou houden en alles zou vertellen wat ze had ontdekt en gedacht nadat ze elkaar voor het laatst hadden gezien. Maar zo ging het dus niet.

'Jij snapt het niet, en ik kan het niet allemaal aan je uitleggen. Er zijn nu eenmaal raadselen die niemand begrijpt. Maar als je net als ik ben, dan hoef je niet elke keer weer als kind te beginnen. Af en toe kun je... een volwassen lichaam overnemen dat in de steek is gelaten.'

'Hoe bedoel je?' Ze bevond zich in een steeds wildere versie van het heelal, maar ze sprak gelukkig wel met iemand anders en niet met zichzelf. 'Kun je iemand óvernemen? Waarom zou iemand zijn lichaam in de steek laten?'

'Dat doen ze meestal niet expres. Maar soms wel. Ze laten het in de steek als ze komen te overlijden.'

'Maar als ze sterven, dan komt dat doordat het lichaam niet meer functioneert, toch?'

'Ja, over het algemeen wel. Maar soms... Hoe kan ik je dat uitleggen? Ze gaan soms weg voordat ze dat moeten. Ze worden bang en trekken zich terug. Op dat moment slaat de verleiding toe.'

'Verleiding?'

'Ja, want ze hebben dan vaak zo veel pijn dat ze er liever uit stappen.'

Lucy peilde haar gevoelens, maar buiten de tekenen van shock kon ze niets ontdekken. 'En dan neem jij het over?'

'Er is maar heel even een mogelijkheid. En het lichaam moet wel bruikbaar zijn, natuurlijk.'

Vanaf een afstand vroeg ze zich af wat een voorbijganger van hun gesprek zou vinden. Ze liepen te snel om erg lang gehoord te worden, en trouwens, ze was zo gestrest en zo ontdaan dat het haar eigenlijk ook niets kon schelen. Maar wat zei hij toch allemaal? Waarom zou ze dat nu geloven, en waarom niet? Had ze de verwachting al opgegeven dat de wereld zich zoals vanouds zou gedragen? 'Maar wat gebeurt er dan met hen? Stel dat ze weer terug willen?'

Hij keek haar ondubbelzinnig aan. 'Dat gebeurt niet.' Had Daniel ook zo gekeken? 'Ik pak alleen iets wat over is,' zei hij. Hij legde heel even zijn blote hand op haar gehandschoende. 'En de ziel die daarin hoorde gaat door naar de volgende fase, wat dat ook mag zijn.'

'Komen ze weer terug in een ander lichaam?'

Hij wreef in zijn koude handen. 'Waarschijnlijk wel. De meeste mensen komen terug.'

Ergens wilde ze wegrennen, en dat vond ze heel erg van zichzelf. Er waren zo veel twijfels, ze moest ook altijd alles verpesten. Na alle dingen die ze te weten was gekomen, zou ze hem toch gewoon moeten geloven? Het feit alleen al dat ze dit gesprek voerden gaf aan dat het wel Daniel moest zijn. Wie zou er anders van dit soort dingen afweten? 'Dus je stapte gewoon maar in deze persoon. En vroeger was het iemand anders?'

'Ik weet dat het moeilijk te bevatten is. Gewone mensen weten maar weinig van geboorte en dood en alles wat er tussenin zit af. Maar jij krijgt al een beetje een idee, toch?'

Ze stapte in een plas. Ze had amper door dat haar sokken kleddernat werden. 'Volgens mij wel, ja,' zei ze.

Hij bleef staan. Hij stak zijn handen uit en ze besefte opeens dat hij ze naar haar toestak. Ze legde onhandig haar handen in die van hem, en hij gaf haar een kneepje.

'Lucy.'

Ze knikte. Haar ogen brandden van de onvergoten tranen, hoewel ze niet snapte waarom dat was. Ze kon hem daardoor maar nauwelijks aankijken.

'Ik ben zo blij dat ik je weer zie. Ben jij ook blij?'

Ze had zich voorgesteld dat ze hem van alles zou zeggen, maar ze wist niet zeker of hij het wel was, en dus zei ze niets.

'Ik kan nauwelijks geloven dat je Daniel bent,' zei ze eerlijk. Ze keek hem in de ogen, maar hij trok haar handschoenen uit zodat ze ze niet kon zien. 'Ben je echt Daniel?'

'Ik ben echt Daniel,' zei hij.

Ze knikte weer. Ze kon hem wel of niet geloven. Als ze hem niet geloofde en het was hem wel, wat hij bijna wel moest zijn, dan had ze het opnieuw verknald. Dat mocht niet weer gebeuren. 'Sorry van die laatste keer,' zei ze snel. 'Sorry dat ik niet meer mijn best deed om het te begrijpen.' Een paar tranen biggelden over haar wangen.

'Dat kan ik je niet kwalijk nemen. Niemand gelooft het. En het was misschien maar goed ook.'

'Maar ik had echt beter mijn best moeten doen.'

'Oké, ik snap het.' Hij sloeg zijn ogen neer. 'Er zijn nu eenmaal dingen waar je spijt van hebt.'

De uitdrukking op zijn gezicht was anders dan ze had verwacht. Maar ja, wat had ze eigenlijk verwacht? Waarom had ze net gedaan of ze hem kende en dus bepaalde verwachtingen kon koesteren? Ze kende hem toen niet en ze kende hem nu niet. De enige relatie die ze had, zoals Marnie het had verklaard, was de relatie met haar eigen fantasie. En nu moest hij daaraan voldoen?

'Maar we kunnen nu opnieuw beginnen.'

Ze keek hem verwonderd aan. Zijn woorden drongen tot haar door. Het zat hem niet in het verschil tussen deze man en de oude Daniel. Het zat hem in het verschil tussen Daniel en haar fantasiebeeld. Natuurlijk zou de echte Daniel anders zijn dan de Daniel die ze in gedachten had. Alleen door hem in het echt te zien zag ze hoezeer ze het mis had gehad. Het deed haar denken aan het energiebedrijf dat niet in hun souterrain kon komen. Ze stuurden acht maanden lang rekeningen gebaseerd op een schatting en toen de man eindelijk op de meter kon kijken, vertelde hij haar ouders dat ze het zo verkeerd hadden gehad, dat ze vierduizend dollar bij moesten betalen.

'Als jij dat wilt,' voegde hij eraan toe.

Konden ze opnieuw beginnen? Kon dat gewoon? Zou dat gebeuren als ze dat zou willen?

Het was Daniel. Dat gevoel had ze nog niet echt, omdat ze oppervlakkig was en het fantasiebeeld nog voor ogen had, maar hij was het wel. Als ze de voorkeur gaf aan haar waanbeeld boven de echte Daniel, dan kon ze maar beter een hoop katten in huis halen en nooit meer buiten komen.

Hij had er anders uitgezien, maar nu ze erover nadacht, zag zij er ook anders uit. Op de middelbare school had ze zich elke keer dat hij haar zag, een houding aangewend en haar lippen getuit. Ze had altijd lipgloss opgehad en had haar wangen naar binnen gezogen en een strakke spijkerbroek gedragen en haar haar goed gestyled. Nu was ze afgeleid en in beslag genomen door andere dingen, en keek ze vaak niet eens in de spiegel. Ze maakte zich voor niemand meer op. Ze had nog geluk gehad dat hij er niet gillend vandoor was gegaan.

Door hem was haar hele leven tot stilstand gekomen. Haar beleving van de wereld was door hem omvergegooid. Moest ze dus deze kans niet aangrijpen? Door haar laffe gedrag was ze niet naar hem toe gegaan, en als ze niets deed zou ze er weer door worden tegengehouden. Ze was inmiddels ouder. Ze was zelfstandig. Ze kon er nu mee overweg.

'Ja,' zei ze. En er gleed weer een traan over haar wang.

Hij glimlachte naar haar. Een andere glimlach dan ze had verwacht. Ze had zichzelf bijna een stomp gegeven. Ze mocht niets verwachten.

'Ik zit nu in Washington, werk voor een marketingbedrijf. Ik moet vanavond weer terug voor zaken. Ik had niet verwacht je meteen de eerste keer al te zien. Als ik dat had geweten, had ik ervoor gezorgd dat ik de hele avond de tijd had gehad. Maar ik kom dit weekend terug, oké? Ga je mee uit op zaterdag? Wat is je lievelings-restaurant hier?'

Ze was een beetje teleurgesteld dat hij alweer weg moest, maar eerlijk gezegd ook opgelucht. Ze kon zichzelf beter op haar kop geven als ze alleen was. 'Ja. Goed.' Het restaurant was ongeveer twintig minuten rijden. 'Ik zie je daar dan wel,' zei ze zenuwachtig. Ze wilde niet dat hij meeging naar de flat. Ze had geen idee hoe ze het aan Marnie uit moest leggen.

'Mooi.' Hij boog zich voorover en kuste haar op de wang en haar mondhoek. Hij rechtte zijn rug en beende weg terwijl hij gedag zei.

Ze stond daar, en de kus bleef op haar wang zitten. Toen hij nog maar een stipje was en op het punt stond het parkeerterrein op te gaan, trok ze een vriendelijk gezicht, omdat ze dacht dat hij om zou kijken, maar dat deed hij niet. Kop dicht. Je weet lang niet alles, zei ze tegen haar eigen teleurstelling.

Ze liep weg. Zonder erbij na te denken kwam ze uit bij de stenen muur, waar ze op klom en met opgetrokken knieën met haar armen eromheen op ging zitten. Het was een wrede wereld geworden.

Wat mankeerde haar? Daniel was terug. Waarom deed ze zo vreemd en was ze zo geïrriteerd? Waarom had ze hem niet in haar armen genomen? We hebben de kans opnieuw te beginnen, had hij gezegd. Wat scheelde haar? Wat wilde ze nog meer?

Ik had niet gedacht dat ik me zo zou voelen.

Was het misschien doordat hij er anders uitzag? Was ze echt zo oppervlakkig? Want hij zag er goed uit. Hoe je het ook bekeek, hij was knap genoeg. Misschien zelfs nog knapper dan eerst.

Een hardnekkige, verraderlijke herinnering aan die vreselijke avond met de oude Daniel kwam bij haar boven. Haar onderlichaam begon te tintelen. Toen hij haar op die stoel naar zich toe had getrokken. Toen hun knieën elkaar raakten. Toen hij haar had gekust. Een vier jaar oude afgeleefde herinnering bracht meer bij haar teweeg dan de zoen die ze net had gekregen.

Omdat je deze versie nog niet kent.

De oude versie kende ik ook niet.

Van de oude Daniel had Constance gehouden. En Sophia. Dat had ze logisch gevonden. Waarom nu niet meer dan?

Ze legde haar hand op haar mond. Er zat ijs op de donkere handschoen en ze zag opeens grote vlokken sneeuw die ongecontroleerd om haar heen dwarrelden. Sneeuw in Virginia, uit een lucht die niet echt dreigde en met vlokjes die het zelf uit moesten zoeken.

Misschien was zij wel veranderd. Misschien was dat het probleem. Ze was toen veel naïever, veel meer bereid om verliefd te worden, of te geloven dat ze verliefd was. Ze was nu afstandelijker, onafhankelijker en ze wist veel beter waar ze mee bezig was. Misschien kon ze domweg niet meer zo'n band aangaan.

Maar waarom niet? Door wat ze door Madame Esmé en dr. Rosen en het verwaarloosde landhuis in Engeland te weten was gekomen? Misschien had ze zichzelf bedolven onder de mensen die ze vroeger was geweest. Misschien was ze daardoor haar oude zelf kwijtgeraakt.

Ze was verdrietig en stopte haar hoofd in haar handen. Ze vroeg zich af of hij haar wel echt wilde.

Hij was ook anders, en dat was wellicht wel goed. Niet alleen wat uiterlijk betrof, besefte ze. Hij had haar bijvoorbeeld bij haar eigen naam genoemd: Lucy.

Kolkata (India), 2009

Begin 2009 werd hij door de vrouw in Kolkata gebeld. Vlak nadat hij Sophia in de bibliotheek in de stad had gezien. De vrouw stelde zichzelf voor als Amita. Ze kletste een volle minuut in Bengali tegen hem voordat hij haar ervan kon overtuigen dat hij die taal niet sprak.

'Waarom spreek je geen Bengali?' vroeg ze hem in een Engels met een Indiaas accent.

'Eh... gewoon. Waarom zou ik?'

'Je hebt hier nooit gewoond, dus? Hindoestani? Spreek je dat dan?'

'Een klein beetje, maar niet veel. Kunnen we het voorlopig op Engels houden?'

Ze lachte en hij had opeens door dat het Ben was. 'Aha, het is mijn oude vriend,' zei hij in het verloren gegane Italiaanse dialect dat ze op de boot hadden gesproken.

'Wil je nu wel in andere talen spreken?' vroeg ze hem in het Engels.

'We hebben er vele gemeen,' zei hij in het Latijn.

'Kun je op bezoek komen?' vroeg ze hem vrolijk in het Engels.

Hij ging altijd als Ben dat vroeg. 'Ja. Wanneer?'

'Snel! Wanneer je maar wilt.'

Ze gaf hem het adres op en de volgende dag kocht hij een vliegticket. Hij had nog genoeg vrije dagen over in het ziekenhuis.

Ze woonde op een bovenverdieping in een oud huis in een drukke achterbuurt van Kolkata. Ze was jong en had een beweeglijk gezicht. Ze had een prachtige paarsblauwe sari aan en droeg rinkelende gouden armbanden om haar pols. Ze sloeg meteen haar

236

armen om hem heen. Ze leidde hem naar haar kleine, ouderwetse keukentje, waar ze bezig was een maaltijd te bereiden.

'Wat ben je knap, Daniel,' zei ze, terwijl ze flirtend haar wenkbrauwen optrok.

'Ik heb dit keer geluk gehad,' zei hij. 'Als het tenminste geluk is dat je knap bent.'

'Soms wel, soms niet.' Ze stak haar vinger in een van de pannen om te proeven. 'Verrukkelijk,' verklaarde ze.

'Leuk je weer te zien,' zei hij oprecht.

'En ik vind het leuk jou weer te zien.' Ze liep met een pollepel in haar hand op hem af en gaf hem een kus op zijn kin. 'Ik wil je nog wel meer kussen,' zei ze. Ze gebaarde met de lepel naar een kamertje achter een halfopen deur. 'Ik zou je graag daar mee naartoe nemen, maar ik weet dat je van een ander meisje houdt.'

Hij moest lachen. Hij had geen idee of ze het nu meende of niet, maar hoe dan ook zag hij zichzelf niet met Ben in dat onopgemaakte bed stappen. Ten eerste omdat ze Ben was, en ten tweede omdat hij haar ook kort als Laura en een paar anderen had gekend. Hij zou de andere levens niet kunnen vergeten. Hij zou niet alleen met Ben in bed liggen, maar ook met alle anderen. Als hij iemand de eerste keer als man leerde kennen, kon Daniel hem in een vrouwelijke versie niet aantrekkelijk vinden. Hij was daar gewoon niet goed in.

'Ik ben Amíta,' zei ze hooghartig, zoals altijd zijn gedachten lezend.

'Je bent een vormveranderaar,' zei hij bij wijze van grapje.

'Nee, dit is het leven,' gaf ze hem lik op stuk. 'En waar jíj mee bezig bent dus niet.' Haar ogen keken hem nog steeds vol liefde aan, maar hij deinsde toch terug.

'Vertel eens meer over dat meisje,' vroeg Amita lief. Ze wilde hem niet te veel pijn doen.

'Ik weet waar ze is,' zei hij.

'Waarom ben je daar dan niet?' wilde ze weten.

Echt iets voor Ben om meteen ter zake te komen. Daniel was

moe en hij was in Kolkata en hij wilde eerlijk zijn. 'Een paar jaar geleden wilde ik met haar praten en dat heb ik toen volledig verpest. Ik ging veel te snel, ik maakte haar bang. Ik geloof niet dat ze me daarna nog wilde zien. Ik wil haar de tijd geven voordat ik weer een poging waag.' Zelfs in zijn oren was de verklaring niet erg geloofwaardig. Hoeveel tijd zou hij haar geven?

'Misschien wil ze dat helemaal niet.'

Hij wreef over zijn wangen. Die waren door de lange reis bedekt met zweet en vuil. 'Ik heb geen idee wat ze wil.' Zijn stem was ijl. 'Maar mij denk ik niet.'

Amita stond hem met de lepel in haar hand aandachtig aan te kijken. 'O, Daniel,' zei ze ten slotte. 'Jij hebt liefde nodig. Dat is voor jou al een hele tijd geleden.'

Hij lachte. 'Wil je me daarom je slaapkamer in sleuren?'

'Liefde is liefde,' zei ze.

Hij schudde het hoofd. Dat ze met hem flirtte was lief, maar hij begreep het niet. 'Ik geloof dat het beter is als ik nog even wacht met Sophia,' zei hij. 'Als ik een tijdje wacht, krijg ik misschien wel weer een kans.'

Ze keek hem verdrietig aan. 'En zo kun je eeuwig doorgaan.' Ze deed de pollepel in de pan en ging op het aanrecht zitten. Ze hield even haar kin in haar hand en dacht na. 'Misschien zou je haar niet weg hebben gejaagd als je haar als haarzelf had benaderd in plaats van als iemand anders.'

'Hoe bedoel je? Ik heb haar niet als iemand anders benaderd. Ik zag haar als haarzelf. Ik noemde haar Sophia, maar ze is dan ook Sophia. Het is toch niet verkeerd dat ik me haar herinner?'

'Ze heet geen Sophia. Sophia is een herinnering.' Amita sprong van het aanrecht af. Ze roerde weer in de pan. 'Ze heet toch Lucy?'

'Dat is hetzelfde meisje.'

'Ja en nee.'

'Wat bedoel je daar nu weer mee?' Hij leek wel een kind, vond hij zelf.

'Je bewaart dingen,' zei ze. Ben had hem daar al een paar keer van beschuldigd. 'Hou van degenen die van jou houden als je bij hen bent. Meer kun je niet doen. Laat ze gaan als dat moet. Als jij lief kunt hebben, zul je altijd liefde ontvangen.'

Ben leek wel een opbeurend zelfhulpboek, maar Daniel was onder de indruk en werd vreemd genoeg emotioneel. Hij wist niet wat hij daarop moest zeggen, en dat zag ze. Ze kwam weer met de pollepel op hem af. 'Proef eens,' zei ze vriendelijk.

Dat deed hij. 'Jezus, dat is heet.'

Ze knikte en sperde haar ogen open. 'Ja, hè?' Ze keek even in het kookboek en sloeg het toen dicht. 'Nadat mijn man bij het leger is gegaan, kook en lees ik. Koken en lezen.'

'Je man?' Hij voelde zich schuldig dat hij naar haar goed gevormde bruine taille omhuld door de sari, had gekeken.

'Ja. En als hij terugkomt zal ik hem versteld doen staan met mijn kookkunst,' zei ze, terwijl ze als een goochelaar met de lepel zwaaide.

Zijn mond stond in brand. 'Dat zal vast wel.'

Hij keek een tijdje naar haar. Ze roerde in pannen en sneed dingen in stukjes en strooide ruim met kruiden. Ze vond het leuk de pepertjes in de pan te smijten in plaats van ze er rustig in te strooien. 'Soms moet je er gewoon een bende van maken,' zei ze vrolijk tegen hem. Ze nam een hapje van het groene spul in een koperen schaaltje. 'Ooooo,' zei ze naar adem snakkend. 'Kijk, dat had ik niet verwacht.'

'O, nee?'

'Nee! En dat is niet per se gunstig. Koken is altijd een verrassing, vind je ook niet?'

Hij had al vier eeuwen lang koken geen verrassing meer gevonden, niet sinds hij in de kombuis van een schip had gekookt dat zeven jaar lang over de Adriatische Zee had gezworven.

'Niet echt,' zei hij eerlijk.

'O, toch wel. Het is altijd verrassend.' Ze pakte haar kookboek er weer bij. 'Ik heb geen moeder of zus die het me kan leren, dus leer ik het me zelf aan,' legde ze uit.

Hij was inmiddels wat suf geworden. Hij had last van jetlag en bovendien wist Ben hem altijd weer onzeker te maken. 'Hoe kan iets nog nieuw voor je zijn?' vroeg hij haar. 'Hoe kun je iets nog verrassend vinden?'

Ze keek hem even aan. Ze stak haar vinger in het groene spul en hield die voor zijn neus. Hij nam een likje en het was ontzettend smerig. Bijna giftig. Hij gaf toe. 'Je hebt gelijk. Dat is inderdaad verrassend.'

Hij moest opeens denken aan wat ze hem had gezegd toen ze nog Ben was en ze tijdens een rustige nachtdienst op de Egeïsche Zee naar de sterrenhemel hadden gekeken: 'Ik heb moeite het patroon te ontdekken.'

Daniel wist dat ze uiteindelijk wel de reden voor zijn bezoek uit de doeken zou doen, en dat gebeurde toen ze op het warme dak geurige zaadjes zaten te eten en een groot gezin gadesloegen dat aan de overkant van de straat in tuinstoelen op het dak zat.

'Ik ben geen vormveranderaar,' zei ze opeens. 'Maar je oudere broer wel.' Ze bestudeerde een zaadje en gooide het toen over de dakrand. Haar gezicht bleef heel even onbewogen, maar het was duidelijk dat ze hem wilde waarschuwen.

'Is dat zo?'

'Ja. Hij steelt nu met het grootste gemak een lichaam. Hij heeft een gevaarlijke vriend.'

'Wie dan?' Daniel dacht aan allerlei mensen die hij in de loop der jaren had ontmoet of van wie hij gehoord had. Een man in Gent had hem benaderd met het verhaal dat hij de aartsengel Azraël was. Een vrouw in New Orleans genaamd Evangeline Brasseaux met haar volgelingen, die zei dat ze de Apocalyps had meegemaakt. Er bestonden heel wat van dat soort mensen, en hoewel hij er een tijd geleden af en toe een paar had nagegaan, bleef hij er meestal bij uit de buurt. Bij mensen met een echt geheugen hingen altijd volgelingen rond, de legendemakers, de roddelaars en de regelrechte leugenaars. Hij wist niet goed wat hij met die mensen aan moest. Maar nu wilde hij dat hij er meer had leren kennen.

Ze krabde op haar arm. Haar botten waren dun en staken door haar vel, als bij een vogel. 'Hij is al een tijd bezig macht te vergaren. Terwijl jij je meisje niet kunt vinden, is hij naar haar op zoek.'

Hij kreeg een brok in zijn keel en kon die niet weg slikken. 'Is hij op zoek naar Sophia?'

Ze beet knarsend een zaadje doormidden en haalde het tussen haar tanden vandaan. 'Door haar te zoeken zal hij jou vinden.'

'Hoe bedoel je?'

Ze dacht even na. 'Misschien heeft hij haar al gevonden.'

Daniel kwam overeind en liep naar de muur. Het afgrijselijke, hoewel zeer verrassende eten roerde zich in zijn maag. 'Hoe kan dat nou? Hij kan geen zielen herkennen. Dat heb je zelf gezegd. Weet je dat niet meer?'

Ze kwam bij hem staan en spuugde een zaadje over de muur naar beneden. 'Hij zou hulp kunnen hebben,' zei ze weer.

'Wie dan? Waar wil je naartoe?' Hij vroeg steeds weer hetzelfde hoewel hij wist dat Ben daar nooit antwoord op zou geven.

Hij liep heen en weer en zij bleef voor de verandering doodstil staan. 'Hoe weet je dat allemaal?' Hij was ontzet.

Ze schudde het hoofd, maar ze moest weten hoe hij eraan toe was. Uit medelijden zei ze: 'Ik herinner het me.'

Hij keek haar onderzoekend aan. 'Maar het is toch nog niet gebeurd?'

Ze wapperde dat rinkelend weg met haar smalle pols.

'Ik heb Proust gelezen,' vertrouwde ze Daniel toe terwijl hij de rotzooi in de keuken met haar opruimde. Ze wilde het niet meer over Joaquim of Sophia hebben en dat moest hij maar accepteren. Hij wist hoe Ben was. Hij gaf je zo veel als je kon verwerken en meer niet.

'Is dat zo?' vroeg hij; afgeleid, om beleefd te zijn.

'Ja. Hier in de straat is een mooie bibliotheek.'

'Had je hem nog niet eerder gelezen?'

'Waarschijnlijk wel.' Ze lachte op een buitengewoon malle manier, als je naging dat ze het eeuwige leven had. 'Ik vind het prachtig.'

Hij knikte en veegde wat saus van het plafond. 'Wat is er van hem geworden?'

'Van Proust?'

'Ja. Had hij het geheugen?' Als hij Ben aan het praten kreeg over iets wat hij interessant vond en wat ook relevant was, dan bestond de kans dat hij af en toe wat informatie liet vallen.

Ze schudde het hoofd zodat de kleine gouden oorbellen wiebelden. 'Totaal niet.' Ze dacht even na. 'Hij is nu een huisvrouw in Kentucky. En dol op bridge.'

'Totaal niet?' vroeg hij verrast.

'Totaal niet. En Joyce, weet je, is weg.'

'Weg?'

'Hij heeft maar één keer geleefd. Maar dan wel voluit.'

'Hm. Ook geen geheugen dus.'

'Nee. En Freud ook niet. Wist je dat?'

'Ik zou het nooit geraden hebben,' zei hij.

'Maar Jung dus weer wel,' zei Amita levendig. 'En zijn moeder ook.'

'Echt waar?'

'Maar natuurlijk.'

Hij kwam langzaam bij de vraag die hij wilde stellen. 'Heeft deze... gevaarlijke vriend een geheugen?' vroeg hij langzaam.

Ze haalde onbezorgd haar schouders op, maar in haar ogen brandde een licht dat hij niet kon duiden. 'Wij zijn niet de enigen, weet je,' zei ze een beetje treurig.

Amita wilde dat hij bleef overnachten. Ze bood hem een kant van haar bed aan met de plechtige belofte dat ze van hem af zou blijven. Hij moest lachen om de manier waarop ze haar wenkbrauwen optrok, wat hij op dat moment niet voor mogelijk had gehouden. Maar hij sloeg het aanbod af. Hij moest naar huis.

Ze leek bedroefd toen ze hem omhelsde. 'Je houdt van je geheugen, maar je moet van je meisje houden,' zei ze bij wijze van afscheid. 'Je herinnert je wat je niet meer hebt en je vergeet wat er voor je neus staat.'

Hij wist wat ze daarmee bedoelde, maar hij was nu eenmaal niet zoals zij. 'Als ik het loslaat, wie zal het zich dan nog herinneren?' vroeg hij met onvermijdelijke weemoed. 'Dan is het weg.'

Ze zuchtte. 'Het is al weg.'

Charlottesville, 2009

Daniel stond voor Campbell Hall. Hij keek naar de verlichte ramen en vroeg zich af of ze zich achter een daarvan bevond. Hij was in de afgelopen tien dagen drie keer naar Charlottesville gegaan, en had haar niet gezien, maar had nog steeds een goed gevoel. Ze was afgestudeerd. Ze kon nu overal ter wereld gaan wonen, maar toch was ze hiernaartoe gegaan. Hij had haar adres aan Oak Street, maar daar was hij nog niet geweest.

Op een bepaalde manier was hij aardiger geworden. Hij was bevriend geraakt met de portier die de balie van de architectenopleiding bemande. Hij had met Rose gesproken, een afgestudeerde studente die Lucy kende en die altijd en eeuwig op school aanwezig leek te zijn. Hij had tegen hen net gedaan alsof Lucy en hij bevriend waren, en hij voelde zich daar wel wat schuldig over. Hij wilde niet stiekem doen en zich ook niet opdringen, maar nadat hij uit India was teruggekeerd, maakte hij zich steeds meer zorgen. Hij zou haar niet lastigvallen. Hij zou er alleen voor zorgen dat ze veilig was.

Hij hing rond bij de ingang tot hij Rose zag, die naar hij aannam net had gegeten.

'Hoi, hoe gaat het?' vroeg hij.

'Goed. Sta je op Lucy te wachten?'

'Ja, we zouden samen gaan eten,' loog hij. 'Heb jij haar gezien?'

'Nee,' zei Rose, helemaal op de hoogte. 'Ze was hier vroeger elke avond tot middernacht, maar de afgelopen avonden is ze niet gebleven.' Ze keek hem samenzweerderig aan. 'Er wordt beweerd dat Lucy een vriend heeft.'

Daniel vroeg zich af of Rose een vals trekje had. 'O, ja?' zei hij onverschillig.

'Toen ze woensdagavond wegging was ze helemaal opgetut. Niemand had haar daarvoor op hoge hakken en met make-up op gezien. Ze maakte veel indruk.'

Daniel had meteen een hekel aan Rose. 'Oké. Nou, leuk voor haar. Dat wist ik nog niet.' Hij deed net of het hem niet kon schelen, maar dat viel nog niet mee. 'Het kan zijn dat ik vergeten ben het door te geven over het etentje,' voegde hij er slap aan toe. Hij zag Rose in haar vorige leven al als een informant van de Stasi.

Dus Lucy was opeens een meisje met een vriend. Wat een domme uitdrukking was dat toch. Hij zat zich te bedenken wanneer dat in de geschiedenis van de taal was opgedoken. Hij was nooit haar vriend geweest. Je zou alles zijn wat zij wilde, gaf hij eerlijk aan zichzelf toe.

Terwijl hij bij Campbell Hall wegliep was Daniel opeens kinderlijk jaloers, maar niet verontrust. Dat gelukkig niet. Lucy had zich opgetut. Ze ging uit met haar vriend. Dat kon Joaquim niet zijn. Het was vervelend dat ze een vriend had, maar hij was er zeker van dat Joaquim niet bij haar in de buurt kon komen. Daniel wist dat Lucy bij Joaquim niet op haar gemak zou zijn.

Hij slenterde langzaam naar zijn auto en had een verlangen dat hij niet vaak voelde, of zichzelf toestond te voelen.

Zonder erbij stil te staan reed hij naar Fairfax. Hij reed over wegen die hij als tiener in de jaren tachtig vaak had gebruikt. Van zijn moeder mocht hij de rode Toyota Celica gebruiken en dan reed hij 's avonds naar de rivier de Potomac om de gedenktekens van Lincoln en Jefferson wit tegen de donkere lucht te zien afsteken. Zijn vader vond het maar niets, maar Molly had het bijna altijd goed gevonden.

Er knaagde iets aan hem toen hij naar het oude huis reed. Hij wilde niet echt helemaal naar het huis gaan, maar hij was er nu eenmaal. Dat was tweeëntwintig jaar geleden.

Als hij niet had ingegrepen, had hij misschien wel om de hoek gewoond. Hij had dan Molly en zijn vader en broers altijd kunnen zien. Misschien was hij wel getrouwd en had hij een goede baan, waarbij zijn ruime ervaring goed van pas was gekomen. Misschien zou hij leraar zijn geworden net als zijn ouders. Hij zou de geschiedenisles een zeer uniek tintje hebben kunnen geven. Of misschien zou hij wel het gras maaien en het onkruid wieden en alles willen vergeten behalve sport op zondag. Soms was hij ervan overtuigd dat je alleen gelukkig kon zijn met een slecht geheugen.

Zijn vorige ouders zouden nu tegen de zeventig zijn, als ze nog leefden natuurlijk. Zouden ze hier nog wonen? Hij keek naar de voordeur en tuurde naar de bloemen. Zelfs in het donker was het duidelijk dat het dahlia's waren, en dus wist hij het.

Er brandde een lamp in de keuken en boven was de blauwachtige gloed van een tv te zien. Hij zag het huis voor zich alsof het van hem was. En dat was het ooit geweest. Waarom kon het niet meer van hem zijn? Waarom hoorde hij daar niet meer? Omdat hij het had opgegeven. Hij had zichzelf behouden maar de rest weggegooid.

Hij dacht aan zijn broers, de drie jongens die schoongeboend naar de kerk gingen. Zijn moeder met de pepermuntjes en stickers en kleurboeken om hen rustig te houden. En Daniel had ze nooit nodig. Hij keek altijd uit naar Sophia. Had haar dat toen pijn gedaan?

Ze moet hebben vermoed dat ze hem nooit echt had gehad. Daar leed ze onder, dat wist hij. Ze zat 's avonds op zijn bed en wilde dat hij met haar praatte, omdat ze dacht dat ze zo dichter kwam bij wat hij voor haar verborgen hield. Ze hield van hem zo veel als hij haar toestond. Meer dan hij haar toestond, hij had niet alles in de hand.

Toen was hij opeens zonder reden weggegaan, zonder haar zelfs een greintje voldoening te schenken. Dat had ze niet verdiend. Er zat daar nog steeds een gat. Dat wist hij ook wel, als hij eerlijk tegen zichzelf was. Dat gold zowel voor hem als voor haar. Hij wilde dat hij nu net zo over zichzelf dacht als toen.

En daar zat hij, levend en wel, voor haar huis. Maar wat had zij daaraan? Wat had hij daaraan?

Ik wil niet doorgaan, ik wil terug. Hij wilde niet doorgaan, maar hij wilde wel altijd een tweede kans. Zijn bestaan was een lange aaneenschakeling van begin en einde, terwijl mensen als Molly in het midden leefden alsof ze niets anders hadden.

Hij wilde dat Molly naar buiten kwam. Hij dacht aan haar scheve voortanden en haar sproeten en haar grijze kroeshaar en miste haar heel erg. Maar ze kwam niet naar buiten. Waarom zou ze ook? Hij zat alleen in zijn auto.

Het had geen verschil gemaakt als hij dood was geweest. Door zijn geheugen werd hij na verloop van tijd onzichtbaar, zelfs voor mensen die hij kende en van wie hij hield. Zelfs zij kenden hem niet meer en gaven niet meer om hem. Je kon net doen alsof jij het voor het zeggen had in relaties als iedereen van wie je hield je niet meer kende.

Hij was meer een geest dan een mens, hij bekeek mensen en wachtte op hen. Niet om met hen te praten of hen te omhelzen of om samen een leven op te bouwen, maar alleen om hen te herinneren.

Lucy werd een beetje aangeschoten als ze bij Daniel was. Hij nam haar mee naar goede restaurants, bestelde altijd de wijn, en betaalde zelfverzekerd de rekening. Ze dronk gretig van de wijn. Ze was voortdurend in een waas als ze bij hem was.

Waarom is dat zo? vroeg ze zich af. Dat was haar nog nooit eerder overkomen. Ze had graag de touwtjes in handen. Waarom gaf ze dat zo graag op als ze bij hem was?

Ze waren klaar met eten, hadden samen romantisch als dessert chocoladetaart gegeten en wachtten nu op de rekening. Hij verdiende vast een hoop, dacht ze.

Ze keek hem aan. Ze kon zich amper de oude Daniel voor de geest halen, ze had zo haar best gedaan om de twee gezichten te combineren. Overmoedig dacht ze terug aan een gesprek dat ze een keer hadden gehad.

'Vroeger noemde je me Sophia,' zei ze.

'Wanneer dan?'

'Op de middelbare school. Tijdens dat afschuwelijke feest. Dat ben je toch niet vergeten?'

Hij trok zijn wijsvinger over de rand van de tafel. 'Jij was vroeger Sophia.'

'Lang geleden, toch?' Ze was beslist aangeschoten.

'Ja. Heel lang geleden.'

'Weet je dat nog?'

'Maar natuurlijk.'

'Hoe kan dat dan?'

'Gewoon. Sommige mensen kunnen zich nu eenmaal heel veel herinneren.'

'Kon ik dat ook maar.'

'Het is niet altijd leuk,' zei hij.

'Kun je je Constance nog herinneren?'

De knappe serveerster kwam aanlopen met de rekening. Hij bestudeerde die terwijl hij haar antwoord gaf. 'Ja, natuurlijk.'

'Hoe kun je iemand herkennen? Van het ene leven in het andere? Ik snap niet hoe dat kan.'

Hij zette zijn handtekening en stond op. 'Kom, we gaan naar buiten, oké?'

Zonder op antwoord te wachten liep hij weg, dus kwam ze achter hem aan door de garderobe naar het parkeerterrein zonder te weten of ze fooi moest geven. Voor alle zekerheid stak ze iedereen een paar dollar toe.

Hij stond voor het restaurant, draaide zich naar haar toe en greep haar in een vloeiende beweging beet. Voor ze het wist drukte hij zijn mond op de hare. Hij wilde haar altijd zoenen en vastpakken waar iedereen bij was, terwijl zij dat helemaal niet prettig vond.

Ze wilde terugzoenen, maar ze rilde helemaal. Ook haar tanden klapperden te veel om te kunnen kussen. Ze trok zich terug om hem niet te bezeren.

'Ga je mee naar huis?' vroeg hij en hij stak een paar vingers tussen de bovenkant van haar rok. 'Ja?'

Zou ze het doen? Ze kon het niet. Ze had zo veel wijn willen drinken dat ze het wel kon, maar tot nu toe was dat nog niet gelukt. 'Het gaat niet.'

Ze wist nog, en ze kreeg er een rood hoofd van toen ze eraan dacht, hoe heerlijk ze het had gevonden toen hij op de middelbare school zijn knie onder haar rok had gestoken en ze hem had gezoend voordat ze ook maar tien zinnen hadden gezegd. Ze vroeg zich af hoeveel of hoe weinig de ziel betekende.

De auto werd door een parkeerhulp voorgereden voordat hij in haar panty zat. Hij had een Porsche, waar hij, tot haar opluchting, met de parkeerhulp over in gesprek raakte.

'Waarom gaat het niet?' vroeg hij, terwijl hij haar op zijn schoot trok op de voorkant van zijn geliefde auto nadat de parkeerhulp een SUV moest gaan wegzetten.

'Ik heb les morgen. En ik ben bezig met een maquette, die moet af.'

Hij knikte begrijpend. Hij scheen niet te beseffen dat het smoesjes waren. Hij stak zijn handen onder haar jas en blouse, en onder haar bh. Van sommige dingen had hij wel verstand.

Zijn handen waren koud. Daarom rilde ze nog steeds.

'Een andere keer?'

'Een andere keer,' zei ze. Zo ging het altijd. Het was altijd een andere keer.

Hij stak een sigaret op en liep met haar mee naar haar roestbak, die net buiten het parkeerterrein stond. Ze vond het te gênant om hem door de parkeerhulp te laten wegzetten.

'Vertel eens over Sophia,' vroeg ze terwijl ze door de kou wolkjes voor zich uit blies. Haar wolkje was wit en bol en dat van hem was grijs en sliertig. Ze wilde het weten zodat ze in een volgende keer kon geloven.

'Wat dan?'

'Betekende ze veel voor je?'

Hij trok zijn handen terug. 'Ze was mijn vrouw.'

'Echt waar?'

'Ja.'

'Hield je van haar?' Dat kwam door de wijn. Dat kwam door een volgende keer. Hij raakte haar zelfs niet aan, maar ze rilde en klappertandde alsof ze bang was. Ik ben niet bang. Waar zou ik bang voor moeten zijn?

Hij keek haar aan. 'Niet zo veel als ik had gemoeten.'

'Hij is echt veranderd.' Lucy wilde haar afspraakje met Daniel aan Marnie uitleggen. Ze had gehoopt dat Marnie al zou slapen als ze binnenkwam, maar Marnie had klaarwakker op de bank in hun piepkleine zitkamer gezeten, met de laptop op schoot, toen Lucy voorzichtig de deur opendeed.

'Wat voor verschil kunnen een paar jaar nu maken?' vroeg Marnie. Marnie stelde, zoals altijd, precies de juiste vragen, en Lucy krabbelde terug.

'Nou ja, in zijn geval... heel veel.' Lucy nam aan dat ze zo zacht praatten omdat Leo al sliep. Ze nam de tijd haar jas, muts, laarzen en sokken uit te doen.

'Hoe bedoel je?'

Lucy wilde het wel uitleggen, maar hoe? Marnie dacht dat ze het wilde weten, maar was dat wel zo? Ze had Marnie al vaak genoeg ellende bezorgd. Marnie miste de vroegere vriendschap toen Lucy haar alles vertelde, ze snapte niet waarom dat was veranderd. Lucy miste hun vroegere vriendschap ook, maar kon niet meer terug. Lucy kon Marnie ook niet de waarheid vertellen. Want de waarheid was niet aangenaam en zou hen niet dichter bij elkaar brengen.

'Het is alleen... zo moeilijk uit te leggen.' Hoe graag wil je het weten? had ze haar het liefst gevraagd.

'Wanneer komt hij hier eens een keer? Verstop je hem of zo? Ik wil hem wel eens zien.'

En óf Lucy hem verstopte. Hoe kon ze anders uitleggen dat hij totaal niet leek op de oude Daniel? Het was al pijnlijk genoeg om de bekende wereld af te breken en plaats voor hem te maken. Dat wilde ze Marnie niet aandoen. 'Nee, nee. Hij komt heus wel een keer langs. Hij werkt in Washington. Hij heeft een echte baan en heeft het druk.'

Lucy trok langzaam de sjaal van haar nek en hing hem netjes aan een haak in de kast in plaats van hem in elkaar te frommelen en op de haltafel te gooien zoals ze normaal gesproken deed. Ze zocht vervolgens een tijd in haar tas naar haar mobieltje.

'Volgens mij ben ik ook anders,' zei ze, de stilte verbrekend. 'Heel anders in elk geval dan ik op de middelbare school was.'

Marnie strekte haar benen voor zich uit. 'Je vindt hem nu dus lang niet zo leuk als toen, wil je daarmee zeggen.'

'Nee, helemaal niet,' ging ze er fel tegenin. 'Ik was toen erg dom, zoals je me meermalen onder mijn neus hebt gewreven.' Lucy zat met de oplader van haar telefoon te spelen. Ze wilde niet in de stoel tegenover Marnie gaan zitten, want dan kon ze niet meer liegen.

Marnie wierp haar een weemoedige blik toe. 'Nou, ik vind het leuk als je dom doet. En bovendien heb ik dat nooit gezegd.'

'Je weet best wat ik bedoel. Ik was gewoon... stapelgek op hem. Dat is nu niet meer zo.'

Marnie zag er buitengewoon nuchter uit. Ze draaide het snoer van de laptop om haar voet. 'Waarom is dat nu niet meer zo?' Knap dat Marnie door bleef vragen, ook al was ze bang wat eruit zou komen.

Ze keek Marnie een tijdje aan en sloeg toen haar ogen neer. Lucy was de lafaard van hun tweeën. 'Gewoon, omdat ik ouder ben, neem ik aan.'

'Heb je hem dit keer al gekust?'

'Een klein beetje.'

'Hoe vaak ben je met hem uit geweest?'

'Geen idee. Zeven of acht keer, geloof ik. Zoiets in elk geval.'

'Heb je hem "een klein beetje" gekust? Je bent toch geen twaalf meer!'

'Ik heb een proefwerk morgen.'

Marnie schudde het hoofd. 'Is het wel dezelfde Daniel?'

Lucy slikte moeizaam en knikte.

'Je vindt hem niet meer leuk.'

Arlington, 2009

Daniel reed na een lange, vermoeiende dienst vroeg in de avond van het ziekenhuis naar Charlottesville, en toen hij de file op de ringweg zag, leek het hem slimmer een andere route te nemen.

Hij dacht na over zijn grootvader Joseph, Molly's vader. Hij zag Joseph niet zoals hij oud en ziek in het hospice in Fairfax had gelegen, maar zoals toen hij bij het meer in Alabama had gewoond. In de winter zaten er ganzen in het meer, en ze voerden ze bijna elke ochtend stukjes brood. Ganzen vertrouwden mensen niet zo snel, maar hen was het gelukt. Dat was eigenlijk niet de bedoeling geweest. Ze stonden allebei graag vroeg op en dan gingen ze naar het meer toe. Hij zag Joseph nog blij kijken te midden van een zee van zwarte koppen met witte kinbandjes en grijze vleugels en donkere, gakkende snavels. Ganzen vormden net als mensen stelletjes, legde Joseph uit. En in tegenstelling tot de meeste mensen bleven ganzen elkaar trouw.

Daniel kon zich de lentedagen herinneren als de ganzen weer terugkeerden naar Canada of waar ze ook vandaan kwamen. Joseph en hij tuurden naar de v-formaties in de lucht, één hechte vogelziel, en keken toe terwijl ze de spannende tocht aanvingen, en waren verdrietig dat ze hen in de steek lieten. Daniel wist nog hoe hij ze benijdde vanwege hun doel en onderlinge band, en vanwege het feit dat ze gewoon maar weg konden vliegen. Hij spaarde veren om ze nog een beetje bij zich te houden. Zijn grootmoeder vond het vies, maar zijn moeder liet hem ze stiekem houden.

Joseph had piloot willen worden en dat zou hem ook gelukt zijn als hij geen kinderverlamming had gekregen in zijn jeugd waar hij een slap been aan over had gehouden. Daniel zei tegen Joseph dat hij dat ook wilde worden, en op dat moment meende hij dat ook. Nadat ze waren verhuisd, stuurde Joseph hem plaatjes van de vliegtuigen waarin hij vond dat Daniel moest vliegen. Daniel vond het jammer dat hij dat leven had beëindigd voordat het zover was gekomen.

Op drie kilometer afstand van de stad, op een klein weggetje richting het zuiden, besefte hij opeens dat de weg hem bekend voorkwam. Dat verklaarde ook waarom hij steeds aan Joseph moest denken. Hij reed nog een paar kilometer door en zocht naar de begraafplaats aan de linkerkant, waar Joseph en zijn grootmoeder Margaret lagen begraven. In plaats van door te rijden, sloeg hij tot zijn eigen verbazing links af en zette de auto onder een paar eiken.

Het verbaasde hem omdat hij eigenlijk niets met begraafplaatsen had. Ze hadden veel minder betekenis dan de meeste mensen dachten. Hij kon zich nog een vrouw herinneren uit zijn oude buurtje in St. Louis, die elke dag veertig kilometer naar het graf van haar echtgenoot reed die lang geleden was gestorven, terwijl die in een supermarkt een kilometer bij haar huis vandaan melk stond te verkopen.

Daniel had zijn grootvader sinds hij was overleden niet meer gezien, hoewel hij wel naar hem had uitgekeken. Ze zouden nu waarschijnlijk ongeveer even oud zijn. Hij had verwacht dat ze elkaar inmiddels wel ontmoet zouden hebben, omdat ze zo'n goede band hadden gehad. Maar dat was niet het geval, en daarom vroeg hij zich af of Joseph zijn laatste leven had gehad. Dat zou kunnen kloppen, bedacht hij, maar hij vond het wel erg jammer. Soms krijg je geen tweede kans.

Hij liep de heuvel op. Het was prettig om wat rond te lopen. Hij was slaperig en was zozeer naar binnen gericht dat het hem niet zou verbazen als zijn lichaam ophield met ademhalen.

De zerk op het graf van zijn grootvader was zoals hij had verwacht, alleen zonder de bosjes dahlia's die hij zich had voorgesteld. Hij keek om zich heen en zag ze iets verderop liggen, vers afgesneden en donkerroze. Dat vond hij verwarrend en enigszins alarmerend. Was er weer iemand overleden? Zijn vader had hij nog niet zo lang geleden in leven gezien. Hij hoopte dat zijn broers het goed maakten. Door nieuwsgierigheid gedreven liep hij naar het graf toe. Hij moest de naam twee keer lezen voordat het tot hem doordrong. 'Daniel Joseph Robinson, geliefde zoon van Molly en Joshua.'

Misschien had hij even niet geademd, want zijn ademhaling was plotseling gejaagd en pijnlijk. Ze hadden de naam die ze hem hadden gegeven als tweede geplaatst en de naam die hij zichzelf had gegeven als eerste. Er waren niet alleen bloemen maar ook twee kaarsen en een ingelijste foto. Hij wilde niet naar de foto kijken, maar pakte hem evengoed.

Hij was het zelf, natuurlijk. In zijn joggingpak, met Molly naast hem. Hij was bezweet en de haren in zijn nek waren natte pieken. Hij had net gelopen, en Molly had zijn beker vast. Ze hield hem niet voor de foto omhoog, hij bungelde gewoon in haar hand. Hij won bijna altijd, en ze wist dat hij niets om bekers gaf.

Hij was een jaar of veertien. En nog wat kleiner dan zij. Zijn hoofd lag op haar schouder. Hij lachte ergens om, had zijn ogen dicht, hij lachte echt, niet alleen voor de foto. Hij wist waarom ze deze foto had gehouden. Het had haar een goed gevoel gegeven, al had dat niet lang geduurd.

Hij ging nooit naar zijn eigen graf toe. Hij wilde geen oude foto's van zichzelf zien. Hij had dat soort dingen altijd vermeden, al wist hij niet goed waarom, maar nu snapte hij dat wel. Hij ging zitten. Hij merkte dat hij de autosleutel nog steeds in zijn hand hield en dat hij zat te trillen. Hij stak de sleutel in zijn zak.

Hij kon zich de wedstrijden nog herinneren. Hij was snel, in dat lichaam had hem dat geen enkele moeite gekost. Hij kon zich de herfstdagen en zijn lievelingsroute herinneren die dwars door het dennenbos liep. Hij had nog nooit zo goed kunnen rennen. Hoeveel kennis en strategie je ook bezat voor een wedstrijd, het ene stel benen was nu eenmaal sneller dan het andere.

Hij zag Molly voor zich die zijn graf onderhield, bloemen neerlegde, de kaarsjes aanstak. Hij wilde haar meteen opzoeken. 'Het gaat goed met me,' wilde hij haar zeggen. 'Ik hou nog steeds van je, en ik denk vaak aan je. Ik lig daar niet, ik ben hier.'

Hij keek weer naar de foto. Hij zag zijn handen en moest denken aan zijn vroegere handen: de nagel van zijn linker middelvinger groeide altijd krom, de uitstekende knokkels, de sproetjes op zijn huid. Die handen waren weg, die lagen in de grond. Wat er nog van over was, dan. De snelle benen waren er niet meer, die lagen ook begraven. Dat was hij geweest, Molly's zoon, en nu lag hij daar, hij was hier niet. Dat was ik.

Hij miste dat lichaam. Hij had daarin zo goed naar muziek kunnen luisteren. Zijn vingers waren lang en konden mooi pianospelen. Het lichaam had zo veel gekund, zonde dat hij het weg had gegooid.

Terwijl hij naar Molly op de foto keek, wist hij dat hij niet van dat lichaam had gehouden omdat het snel was en een muzikaal gehoor had. Hij had dat graag geloofd, maar het was niet zo. Hij had van dat lichaam gehouden omdat er van hem werd gehouden. Omdat Molly van hem had gehouden.

In zijn huidige lichaam werd er niet van hem gehouden, en hij wist ook amper iets op te noemen waarom hij van zichzelf zou moeten houden. Hij wilde niet dat een moeder die macht had, maar bij Molly was dat toch het geval geweest.

Het was verbijsterend dat hij meende zijn hele ik mee te kunnen nemen naar elk nieuw leven, zonder erbij stil te staan dat als je iemand als Molly achterliet, je ook een deel van jezelf achterliet. Soms vroeg hij zich af of zijn geheugen voor de belangrijke dingen werkelijk zo goed was.

Hij wierp nog een blik op de foto voordat hij met knikkende knieën opstond. Hij had het toen niet in willen zien of willen accepteren, maar nu was het hem duidelijk. Hij had sprekend op haar geleken.

Charlottesville, 2009

Op de eerste vrijdag van de voorjaarsvakantie, nadat Lucy haar scriptie over Jeffersons 'boompjes' in de Grove in Monticello had ingeleverd en in drie dagen twee examens had afgelegd, stond Daniel opeens even na twaalf uur 's middags in de hal van het studentenhuis en belde haar over de intercom. Ze was zo verbaasd en bezorgd dat hij daar stond, dat ze zonder bh en in haar joggingbroek en t-shirt de kamer uit holde en de drie trappen af rende zonder eraan te denken om zich om te kleden.

Hij hield zijn armen wijd en zij liep schoorvoetend op hem af. Omdat ze niet wilde opkijken, kuste hij haar boven op haar ongewassen hoofd. 'Ik heb een grote verrassing voor je,' zei hij. Hij was duidelijk enthousiast.

Dat hij hier was, midden in haar eigen leventje, vond ze al een grote verrassing. Ze wist niet of ze er nog een kon hebben. Ze schuifelde met hem naar het nisje met de defecte telefoon toe. Ze durfde hem niet mee naar boven te nemen omdat Marnie en Leo nog lagen te slapen. 'Wat dan?'

Hij haalde wat papieren uit de zak van zijn lange overjas en stak ze naar haar uit, niet zodat ze ze zou aanpakken maar dat ze ze kon zien.

'Vliegtickets?' vroeg ze.

'Ja. Nou ja, niet echt de tickets maar ons reisplan.'

'Ons reisplan?'

'Het is toch voorjaarsvakantie? Je zei dat je geen plannen had. Ik neem je mee naar Mexico voor een week.'

Ze stond met haar mond vol tanden. Ze wist niet dat dat binnen hun relatie kon. Als iemand haar een paar maanden geleden had gezegd dat Daniel weer in haar leven zou komen, en haar bovendien mee op vakantie zou nemen naar Mexico voor een week, zou ze dolgelukkig zijn geweest. Maar nu was ze nerveus en van haar stuk gebracht.

'Ik zou naar mijn ouders toe gaan. Ik had ze gezegd dat ik...'

'Je hebt twee weken vrij. Tijd zat.'

Mensen liepen de hal in en uit. Mensen die ze kende. Stel dat Marnie naar beneden kwam? Lucy wilde het gesprek niet langer rekken.

'We vertrekken morgenmiddag,' zei hij opgewekt. Als hij haar twijfel al had opgemerkt, liet hij dat niet merken, en dat, zoals zo veel dingen, vond ze maar vreemd. 'Ga je koffer inpakken. Zal ik je morgen hier ophalen of ga je zelf naar het vliegveld toe?'

'Ik ga zelf naar het vliegveld toe,' zei ze snel. 'Anders moet je zo omrijden.'

'Prima.' Hij gaf haar een kus. 'Om twaalf uur dan. Ik bel je het gatenummer nog wel door.'

Ze keek hem na met een groot gevoel van opluchting. Ze vroeg zich af of ze een week met hem naar Mexico ging om hem hier maar vandaan te krijgen.

Daniel deed iets wat hij zichzelf had beloofd nooit te zullen doen. Op een zaterdagmorgen reed hij naar het studentenhuis. Hij had er niet meer genoeg aan om rond te hangen en haar te bespioneren. Hij moest zichzelf vermannen en haar aanspreken. Hij moest haar zien te waarschuwen. Hij was al gespannen sinds hij terug was uit India, maar de afgelopen vierentwintig uur was hij doodnerveus geweest. Hij droomde over haar in het enige uur dat hij sliep en was de hele tijd in paniek. Hij wist niet of het door zijn bezoek aan de begraafplaats kwam dat hij wakker was geworden of door een voorgevoel dat hij in zijn droom kreeg, maar hij kon geen minuut meer langer wachten om haar te spreken. Haar naam stond bij kamernummer 4D en hij drukte op de bel. Een bekende stem klonk door de intercom, maar niet die van haar.

'Is Lucy thuis?' vroeg hij.

'Nee. Wie ben je?' vroeg ze.

'Ik ben... eh...' Hij was wanhopig. 'Ben jij het, Marnie?'

'Ja. Wie ben je?' vroeg ze opnieuw.

'Daniel Grey. Uit Hopewood.' Hij vond het maar niets dat hij in de intercom stond te gillen. 'Je kent me vast niet meer, maar...'

'O, ik ken je nog wel, hoor. Sta je in de hal? Wat doe je hier?' Ze was niet erg vriendelijk.

'Ik wil Lucy graag spreken.'

'Waar heb je het over?' Marnie was fel, ongeduldig, zelfs door de dempende intercom. 'Jullie zouden toch naar Mexico gaan? Lucy is een uur geleden naar het vliegveld vertrokken om jou daar te treffen.'

'Pardon?' Hij was verbijsterd. Maar hij bleef beleefd.

'Je ging toch met haar naar Mexico?'

'Naar Mexico? Ik? Waar heb je het over?'

'Ze zou je daar treffen! Dat zei ze tenminste. Ik snap niet wat je hier doet. Ben je wel Daniel Grey of is dit een of andere stomme grap?'

In zijn ingewanden kolkte de angst. 'Mag ik even bovenkomen? Of kom je liever naar mij toe?'

'Ik kom wel naar beneden,' zei ze.

Hij keek toe terwijl de lift op de derde etage stopte en weer naar beneden kwam. Hij wilde geen raadsels. Hij wilde niet dat Lucy ver weg was waar hij niet naartoe kon.

'Je bent het echt,' zei Marnie toen de liftdeuren open gleden. Ze was erg verrast. 'Kom mee,' zei ze. Ze leidde hem naar een oude bank achter in de hal. Ze bekeek hem goed voordat ze ging zitten. 'Je bent helemaal niet zo veel veranderd,' zei ze. 'Volgens mij zie je er zelfs bijna hetzelfde uit.'

'Hoe bedoel je?'

'Lucy zegt steeds dat je nu zo anders bent, dat ze je amper herkende.'

De angst nam toe. Had ze hem gezien toen hij dacht dat hij goed verstopt was? Of was het iets anders? 'Wanneer heeft ze me dan gezien?'

Marnie keek hem aan alsof hij gek geworden was en schudde langzaam het hoofd. 'De hele tijd. Het afgelopen weekend. Het weekend daarvoor. Gisteren. Jullie gaan constant uit.'

'En zij beweerde dat ik met haar naar Mexico ging?'

'Ja.'

Hij besefte dat Marnie het ondanks haar hooghartigheid net zo vreemd vond als hij.

'En ze is al weg?'

'Ja, ze is al weg.'

'Dat weet je zeker?'

'Ik weet dat ze een koffer heeft ingepakt en ergens naartoe is gegaan.' Marnie keek nog steeds afwijzend maar ze wilde hem toch vertrouwen. 'Ze kan natuurlijk hebben gelogen over met wie ze ging. Ze kan natuurlijk alles gelogen hebben.' Onder haar gebogen wenkbrauwen zag hij een glimp van haar toen ze nog Sophia's moeder was.

'Maar ze zei dat ik het was, Daniel Grey, van de middelbare school?'

'Ja. Ben jij soms zijn slechte tweelingbroer of zo? Want ik snap niet dat je dit niet wist. Volgens haar is ze met Daniel Grey van de middelbare school in elk duur restaurant in de staat Virginia geweest.'

Hij schudde het hoofd. 'Ik heb geen tweelingbroer. Als er iemand slecht is, dan ik zeker niet.' Hij dacht na. 'Heeft ze gezegd waar ze naartoe ging in Mexico?'

'Ergens aan de Stille Oceaan. Ixtapa? Zou dat kunnen? Volgens mij zei ze dat de vlucht naar Ixtapa was.' Intuïtief voelde ze aan hoe bezorgd hij was. 'Ga je ook naar Mexico? Nu meteen?'

'Zo snel mogelijk.'

'Als ze dan niet met jou is gegaan, met wie dan wel?'

'Daar moet ik achter zien te komen. Weet je nog meer? Het hotel of zo?'

'Nee, helaas niet. Ze heeft wel twee badpakken meegenomen. Ze gaat naar het strand. Meer heeft ze me niet verteld.'

'Heb je haar mobiele nummer?'

'Ja, maar daar heb je niet veel aan. Ze zei dat daar geen ontvangst was.' Ze gaf hem het nummer door en hij zette het toch maar in zijn eigen telefoon.

'Goed. Bedankt, Marnie,' zei hij welgemeend.

'Mag ik je wat vragen, Daniel?'

'Wat dan?' Hij was al bijna de hal uit.

'Ik heb dat op school nooit begrepen. Waarom was je toen niet verliefd op haar?'

Hij liep terug naar Marnie en keek haar recht in de ogen. 'Ik was toen wel verliefd op haar. Ik ben altijd al verliefd op haar geweest.'

Ixtapa (Mexico), 2009

Daniel nam die avond een vlucht vanuit Dulles naar Mexico-Stad en stapte aansluitend in een vliegtuig naar Ixtapa Zihuatanejo dat op zondagmiddag aankwam. Hij kon zelfs geen krant lezen tijdens de reis. Zijn vingers verkrampten en zijn benen waren rusteloos en zijn hoofd liep om terwijl hij zat te bedenken wat er was gebeurd. Hij verwachtte eigenlijk wel dat het een valstrik was. Als dat het geval was, zou de persoon die hij haatte het waarschijnlijk leuker vinden om hem te zien dan de persoon van wie hij hield. Dat was moeilijk te verwerken, maar hij moest toch gaan. Hij kon niet anders.

Het was net alsof hij een raadsel wilde oplossen met te veel onbekende factoren. Hoe had Joaquim Sophia opgespoord? Als hij hulp had gehad, zoals Ben had gesuggereerd, van wie dan en waarom? En wat voor soort geheugen had die persoon dan? Of kon Joaquim op de een of andere manier nu ook zelf zielen herkennen?

Maar hoe Joaquim haar ook had opgespoord, hij had vast Daniel in de buurt opgemerkt en ook dat hij wegbleef, en daardoor vond Daniel zich nog stommer dan anders. Waarom was hij zo lang weggebleven? Wat was daar, buiten zijn lafheid dan, de reden voor geweest? Gaf hij toe aan haar angst of aan die van hem zelf? Door uit de buurt te blijven terwijl hij bepaalde dingen wist, had hij Sophia blootgesteld aan allerlei manipulaties.

En deze zorgelijke gedachte werd bij de tweede categorie factoren gezet. Hoe was het Joaquim gelukt haar wijs te maken dat hij Daniel was? Had hij zo veel overredingskracht? En bovendien, hoe was hem überhaupt alles gelukt? Daniel, die al heel haar leven van haar hield, had haar weggejaagd, maar Joaquim, die haar altijd wreed had behandeld, had haar zover gekregen dat ze met hem meeging naar Mexico. Ze had Daniel niet geloofd, maar Joaquim had haar overgehaald om... Tja, god mocht weten wat ze had geloofd. Misschien hadden ze een heerlijke romantische vakantie samen. Misschien had Daniel totaal geen verstand van mensen. 'Verdomme,' mompelde hij voor zich uit.

Joaquim zou haar geen pijn doen. Voorlopig niet, althans. Dat was het enige voordeel aan Joaquims leugen. Zolang hij Daniel was, kon hij haar geen pijn doen. Als de echte Daniel op zou duiken, zou het echter een heel ander verhaal worden.

De zon brandde op zijn rug terwijl hij het vliegtuig in Ixtapa verliet. De hitte benauwde hem. Hij stond in een kronkelende rij vakantievierders, al licht verbrand en met een tequila in een papieren bekertje in de hand. Hij zag er somber uit in zijn donkere winterkleding, hij had geen tijd gehad die om te wisselen. Hij zat te bedenken wat hij in het achttiende-eeuwse Catalaans tegen de douanemedewerker moest zeggen zodat hij vooraan kon komen te staan.

In een stad vol halfdronken toeristen kreeg je niet veel voor elkaar. Niemand had haast. Het duurde anderhalf uur voordat hij eindelijk een auto kon huren. Hij stond op het punt het op te geven, maar wist dat hij hem nodig zou hebben. Rustig aan, zei hij steeds tegen zichzelf. Hij zal haar geen kwaad doen. Voorlopig niet.

Hij had haar in de stad snel gevonden. De stad was niet groot en er waren maar een paar luxehotels. Mocht hij al hebben getwijfeld of het vooropgezet was, of Joaquim wilde dat hij achter hem aankwam, dan hoefde hij niet verder te kijken dan naar de naam die hij had gebruikt om zich in het Ixtapa Grand Imperial in te schrijven, namelijk meneer Daniel Grey. Toegegeven, Daniel had nu eenmaal iets met zijn naam, maar toch. Hij werd er knap kwaad om.

De enige echte Daniel stond in de hal. Hij nam de tijd om de indeling van het hotel in zich op te nemen totdat hij eindelijk een bekende zag. Niet degene die hij wilde zien, maar het maakte wel een hoop duidelijk. En hoewel hij wel wist wie de bedrieger zou zijn, schokte het hem toch. De man van de Lakers-wedstrijd die daar op een goede plek had gezeten met een keurig gekapt hoofd en een verrotte ziel was in levenden lijve zelfs nog meer luguber. De ziel was zo vreselijk verrot dat Daniel hem maar moeilijk op de gewone manier kon herkennen, maar Daniel wist dat hij het was, en zelfs na al die jaren was de walging er niet minder op geworden. Dit was wat hij gevreesd had en waar hij tegenop had gezien.

'Verkoopt u sigaretten?' hoorde hij Joaquim een baliemedewerker vragen. Joaquim nam niet de moeite Spaans te spreken.

De man verwees hem naar een winkel om de hoek.

'Verkoopt u ze niet? Meent u dat nou?'

'Het spijt me, meneer. Het is hier om de hoek.'

Joaquim beende naar buiten en Daniel liep naar de balie toe. 'De kamer van meneer Grey, graag,' zei hij in het Spaans.

'Ik mag u geen kamernummer doorgeven, meneer,' zei de jonge man beleefd. 'Maar ik kan u wel doorverbinden.'

'Prima.' Hij zag hoe het kamernummer in werd gedrukt.

De baliemedewerker zei iets in de telefoon en zette het gesprek toen in de wacht. 'Mevrouw Grey is wel aanwezig, meneer, maar meneer Grey niet.'

Hij schudde afwijzend het hoofd. 'Dan kom ik straks wel weer terug.'

De baliemedewerker had zich nog niet omgekeerd of Daniel rende de trap al op. Hij moest zes verdiepingen lopen, en het was bloedheet. Als het hotel al airconditioners had, dan zaten die alleen in de kamers. Hij kwam bij kamer 632 en klopte aan.

'Ja?' hoorde hij haar weifelend zeggen.

'Eh, roomservice,' zei hij. Normaal gesproken had hij dat niet zonder te lachen uit kunnen brengen.

Hij stond zenuwachtig voor de deur te wachten tot zij open kwam doen. Doe open, dacht hij. Er was maar weinig tijd.

Wat zou ze denken als ze hem zag? Hij had, voor het eerst in lange tijd, het gevoel dat hij dit keer niet voor de deur bleef hangen, maar zijn leven binnen ging lopen. Als ze hem tenminste binnenliet. Hopelijk zou hij enigszins welkom zijn.

Ze zat in een badjas op het bed met haar armen om haar knieën geslagen. Daniel wilde dat de ramen dicht bleven en de airconditioning stond op zijn hoogst, maar gelukkig was hij weggegaan, dus had ze snel een douche genomen en de grote schuiframen opengezet zodat het zeebriesje naar binnen kon waaien.

Ze had een nacht overleefd, maar ze wist niet of ze dat zes nachten vol kon houden. Ze kon niet met hem naar bed. Ze moest er niet aan denken seks met hem te hebben, en ze kon niet slapen terwijl hij naast haar lag. Ze waren de vorige avond laat gearriveerd, en ze was veel te geagiteerd geweest om in slaap te kunnen vallen. Na een tijdje gelezen te hebben in een stoel was ze eindelijk weggezakt, maar ze was al lang voordat de zon opging wakker geschrokken. Hoewel ze zich er schuldig over voelde, kon ze er niets aan doen. Ze had een paar stomme smoesjes verzonnen – ze was ongesteld, ze bloedde altijd hevig, buikkramp enzovoort – de dingen die je tegen een man zei om hem af te schrikken, hopelijk voor altijd. Ze was de relatie aan het saboteren, maar het kon nu eenmaal niet anders. Ze wilde niet met hem naar bed.

En hij was uiteraard zeer gefrustreerd. Als je met een meisje naar Mexico ging verwachtte je niet dat zij dan met een boek op een stoel ging slapen. Hij had niets gedaan, maar ze was toch op haar hoede. Ze bemerkte een onderhuidse gewelddadigheid in hem die ze op de middelbare school niet had opgepikt. Toen hij sigaretten ging kopen was ze opgelucht, ook al zou ze maar een paar minuten alleen zijn. Ze fantaseerde er even over dat ze stiekem het hotel zou verlaten en terug naar huis zou gaan. Jezus, wat had ze? Wat zou Constance ervan vinden? Hoe had het zover kunnen komen?

Het spijt me, Constance. Ik heb mijn best gedaan, echt waar. Maar volgens mij kan ik niet gelukkig met hem worden.

Misschien kon er toch iets goeds van komen als ze het op een bepaalde manier bekeek. Voordat hij terug in haar leven kwam, stond ze stil. Zonder hem was ze niet verdergegaan. Ze dacht dat ze nooit over hem heen kon komen. Maar nu ze bij hem was, wist ze dat het toch zou lukken. Nu ze bij hem was, kwamen de oude romantische denkbeelden belachelijk op haar over. Ze was volledig over hem heen, ook al zat ze dan nog zes dagen met hem in een hotelkamer in Mexico opgescheept. Ze zag vol vertrouwen en met heel veel opluchting haar leven zonder hem tegemoet. Het speet haar voor Constance en Sophia dat het bij haar zou ophouden, maar zo was het nu eenmaal. Hoe veelbelovend het avontuurlijke nieuwe leven haar ook had toegeschenen, het was een teleurstelling gebleken. En misschien was het wel goed zo. Ze kon zich nu eindelijk zonder spijt met haar oude leven verzoenen.

Toen ze voetstappen voor de deur hoorde, zonk de moed haar in de schoenen. Wat was hij alweer snel terug. Het verbaasde haar dat hij aanklopte.

'Ja?'

'Roomservice.'

Ze had niets besteld. Had hij iets besteld? Ze was eerlijk gezegd opgelucht toen ze naar de deur liep. Voor Daniel had ze niet opengedaan in haar badjas, maar voor de roomservice kon het haar niet schelen.

Ze verwachtte een vreemde met een dienblad en snapte niet meteen wat ze zag. Ze keek hem aan en weer weg en toen keek ze hem weer aan.

'Lieve hemel.'

'Hoi,' zei hij zenuwachtig, met een blik op de gang, en toen keek hij haar weer aan.

'Daniel,' fluisterde ze. Hij leek een verschijning, maar dan wel een die zweette en nerveus was en stoffige voetsporen op het donkere tapijt had achtergelaten.

'Ken je me nog?'

'Lieve hemel.' Er schoot haar van alles te binnen. Was hij op de een of andere manier weer veranderd? Zat hij in weer een ander lichaam? Had hij zijn oude lichaam terug? Hoe ging dat? Kon dat wel? Maar toen zag ze zijn ogen en zijn kin en zijn schouders en zijn schoenen en zijn nek en zijn sleutelbeen en zijn handen en ze wist dat hij niet, beslist niet, dezelfde man was die sigaretten was gaan kopen. Lieve hemel. Het was hem echt.

'Sorry dat ik je vakantie zo wreed verstoor, maar ga je met me mee?'

'Waarnaartoe?'

'Maakt niet uit, als het maar niet hier is.'

Zo te zien stond hij stijf van de zenuwen. Ze snapte dat ze zich moest haasten. 'Zo?' Ze keek naar haar badjas.

'Ja.'

'Nu meteen?' Haar hart barstte zowat, haar eigen oude romantische hart.

Het belletje van de lift gaf aan dat er iemand aankwam.

'Nu meteen.'

Ze stapte snel de kamer uit en hij deed de deur zachtjes dicht. De lift bevond zich achter in de hal, maar ze hoorden de deuren openschuiven. Hij nam haar bij de hand en zij kwam blootsvoets achter hem aan. Ze sloegen twee hoeken om. Even achter hen hoorde ze iemand lopen en toen een keycard waarmee een kamerdeur werd opengemaakt, waarschijnlijk die van haar. Hij bleef bij een deur voor de trap staan. Die trok hij open en hij duwde haar naar binnen. Hij kwam bij haar staan en deed de deur achter zich dicht. Het was een schoonmaakkast of zo. Hij kon hem van binnenuit op slot doen.

Ze stonden in het donker en zij deed haar best weer op adem te komen. Ze besefte dat ze nog steeds elkaars hand vasthielden.

'Vluchten we weg voor de vent met wie ik hier ben?' fluisterde ze.

'Ja. Vind je dat erg?'

'Nee.'

'Mooi.' Hij stond vlak bij haar en ze kon hen allebei zwaar horen ademhalen. 'Sorry dat ik je er zo mee heb overvallen,' mompelde hij.

Ze lachte. Ze vond het zelf vreemd klinken, alsof ze nog nooit eerder had gelachen. 'Dat wil je niet weten.'

Hij lachte om haar vrolijkheid, maar sperde zijn ogen even open om aan te geven dat ze maar beter geen geluid kon maken.

Haar hart klopte haar in de keel en het zakte naar haar onderlichaam. Het was bespottelijk dat ze had gedacht dat de man met wie ze hier was Daniel was. Wat sneu dat ze dat zo graag had willen geloven.

'Ik kan niet geloven dat je hier bent,' fluisterde ze. 'Ben je het wel echt? Leef je nog? Droom ik dit?' Ze hield op met lachen, en de tranen stroomden over haar wangen.

'Volgens mij ben ik hier wel echt, ja.'

Hij wilde haar vastpakken, maar hield zich in. Hij had geen vertrouwen in zichzelf. De vorige keer dat hij zich had laten gaan, was het finaal verkeerd gegaan. Hij wilde niet weer dezelfde fout maken. Hij was zo oud als een rots en net als een rots kon hij haar tranen niet begrijpen en wist hij niets meer van de liefde af.

'Gaat het?' vroeg hij.

'Ja, ik ben zo blij dat jij er bent.'

Hij keek haar aan, ze was zo open en zo dapper dat het hem pijn deed. Misschien wist hij toch wel iets van de liefde af.

'Zelfs na wat er de vorige keer is gebeurd?'

'Dat was niet jouw schuld. Dat was mijn schuld.'

'Helemaal niet.' Hij leek verontwaardigd.

In de hal hoorden ze mensen lopen. Joaquim schreeuwde naar iemand die rustig in het Spaans antwoord gaf. 'Het spijt me, meneer, maar ik kan u daar niet bij helpen,' zei de rustige stem. 'U zult de politie erbij moeten halen als u denkt dat er iets aan de hand is.'

Sophia kneep in Daniels hand. De mannen verwijderden zich al pratend.

'Hij zei dat hij jou was. Ik wist dat hij het niet was. Waarom zei hij dat? Wat wil hij van me?'

'Dat is een lang verhaal,' fluisterde hij. 'En moeilijk te geloven. Maar als je wilt, vertel ik het je wel.'

'Nu meteen? Hier in de kast?'

'Nee. Het lijkt me beter nog een paar minuten te wachten en dan door de keuken naar buiten te glippen. Mijn auto staat in het steegje erachter. We gaan naar een plaatsje aan de kust totdat ik een retourvlucht voor ons kan regelen.'

Ze knikte, zowel blij als verbijsterd, en nam hem in die donkere kast van top tot teen op. 'Je hebt nog steeds dezelfde schoenen,' fluisterde ze.

Hij keek ernaar en wierp haar een verwonderde blik toe.

'Die schoenen had je ook op school aan. Dat kan ik me nog herinneren.'

'Echt waar?' Hij werd er helemaal blij van.

Hij wachtte tot hij niets meer hoorde voordat hij de kleding aan de hangers achter in het piepkleine kamertje had betast en haar een jasschort had overhandigd zoals de schoonmaakploeg dat droeg. 'Hier val je minder in op,' zei hij. Hij gaf haar een bijpassende hoofddoek. 'Loop met gebogen hoofd, ja? We kunnen niet samen gaan. Jij gaat eerst, dan kom ik. Maar maak je geen zorgen over mij, loop gewoon door. Ga de trap af en dan de keuken in. Loop rechtdoor naar buiten door de ijzeren deur onder het bordje "uitgang", dan kom je in de steeg. Ik heb een rode Ford Focus met een Mexicaans kenteken en die staat aan de andere kant van de steeg. Het portier is open. Blijf nergens staan en praat met niemand, tenzij het niet anders kan. Oké?'

'Oké.'

'Oké.' Hij wilde haar in zijn armen nemen. Hij wilde haar gewoon aanraken. Het was moeilijk zijn handen van haar af te houden, maar het moest wel. Wat zou ze nu van hem denken?

'Is hij gevaarlijk?'

'Ja,' antwoordde hij. 'Maar ik hou je voortdurend in de gaten.'

Ze hield het jasschort omhoog.

Hij moest even glimlachen. 'Behalve nu dan even. Terwijl jij je omkleedt. Ik draai me wel om.'

Zij glimlachte ook, en hij wilde zich helemaal niet omdraaien, maar deed het toch. Hij hoorde haar worstelen met het schort.

'Klaar,' zei ze.

Hij draaide zich om en de badjas lag op de grond en het jasschort was tot bovenaan dichtgeritst. Ze stopte haar haar onder de hoofddoek. Hij stak zijn handen in zijn zakken.

'En schoenen?'

'O, ja.' Tegen de muur stonden ondiepe kastjes en in een daarvan lag een paar teenslippers. Hij stak ze naar haar uit.

'Dat moet lukken.' Ze trok ze aan.

Hij pakte een stapel witte lakens en gaf ze aan haar. 'Hier.'

Ze pakte ze aan.

Hij liep naar de deur en legde zijn hand op de kruk. Hij stond even te luisteren. 'Ben je er klaar voor?'

'Ja.'

Hij deed de deur open. 'Ga maar. Wel je hoofd gebukt houden.'

Ze liep de gang op. Ze draaide zich even om en glimlachte naar hem, en zijn hart smolt nog wat meer. Wat was ze een prachtige schoonmaakster.

Niemand lette op hen tot ze in de auto zaten. Een man in een portiersuniform trok de keukendeur open en schreeuwde iets tegen hen, maar Daniel reed al weg.

'Hij schrijft het nummer op,' zei Daniel met een blik in de achteruitkijkspiegel.

'En nu?' vroeg ze.

'We verzinnen wel iets.'

Ze schopte de teenslippers uit en legde haar blote voeten op het dashboard. 'Hè, leuk.' Ze had bang moeten zijn, en dat was ze ook wel, maar doordat hij zo dicht bij haar was kon de echte wereld haar weinig schelen.

'Als we wegkomen wel.'

Daniel moest even zoeken naar de weg naar het noorden. Hij keek steeds in de achteruitkijkspiegel en ze nam aan dat hij wilde weten of ze achtervolgd werden.

'Heeft hij een auto?' vroeg hij.

'Niet dat ik weet. We hebben er geen gehuurd. We zijn met een taxi naar het hotel gegaan.'

'Mooi. Dat zorgt voor meer oponthoud.'

'Weet je zeker dat hij ons achternakomt?'

'Nee. Maar uiteindelijk zal hij ons wel weten te vinden. Hij gaat het nu niet opgeven. Hopelijk duurt het alleen even.'

Ze trok de sjaal van haar hoofd en keek hem aan. Het was hoe dan ook heerlijk om weer bij hem te zijn.

'Nu zou je dat verhaal wel kunnen vertellen, denk je niet?' vroeg ze.

Hij knikte, maar hij keek bedachtzaam en zij snapte waarom. 'Het is een lang en vreemd verhaal en als je dat niet wilt, hoef je het niet te geloven,' zei hij. 'Maar weet je, ik vertel je mijn versie en naderhand kunnen we wel iets verzinnen waardoor het aannemelijk wordt.'

Hij zei het luchthartig, maar ze had diep medelijden met hem. Hij leefde al heel lang met zijn versie van de wereld. Ze wilde hem laten weten dat ze dat begreep. Ze moest hem dat en nog zo veel andere dingen vertellen, maar er kwam geen woord over haar lippen. Er tuimelden allerlei ideeën door haar hoofd en ze kon maar geen beginnetje vinden. 'Het is al goed, Daniel,' kon ze eindelijk uitbrengen. 'Ik begrijp er meer van dan je beseft.'

Hij haalde even zijn blik van de weg en keek naar haar. Hij was een paar tellen stil. 'Hoe bedoel je?'

Ze zette haar gedachten op een rijtje. Ze ademde een paar keer langzaam in en uit. 'Tja, ik snap het niet helemaal, maar ik geloof dat wij – onze zielen – op een bepaalde manier doorleven en dat je je dus mensen en dingen in meer dan één leven kunt herinneren.'

Hij wierp haar een paar keer een blik toe. Het viel niet mee om dit gesprek te voeren terwijl ze elkaar niet aan konden kijken. Ze wilde hem heel graag aanraken, niet om hem te kussen, hoewel ze daar ook niets op tegen had, maar om te weten te komen wat hij voor haar voelde, om zijn onbeholpenheid beter te begrijpen, om de vijf jaar onzekerheid langzaam weg te laten ebben.

'Hoe komt het dat je er nu zo over denkt?' vroeg hij voorzichtig.

'Nou, door een helderziende, een hypnotherapeut en een paar andere dingen waar ik niet in geloof. Maar dat is een heel ander verhaal.'

Hij zat stil. Hij hield het stuur met beide handen vast.

'Weet je van me af?' Hij leek bijna bang haar te vertrouwen.

'Een klein beetje wel. Ik weet dat ik je eerder heb gekend. Dat denk ik tenminste.' Ze speelde met de gordel. 'Mag ik je iets vragen wat ik niet begrijp?'

'Maar natuurlijk.'

'Waarom ben jij altijd Daniel en komen wij steeds terug als iemand anders? Ben je al heel oud?'

Hij was opgelucht. 'Dacht je dat soms? Dat ik honderden jaar oud was?' Hij keek haar glimlachend aan. 'Volgens mij ben je wel wat soepeler geworden in wat je in een partner zoekt.'

Ze lachte. 'Het waren een paar vreemde jaren.'

Hij ademde uit en ging achterover zitten. 'Ik ben vierentwintig. Op een bepaalde manier besta ik al heel lang, maar ik ben ook heel vaak gestorven, net als jij.'

'Hoe kun je dan in het ene leven na het andere dezelfde blijven?'

'Dat is ook niet zo. Alleen mijn geest blijft hetzelfde. Omdat ik het me kan herinneren.'

Ze knikte.

'Dat is het enige wat ongebruikelijk is aan mij. Maar het is dan ook knap ongebruikelijk.'

'Hm.' Ze dacht daar even over na. 'En je kunt je alles herinneren? Al je levens? Iedereen die je ooit hebt gekend?'

Hij keek haar steeds zijdelings aan, als om zeker te weten hoe ze het opvatte. 'Mijn geheugen is niet perfect, maar ja, ik kan me bij-na alles herinneren. Behalve mijn verjaardag. Die vergeet ik steeds.'

Hij had het luchtig gezegd en die indruk kreeg ze ook. 'Dat meen je niet.'

'Ja, echt. Het lijkt wel alsof bijna elke dag mijn verjaardag is. Op de een of andere manier is het niet meer zo belangrijk.'

'Dat kan ik wel begrijpen.'

'Bovendien geloof ik nu ook niet meer in astrologie.'

'Wat erg.'

'Erg en gelukkig.' Hij zag er gelukkig uit.

'Dus... gefeliciteerd met je verjaardag.'

'Hé, bedankt.' Hij draaide aan de knop van de radio tot er een salsa te horen was. Ze hadden allebei een domme grijns op hun gezicht.

Ze trommelde met haar vingers op zijn knie. 'Zijn er nog meer mensen als jij?'

'Een handvol.'

'Kennen jullie elkaar? Is het net een club?'

Hij lachte. 'Nee. Niet echt. Geen t-shirts of ingewikkelde hand-drukken. Maar ik ken er twee en heb er een paar ontmoet en een paar ken ik van horen zeggen.'

'Wie zijn dat dan?'

Daniel keek in de achteruitkijkspiegel. 'De man bijvoorbeeld die straks achter ons aankomt.'

'Ik heb je al een keer eerder ontvoerd, weet je,' zei Daniel tegen haar terwijl de roze stralen van de zon hen allebei in een rode gloed zet-ten.

'Echt waar?' zei ze. 'En ik dacht nog wel dat dit de eerste keer was.'

Hij lachte. Hij was eigenaardig ontspannen, bijna dronken van de opwinding, de opluchting en de angst. De opluchting was voor-namelijk te danken aan het feit dat zij van hem wist, dat ze hem geloofde en niet wilde wegvluchten of hem argwanend bekeek. Het was zeer bijzonder dat ze het allemaal had uitgedokterd. Wat betekende dat? Wat betekende hij voor haar? En toen knaagde er een donkere gedachte aan hem. Hoe had ze kunnen denken dat Joaquim hem was? Hoe was het mogelijk dat ze met Joaquim naar Mexico was gegaan?

'En wanneer was dat dan?' vroeg ze.

'Heel lang geleden.'

'Hoe heette ik toen?'

Hij keek haar verbaasd aan. 'Sophia.'

'Sophia? Zo noemde je me op school.'

'Dat was de eerste naam die ik van je kende. De vorige keer dat we vluchtten was op een prachtig Arabisch paard, een stuk romantischer dan een Ford Focus.'

'Een Ford Focus vind ik ook prima,' zei ze, en hij moest lachen.

Het maakte niet uit hoe ze hier terecht was gekomen, het was verrassend fijn om bij Joaquim weg te vluchten, om samen met haar weer een doel te hebben, en dat hij het gevoel had dat hij haar kon beschermen. Het was onbedoeld het enige goede dat Joaquim ooit voor hem had gedaan, en waarschijnlijk überhaupt had gedaan.

Ze trok haar benen onder zich en keek hem een tikje ernstig aan. 'Waarom heb je me toen ontvoerd?'

'Om dezelfde reden als nu en vanwege dezelfde man. Ik wilde je helpen.'

'Was dat nodig?'

'Ja. Maar dat was niet jouw schuld.'

'Wat wil hij van mij?'

Daniel nam de afslag naar Los Cuches en gaf gas. 'Nu of toen?'

'Eerst toen maar.'

Hij knikte. 'Ik zal bij het begin beginnen, als je dat wilt.'

'Graag.'

'Niet het allereerste begin, maar wel het begin van jou en mij en de man met wie je hier was. Hij heette vroeger Joaquim, maar ik weet niet hoe hij nu heet. In elk geval geen Daniel, dus ik noem

273

hem Joaquim. Ik ben nogal gehecht aan de oude namen, zoals je wellicht hebt gemerkt.'

Ze knikte.

'Het begon ruim twaalfhonderd jaar geleden in wat tegenwoordig Turkije is.'

Joluta (Mexico), 2009

Ze lieten de auto op de parkeerplaats van een felverlichte supermarkt staan, een paar kilometer landinwaarts van de kustweg. Daniel gaf een jongeman een bundeltje peso's om hen naar de kust te rijden. Hij had een bungalow voor hen op een afgelegen stuk strand geregeld, legde hij haar uit, aan een onbebouwde baai tussen twee rotsige landengten.

De zon zakte rustig in het water toen ze aankwamen, alsof hij op hen had gewacht. Daniel bedankte de chauffeur en schreef diens mobiele nummer op. 'Misschien dat ik je al snel bel,' zei hij in zijn eigenaardige Spaans. Hij had zo gigantisch veel betaald, dat hij wist dat de jonge man zijn best zou doen.

'Dat is prima,' zei de man.

Daniel haalde de sleutel onder de bloempot vandaan, zoals hij met het verhuurkantoor had afgesproken.

'Hoe komt het dat je dit allemaal geregeld hebt?' vroeg ze. 'Wist je dat dit zou gebeuren?'

'Nee, maar dat hoopte ik wel. Ik wilde zeker weten dat we ergens terechtkonden als het was gelukt. Ik ga een vlucht boeken vanuit Colima, maar dat zal waarschijnlijk pas morgenochtend lukken.'

Het was een witgeverfd huis met een pannendak, verscholen onder de takken van een donkeroranje bougainville. Hij haalde de deur van het slot en duwde hem open. Ze snoof het zeebriesje op dat het huis binnenwaaide. Er was een grote kamer met een hoog plafond en openslaande deuren naar een terras waar het strand aan grensde. Aan het plafond draaiden twee ventilatoren. Aan weerszijden bevond zich een slaapkamer, eenvoudig maar mooi ingericht.

Terwijl ze het huisje bekeken, konden ze hun ogen bijna niet van elkaar afhouden, en ze vroeg zich af of hij het net zo ongelooflijk vond als zij. Wat hield dit avontuur in? Dat hij haar alleen maar wilde beschermen? Zou hij haar veilig thuis afleveren en dan weer doorgaan met zijn leven, en daar hield het dan mee op? Ze bleef maar denken aan het verhaal over Sophia en hem dat hij in de auto had verteld. Hij had haar in een afgelegen dorp achtergelaten en werd kort daarna vermoord.

Er stond een laag muurtje om het terras en zonder te overleggen liepen ze ernaartoe en bleven naast elkaar naar de zonsondergang kijken. Ze had nog steeds het belachelijke perzikkleurige jasschort aan. Hij was nog steeds gekleed op een winter in Washington. Ze zeiden een tijdje niets.

Haar bovenbeen kwam tegen dat van hem aan. Ze was zich ervan bewust dat ze onder het jasschort niets aanhad. Ze was de hotelkamer in een badjas uit gerend. Ze had geen andere kleren bij zich en kon zelfs niet een paar tellen vooruit denken.

Ze keek zonder iets te zeggen naar de drijvende steiger zo'n vijfenveertig meter verderop in het water. Het leek haar wel leuk daarnaartoe te zwemmen. Dat soort dingen deed je nu eenmaal als je samen op vakantie was, dacht ze weemoedig. Maar dat was niet zo. Ze wilde het graag denken, maar het was nu eenmaal anders. Dit was alleen maar bedoeld om haar uit handen van een oude vijand te houden. Daniel wilde haar alleen maar helpen. Misschien had hij wel medelijden met haar. Misschien was het alleen vanwege vroeger. Hopelijk is er toch meer, dacht ze.

Het maakte niet uit hoe ze zich zo pal naast hem voelde, ze moest haar gevoelens in bedwang houden. Hij had haar al lang geleden kunnen opzoeken als hij dat had gewild. Ze had jaren naar hem gehunkerd. Waarom, als hij net zo naar haar had verlangd als zij naar hem, was hij niet eerder naar haar toe gekomen?

Toen de zon in de Stille Oceaan was ondergegaan, liep hij naar de koelkast en keek wat erin zat. 'Wil je wat drinken?' riep hij naar haar.

'Graag. Maakt niet uit wat,' zei ze. 'Zolang het maar geen whisky is.'

Daniel wilde iets kwijt, maar had twee frisdrankjes, een rijpe mango, twee boterhammen en een zak chips nodig voordat hij zichzelf zover kon krijgen.

'Hoe heeft hij bij jou in de buurt kunnen komen?' vroeg hij haar uiteindelijk, alsof het een logische vraag was in de loop van een lang en vrij frustrerend gesprek.

'Joaquim bedoel je?'

'Ik had niet geloofd dat hem dat zou lukken, vanwege wat hij je heeft aangedaan toen je nog zijn vrouw was. Dat is natuurlijk wel heel lang geleden, maar dat soort gevoelens blijft lang leven. Ik dacht dat je meteen weg zou zijn gerend. Maar niet dus. Misschien zakken de gevoelens toch na verloop van tijd. Of misschien zie ik het gewoon niet goed.'

Ze zette het glas neer. Ze merkte zijn frustratie op en raakte er zelf gefrustreerd door. 'Ik wilde ook direct wegrennen, Daniel. En dat zou ik ook hebben gedaan. Het kostte me de grootste moeite om naast hem te zitten. Ik weet niet hoe me dat gelukt is. Ik moest bijna overgeven als hij me zoende. Daar voelde ik me dan wel weer schuldig over, maar achteraf gezien vind ik het niet alleen stom van mezelf, maar krijg ik nog meer kotsneigingen.'

'Hebben jullie...' Daniel wilde iets dringend vragen, maar kreeg het niet over zijn lippen. Ze wist wel wat, maar ze had geen zin hem een handje te helpen.

'Hebben we wat?'

'Hebben jullie vaak gekust?'

'Nee, niet vaak.'

Hij schaamde zich een beetje maar zette koppig door. 'Hebben jullie nog meer gedaan dan alleen zoenen?'

'Gaat jou dat wat aan?'

'Nee.'

'Daniel.' Ze stond op. Ze wilde hem het liefst flink door elkaar schudden. 'Ik heb geen seks met hem gehad. Ik wou niet dat hij me aanraakte. Daar kon ik absoluut niet tegen. De afgelopen nacht heb ik in een stoel geslapen. Wou je dat soms weten?'

Hij knikte sullig. 'Maar waarom ging je dan met hem mee als hij je zo tegenstond?'

'Dat weet je best. Omdat hij zei dat hij jou was.'

Hij schudde het hoofd en hield even zijn mond. 'En dat vond jij wel fijn?'

De tranen schoten haar in de ogen. 'Hoe kun je dat nu zeggen!'

Hij had genoeg moed verzameld om zijn vinger op haar vinger te leggen, zijn duim op haar pols. 'De laatste keer dat ik je zag, op het eindbal, vluchtte je bij me weg. Ik snap wel waarom. Het was mijn schuld, dat weet ik. Maar je zei toen dat ik niet bij je in de buurt mocht komen. Daar heb ik me aan gehouden, omdat jij dat wou. Ik wou je niet nog verder overstuur maken dan je al was. En ik wist niet hoe ik het weer goed kon maken. Ik durfde de kleine kans die ik misschien een keer bij je zou krijgen niet te verpesten.'

Ze wreef in haar ogen om de tranenstroom tegen te houden. 'Dat is nu allemaal anders. Ik was toen bang door wat je me vertelde, maar ik was nog banger door hoe ik me voelde. Ik kreeg opeens een soort... visioenen en dacht dat ik gek aan het worden was. Ik bleef daar maar aan denken en aan de dingen die jij had gezegd. Ik wilde je weer spreken, maar ik dacht dat je was overleden. Iemand had gezien dat je in de Appomattox sprong.'

Hij knikte somber. 'Dat is zo, maar dat heb ik overleefd.'

'Dat snap ik. Maar dat wist ik toen niet. Ik heb je overal gezocht. Je hebt geen idee hoe graag ik je wilde spreken en hoe vaak ik de afgelopen vijf jaar aan je heb gedacht.'

Zijn verbazing was gemeend. 'Nee, dat wist ik niet.' Hij schudde langzaam het hoofd. 'Had ik dat maar geweten.'

'Goed, dat wist je dan niet, maar hij moet geweten hebben hoe dolgraag ik je weer wou zien. Hij kwam op school langs en zei dat hij jou was. Aanvankelijk geloofde ik hem niet. Maar hij wist dingetjes die hij anders gewoon niet had kunnen weten. Dat dacht ik in elk geval. Ik heb in de afgelopen jaren zo veel onverwachte zaken over de wereld geleerd, dat ik geen idee meer heb over wat wel en niet kan. De geheimzinnige dingen die je me tijdens dat feest vertelde, wist hij ook. Hij zei dat je was overleden, en dat dacht ik ook al, en in een ander lichaam was teruggekomen. Hij legde zelfs het complexe geheel uit van hoe hij van een oud in een nieuw lichaam was gegaan.'

Daniel keek gepijnigd. 'Dat was dan het enige wat waar was,' zei hij.

'O, ja?'

'Ja.'

'Hij zei dat hij er niemand kwaad mee deed.'

'Dat doet hij dus wel degelijk,' zei Daniel.

Ze deed haar ogen dicht. 'Dat wist ik niet. Ik wist ook niets. Ik heb mezelf maar wat wijsgemaakt. Maar ik had mezelf alles kunnen wijsmaken omdat ik hem zo graag wou geloven.'

'Maar waarom dan?'

'Omdat ik bij jou wou zijn.'

Ze gingen naar het strand om te pootjebaden. Het was al donker, maar er scheen een volle, heldere maan. De oceaan was rustig en uitnodigend en Daniel wilde heel graag gaan zwemmen. Hij kreeg de indruk dat zij dat ook wilde, maar durfde het niet goed voor te stellen. Hij kon zich tot op zijn onderbroek uitkleden, maar zij had alleen het jasschort aan en verder waarschijnlijk niets.

Terwijl hij zich dat bedacht, moest hij opeens denken aan hoe ze er in dat schort uitzag, en toen aan haar lichaam. En toen zag hij voor zich hoe ze zich uitkleedde om te gaan zwemmen en besefte hij dat hij maar beter zijn kleren op dat moment niet uit kon doen. Hij zat daar verstrengeld in zijn opgelatenheid en het enige wat hij nog kon doen was haar hand vastpakken.

'Hoe kom je daaraan?' vroeg ze, terwijl ze naar zijn arm keek waar de mouw omhoog geschoven was.

'Waaraan?'

'Aan die littekens.'

'O, dat stelt niets voor.' Hij trok zijn mouw naar beneden.

Ze schoof hem weer omhoog. 'Zo te zien stelt het wel degelijk iets voor.'

Tot zijn verbazing kuste ze langzaam en doelbewust een voor een de drie brandwonden. Hij keek naar haar. Hoe graag hij ook wilde dat ze hem kuste, niet op die plek.

'Mijn stiefouders waren nogal ruw,' zei hij snel. 'Mijn moeder rookte en was opvliegend van aard.'

Ze was geschokt. 'Heeft je moeder dit gedaan?'

'Dat was mijn moeder niet. Ze was gewoon de vrouw bij wie ik als kind woonde.' Hij zei het zo afwijzend dat het bot overkwam, maar daar kon hij niets aan doen.

'Wie was je moeder dan?'

'De moeder die me gebaard heeft, was verslaafd aan heroïne. Ze liet me al snel in de steek. Ik kan me haar niet meer echt herinneren.' Hij zei het onbewogen en zo voelde hij zich ook.

Ze kuste hem opnieuw op de arm. Ze vond het erger dan hij, en hij wilde dat hij haar dat duidelijk kon maken.

'Het maakt niet uit,' zei hij tegen haar. 'Ik heb wel erger meegemaakt. Ze kan me niets schelen. Ze mocht dan gedacht hebben dat ze me pijn deed, maar dat was niet zo.'

Ze tilde haar hoofd op en keek hem aan. 'Hoe kun je dat nu zeggen? Hoe kun je nu zeggen dat het niet uitmaakt? Je was maar een kind en zij deed je pijn. Ze verbrandde je en heeft littekens achtergelaten. Natuurlijk maakt het uit. Daarom verberg je ze.'

Hij schudde geërgerd het hoofd. 'Ik verstop ze helemaal niet.'

'Natuurlijk wel! Het kan mij niet schelen hoeveel keer je geleefd hebt of wat je je allemaal herinnert, het doet toch pijn. Het maakt wel degelijk uit.'

'Maar niet op de manier waarop jij denkt.' Hij was boos op haar. Daar wilde hij het helemaal niet over hebben, en hij wilde dat ze erover ophield. 'Ik ben anders dan jij, Sophia. Zo zit dat nu eenmaal. Ik ben anders dan iedereen. Dat schijn je niet te kunnen begrijpen.'

'O, maar ik begrijp het best.' Ze fronste haar wenkbrauwen. 'En ik heet Lucy, hoor. Ik ben hier en ik ben Lucy. Jij bent jij, en je bent echt niet zo anders als je schijnt te denken. Jij bent déze man.' Ze hield zijn arm met beide handen vast. 'Met deze huid en deze littekens op je arm en je gestoorde moeder. Dat ben je.'

'Dat is niet zo.' Hij keek haar kwaad aan. 'We zijn veel meer dan dat.'

Ze was boos, en dat vond hij prima. Hij had liever dat ze boos was dan dat ze medelijden met hem had. Ze daagde hem uit, en hij haatte haar op dat moment, maar het meest haatte hij zichzelf. Jezus, misschien vluchtte ze wel weer weg. Misschien had hij het opnieuw verknald. Misschien wel voor de rest van dit leven. Misschien wel voor alle levens. Het was gewoon niet voor hen weggelegd, oké? Hij wist niet of hij nog een poging zou wagen.

Ze keek hem lange tijd aan. Ze kon behoorlijk sterk zijn als ze dat wilde. Ze legde haar handen op zijn schouders en hij verwachtte al dat ze hem door elkaar zou schudden, maar dat was niet zo. Ze boog zich naar hem toe totdat hij haar warmte voelde. Hij was overstuur en ademde moeizaam.

'Zal ik jou eens wat vertellen, Daniel?'

Hij hield zijn adem in. 'Nou?'

Nu zou ze gedag zeggen en weglopen. Hij wist niet waar ze naartoe zou moeten, maar hij was ervan overtuigd dat ze dat zou doen. Hij hoopte maar dat ze hem toe zou staan haar naar een veilige plek te brengen.

'Als dat niet uitmaakt, dan maakt dit ook niet uit.' Ze hield haar hoofd schuin en kuste hem lang en langzaam in zijn nek. Hij voelde de natte plek. Hij voelde haar tong.

Hij was zo geschokt dat hij niet kon reageren. Hij zat als vastgenageld. Hij wist niet wat hij moest doen. Hij was opeens een grote bonk kloppende zenuwen en zijn hersens functioneerden ook niet echt goed meer.

Ze kwam weer overeind en keek hem recht in de ogen terwijl ze de knoopjes van zijn overhemd losmaakte. Verbijsterd zat hij toe te kijken alsof het iemand anders gebeurde. Ze trok het overhemd uit en gooide het op het zand. Hij ademde nu snel, maar durfde zich niet te bewegen.

'Als dat niet uitmaakt, dan maakt dit ook niet uit.' Ze boog zich voorover en kuste hem op zijn borst.

Zijn vuisten waren gebald. De adem stokte hem in de keel.

'En dit ook niet.' Ze legde haar armen om zijn nek en kuste hem op de mond. Het was een harde zoen en hij kuste haar in een vlaag van passie terug. Hij dacht nergens meer aan. Hij kuste haar met hart en ziel, omdat hij zichzelf niet meer in de hand had. Hij kon zich met geen mogelijkheid meer inhouden. Zijn handen dwarrelden begerig over haar rug toen zij zich terugtrok.

Ze hield hem op een afstandje en keek hem aan, en zijn hele grote domme lijf deed gewoon pijn. Hij kon er fysiek niet tegen om nog langer van haar gescheiden te zijn. Nu ze eenmaal waren begonnen, kwamen er zo veel gevoelens boven. Daar kon hij ook niets aan doen. Het was alsof hij erin verdronk.

Ze keek hem star aan, maar er stonden wel tranen in haar ogen. 'Maakt dat niet uit?'

Ze stond op het punt in snikken uit te barsten, besefte hij. Ze zou voor hem gaan huilen, en dat wilde hij niet.

Hij deed zijn ogen dicht.

'Daniel, vertel op. Maakt het niet uit? Want als dat zo is, dan hou ik ermee op.'

Hij wilde zijn ogen niet opendoen. Een traan glipte onder zijn ooglid vandaan. Hij kon niet tegen haar liegen. Dat had hij nooit gekund, en nu ook niet. 'Je mag niet ophouden,' zei hij nauwelijks hoorbaar.

'Hoezo niet?'

Hij had het gevoel dat hij zou sterven als hij haar niet aanraakte. 'Omdat het wel uitmaakt.'

Toen ze hem weer kuste huilde hij ook, vanwege alle nare en

mooie dingen. Ze lagen op het zand, een groot nat waas van kussen en tranen. Hij probeerde het maar niet meer te snappen. Hij zette het niet op een rijtje en sloeg het ook niet op voor de toekomst. Dit had hij nu. Het maakte niet alleen uit, het was het belangrijkste op aarde. Hij zoende haar vol overgave, omdat het leven draaide om liefde.

Hij had geen idee hoe lang ze in het donkere zand hadden liggen zoenen en wat hij allemaal tegen haar had gezegd. Er zat niets meer tussen hen in. Op een gegeven moment had hij haar zonder erbij na te denken in zijn armen genomen. Hij liet zijn lichaam het gewoon overnemen. Hij kon zich er niet langer tegen verzetten. Zijn lichaam was sterk en hij tilde haar met gemak op en liep met haar het huis in en door naar de slaapkamer. Hij schoof het muskietennet opzij en legde haar op bed.

Tijd had geen betekenis meer. De geregelde volgorde waar hij altijd zo goed op lette, was verdwenen. De cirkel van zijn lange bestaan was rond, zodat hij weer heel werd.

Hij ritste het jasschort oneindig teder open en zag haar naaktheid. Hoewel hij dat had verwacht, werd hij bevangen door het wonder ervan. Het was net of hij nog nooit een naakte vrouw had gezien, en toen hij haar vastpakte, was het net of hij nog nooit iemand had aangeraakt. Hij ging op ontdekkingstocht over haar lichaam met zijn vingers en zijn mond alsof het nieuw voor hem was. Af en toe hield hij op om haar op de mond te kussen en naar haar ogen te kijken om zich ervan te verzekeren dat ze er nog steeds was. Ze gaf zich helemaal aan hem over.

'Ik hou van je,' fluisterde hij tegen haar, volgens hem voor de eerste keer in zijn bestaan.

Nadat hij haar helemaal had verkend, sloeg ze haar benen om hem heen en trok hem bij zich naar binnen. Ze hield hem stevig vast. Ze had haar armen om zijn nek geslagen en kuste hem vochtig en fel.

Hij kon zichzelf voor altijd in haar verliezen, dacht hij. Misschien dat hij wel nooit uit haar zou gaan. Ze was hier, en ze was Lucy. Hij was deze man in dit vel, en meer niet. Lucy had gelijk. Dat was het enige wat ze waren.

Eindelijk kwam en kwam en kwam hij in haar. Intens. Zo groots dat de herinnering aan ervoor en erna verdween. Misschien zou het niet zo blijven, daar was hij altijd het bangst voor. Maar het was een koortsachtig genoegen om zijn beladen geest los te laten. Hij liet alles los: de rest van de wereld en wat er allemaal in zijn levens gebeurd was. Hij drukte zijn bezwete lijf tegen haar mooie zachte huid. Hij hield haar vast en het was alsof hij net was geboren.

Joluta, 2009

Ze schrok ergens wakker van. Ze had iets gehoord, niet zijn ademhaling of de zucht die hij af en toe slaakte en die ze tijdens haar slaap helemaal niet storend had gevonden. Spijtig en voorzichtig kwam ze onder hem uit. Ze legde zijn been naast hem en haar arm naast haar zij. Hij was even ervoor eruit geweest om te plassen en had zijn boxershort aangedaan.

Het ochtendgloren verlichtte zwak de kamer. Ze kroop zachtjes het bed uit. Het jasschort lag verfrommeld op de grond en ze trok het aan, deed voorzichtig de rits dicht om hem niet wakker te maken. Ze keek naar het raam. Ze kon nog net de bladeren van de mangoboom onderscheiden. Ze stond aandachtig te luisteren.

Ze hoorde weer iets uit dezelfde richting komen. Het was waarschijnlijk een vogel of een of ander klein diertje. Het was een tropisch land met veel dieren. Ze liep naar het raam toe terwijl haar ogen zich aanpasten aan het zwakke licht.

'Daniel!' Zonder erbij na te denken had ze zijn naam al gegild. Er was iets. Ze kon geen gezicht ontdekken, maar ze was er bijna zeker van dat ze iets in het halfgeopende raam zag. Wat was het? Een pistool?

Er gebeurden een paar dingen tegelijk zonder aanwijsbare volgorde. Hij kwam overeind toen hij haar hoorde schreeuwen. Ze rende zo snel mogelijk naar hem toe en duwde hem omver. Het pistool werd afgevuurd en ze gilde en Daniel stond plotseling schreeuwend naast het bed.

Ze had geen idee wat er aan de hand was. Hij hield haar vast en brulde als een bezetene. Ze zag bloed en was bang dat hij geraakt was. Hij trok haar van het bed af en droeg haar de slaapkamer uit naar de grote kamer. Ze hoorde nog een schot. Ze huilde. 'Ben je gewond? Gaat het wel? Ben je geraakt?' Ze wist niet goed wat ze echt zei en wat ze alleen maar dacht.

Hij rende door het huis naar buiten, het strand op. Hij rende met haar door het zand en ze hoorde een derde schot. Ze zouden sterven. Waar moesten ze naartoe? Ze konden niet terug naar het huis. Op het open strand waren ze een gemakkelijk doelwit. En voor hen was alleen maar water.

Er zat bloed op zijn borst. O, god, was hij gewond?

Hij rende met haar door het water en trok haar mee. Pas toen ze wilde gaan zwemmen, ontdekte ze dat ze haar arm niet kon bewegen. Van ver weg kwam weer een schot. 'Haal diep adem,' zei hij tegen haar. Ze doken samen onder water en hij trok haar mee terwijl ze haar best deed te zwemmen. Ze besefte dat haar schouder pijn deed. Had ze zich op de een of andere manier bezeerd? Hij zwom krachtig genoeg voor hen beiden, dus veronderstelde ze dat hij niet zwaargewond was. Hij trok haar mee naar boven om lucht te happen en toen weer naar beneden.

Toen ze voor de volgende hap lucht weer boven kwamen zag ze voor hen uit de drijvende steiger. Dat zouden we doen als we op vakantie waren geweest, bracht ze zich zelf ongerijmd in herinnering. Hij zwom met haar naar de andere kant, duwde haar erop, en kwam snel achter haar aan.

Ze snakte naar adem. Ze voelde aan haar schouder. Ze zag iemand op het strand staan met een pistool. Daniel had hem Joaquim genoemd.

Daniel ondersteunde haar met zijn arm en ritste met zijn andere hand het jasschort open. Hij trok het voorzichtig over haar schouder, en dat deed pijn. Hij kleedde haar uit, en ze stonden op het punt samen te sterven, maar ze had er vreemd genoeg vrede mee.

'Hij kan ons zo doodschieten,' zei ze, moeizaam ademend.

'Als hij ons wilde doden, dan had hij dat al gedaan.' Hij bekeek haar schouder en ze besefte toen pas dat zij degene was die bloedde.

Het pistool was op hen gericht. 'Denk je niet dat hij schiet?'

'Als hij dat had gewild, had hij dat al gedaan.'

'Ben ik neergeschoten?' vroeg ze ongelovig.

'Je hebt een schampschot op je schouder van een kogel die niet voor jou bedoeld was. Je sprong er recht voor, meisje van me, en ik schrok me helemaal gek.' Niet te geloven dat hij naar haar glimlachte, maar dat deed hij wel. 'Er zit een diepe schram, maar geen kogel. We hebben geboft.'

'Voor wie was de kogel bestemd?' Ze wierp weer een behoedzame blik op de gewapende Joaquim op het strand.

'Het was zijn bedoeling om ons angst aan te jagen en ons in zijn macht te krijgen, maar niet om je te raken. Joaquim zou mij misschien wel neerschieten, maar dat zou dan wel een anticlimax zijn geweest. Hij wil dat ik aan zijn genade ben overgeleverd. Zo is hij nu eenmaal. Hij wil jou aandoen wat ik hem heb aangedaan, jou bij me vandaan halen en me laten weten dat jij er wel bent, maar dat ik je niet kan krijgen. Hij denkt waarschijnlijk dat je nog steeds van hem bent. Ik wil niet beweren dat hij mij of ons allebei niet zal doodschieten als hij geen kant meer op kan, maar dat is niet wat hij echt wil.'

'Hoezo niet?'

'Omdat hij ons dan weer kwijt is. Hij heeft ons hier in dit leven, maar niet in het volgende. Hij heeft het geheugen, maar hij kan geen zielen herkennen.'

'O, nee?'

'Nee. Vroeger niet, in elk geval.'

'Jij wel?'

'Niet altijd, maar over het algemeen wel ja.'

'En wat gaat er nu gebeuren?'

'Geen idee, en dat weet hij ook niet. Toen hij je hier mee naartoe nam, hoopte hij dat ik op zou dagen, maar hij verwachtte niet dat ik met je zou vluchten. Ik weet bijna wel zeker dat hij daar geen rekening mee heeft gehouden. Hij weet dat we geen kant meer op kunnen, maar dat geldt ook voor hem. Hij kan ons natuurlijk doodschieten, maar verder kan hij alleen maar toekijken wat we gaan doen. Hij kan ons niet achterlaten om een boot te halen. Tegen de tijd dat hij terugkomt zijn wij weg. Hij kan ook niet naar ons toe zwemmen.'

'Wat moeten we dan doen?'

'Voorlopig staan we schaakmat. Het is afwachten.'

'Is dat zo?'

'Tenzij jij een suggestie hebt.'

'Daar denk ik even over na,' zei ze. Hij trok aan de zoom van het jasschort en ze ging zitten. 'Daar is het toch niet echt het juiste moment voor?'

Hij lachte. 'Was het maar zo.' Hij bestudeerde de zoom. 'Moet je horen, ik weet dat je wat kleren betreft niet erg goed bedeeld bent, maar zou je het erg vinden als ik een paar centimeter van de onderkant afhaal? Ik wil er een mitella voor je schouder van maken.' Hij wees naar zijn natte onderbroek. 'Ik heb zelfs nog minder om mee te werken.'

'We kunnen maar beter jouw boxershort gebruiken,' zei ze.

'Goed, dan,' zei hij. Hij kwam overeind om de onderbroek uit te trekken en zij wierp bewonderende blikken op zijn prachtige lijf.

Ze leek wel gek. Ze was zo dronken van geluk geweest dat ze nog niet helemaal nuchter was. Ze had het vermoeden dat dat voor hem ook opging. De wereld was niet groot genoeg om de omvang van wat zij de vorige avond hadden beleefd te kunnen bevatten. En om dit te bevatten was het al helemaal niet groot genoeg. Ze wilde helemaal niet nuchter worden.

'Hou op. Het was maar een grapje. Scheur maar wat van het schort af. Het is toch niet de bedoeling dat we straks spiernaakt zijn.'

'O, nee?'

'Niet met een toeschouwer erbij.'

Met vaste hand scheurde hij een stuk van de zoom af. Hij gluurde er even onder. 'Ik word helemaal gek van je in dat schort.'

Ze lachte. 'Ik had het zelf niet zo gauw uitgezocht voor onze hereniging, maar ik moet toegeven dat het wel erg makkelijk uitgaat.'

Ze kon het maar nauwelijks geloven dat ze nog steeds wilden vrijen.

Hij verbond voorzichtig en deskundig haar schouder om het bloeden tegen te gaan.

'Het lijkt wel of je dat vaker hebt gedaan.'

'Ik ben dokter. Heb ik je dat nog niet verteld?'

'Nee, dat kan niet.'

'Jawel, al een paar keer zelfs.'

'Daar ben je veel te jong voor.'

'Ik heb mijn studie al afgerond. Ik heb het een en ander overgeslagen.'

'Het een en ander? Bijna alles, volgens mij.'

'Oké, bijna alles dan.'

'Werk je in een ziekenhuis?'

'Ja.' Hij legde een knoop in het verband, kuste haar op haar borst, deed haar jasschort weer goed en trok de rits dicht. 'Het komt allemaal weer in orde, mevrouw.'

'Weer een litteken erbij.'

'Ben je al vaak beschoten?'

'Ik bedoel de littekens die je in de loop van je levens met je meeneemt, die bij je blijven zelfs nadat je overleden bent. Zoals deze, zie je?' Ze wees naar haar arm.

Hij hield zijn hoofd schuin. 'Hoe weet je dat?'

'Van Constance.'

'Hoe ken jij Constance?'

'Ik was Constance.'

'Dat weet ik, maar hoe weet jij dat?'

'Ik heb het briefje gelezen dat ze me heeft geschreven.'

Hij wierp even een blik op Joaquim die op het strand zat en keek haar toen weer aan. 'En hoe kwam je daaraan?'

'Ik ben naar Engeland, naar Hastonbury Hall gegaan, en het lag in haar vroegere slaapkamer.'

Hij schudde vol ongeloof het hoofd. 'Dat meen je niet. Ik ben stomverbaasd.'

Het was leuk om hem dat te kunnen vertellen. 'Weet je nog dat ik het over een hypnotherapeut had? Ik ben onder hypnose teruggegaan naar een vorig leven en kwam bij Constance uit. Ze wilde dolgraag dat ik haar briefje te pakken zou krijgen. En sindsdien zit ze me voortdurend achter mijn kont aan en laat mij me steeds weer dingen herinneren.'

'Ongelooflijk.'

'Dat is ze zeker.'

'Ik had het mis, weet je.'

'Waarover?'

'Toen je Constance was vertelde ik je dat je een gemiddeld geheugen had. Maar ik heb je onderschat.'

'Omdat dat meisje me maar niet met rust wil laten. Ze wilde me per se met jou herenigen.'

Daniel lachte. 'Is ze nu gelukkig?'

Lucy moest ook lachen, maar ze zou zo in snikken uit kunnen barsten. 'Heel erg gelukkig.'

Daniel keek naar de lucht. Hij kon bijna de zon zijn pad zien afleggen en hij wilde dat graag afremmen. Hij hoorde de golven tegen de steiger aanslaan. Hij voelde een zijdezachte lok van haar in zijn oksel kriebelen. Hij was net alsof hij heel veel hasj had gerookt. Hij zou niet blij moeten zijn terwijl er een pistool op hen was gericht. Hij zou boos en verontwaardigd moeten zijn, maar hij kon er niets aan doen. Angst was bijna altijd sterker dan blijdschap, maar dit keer niet.

'Ik moet iets verzinnen,' zei hij, terwijl hij een lok van haar haar om zijn vingers wond, 'maar ik kan alleen maar denken aan hoe je er zonder dat schort uitziet.' Hij ging op zijn elleboog liggen. 'Ik kan er niet meer tegen.'

'Misschien moeten we het dan maar doen,' zei ze. 'Dat zal hem leren.'

'Dan wordt hij straks zo boos dat hij ons allebei doodschiet.'

'Maar dan komen we toch samen terug?'

Hij ging zitten en keek haar ernstig aan. 'Als je ook maar een fractie van de hoeveelheid die ik van jou hou van mij houdt, dan ja, daar ben ik bijna van overtuigd.'

'Dus ja,' zei ze eenvoudigweg. 'Want dat doe ik.' Er schoot haar iets ergs te binnen. 'Hij wil vast niet dat we samen terugkomen.'

'Dat denk ik ook niet.'

'Dan moeten we hem de keus niet geven,' zei ze. Ze ging tussen zijn benen zitten en drukte haar rug tegen zijn borst. 'Zo kan hij je niet pakken zonder mij te raken. Hij is nu niet bepaald een scherpschutter.'

'Ik weet eigenlijk niet wat ik daarvan vind,' zei hij.

Ze schudde het hoofd. 'Zonder mij ga jij nergens naartoe.' Ze zei het luchthartig, maar ze meende het wel. 'Waar we ook naartoe gaan, het is wel samen.'

Hij fronste zijn wenkbrauwen.

'Dat meen ik, Daniel.'

Hij hield haar handen beet en legde zijn kin op haar schouder.

'Dus buiten dat we allebei doodgeschoten worden, heb je nog meer suggesties?'

'We kunnen naar de kust zwemmen en het er maar op wagen.'

'Denk je dat dat gaat lukken?'

Hij kneep zijn lippen samen. 'Geen idee. We zijn dan waarschijnlijk aan Joaquims genade overgeleverd. Dat zou hij wel graag willen.'

'En dan? Dan neemt hij me als gijzelaar? Hij zal me pijn doen en jij moet toekijken? Hij laat je iets vernederends doen en daarna vermoordt hij je alsnog? Want zoiets zou hij dus wel willen, denk je niet?'

'Ja, dat denk ik ook wel.'

'Hij heeft geen problemen met moord, toch? Hij kan zo in een ander lichaam duiken als hij ooit gesnapt wordt.'

Daniel knikte.

'Erger kan gewoon niet. En die gok moeten we dan maar wagen?'

Daniel deed even zijn ogen dicht. Hij had niet willen uitweiden over wat er zou kunnen gebeuren, maar hij kon haar niet tegenhouden.

'Kunnen we ergens anders naartoe zwemmen? Kunnen we om de landtongen heen zwemmen en daar aan land gaan?'

'Hij zal er altijd eerder zijn dan wij.'

'Zou hier ooit iemand komen?'

'Dat lijkt me wel, maar het is hier wel heel erg afgelegen.'

Ze dacht even na. 'Daniel?'

'Ja?'

'Als we hier toch weg kunnen komen, wat doen we dan? Kunnen we hem ooit ontvluchten?'

'Ja, maar niet voor lang.'

Ze was ontmoedigd en dat was niet zo gek. 'Daniel?'

'Ja?'

'Heb je ooit wel eens gedacht dat we niet samen mógen zijn?'

Ze was ernstig, maar hij moest wel glimlachen. 'Nee. We zijn voor elkaar bestemd. Alleen moeten we het allebei heel erg graag willen.'

Ze glimlachte omdat hij glimlachte. 'Ik weet het ook niet meer. Heb jij nog wat? Heb jij nog een of andere suggestie?'

Hij legde zijn hoofd in zijn nek en keek naar de lucht. 'Ik wil alleen nog wat langer bij je zijn.'

'Ben je bang om dood te gaan?' vroeg ze hem.

De zon steeg snel naar zijn hoogste punt. Hij lag op zijn rug en zij lag tegen hem aan met haar hoofd op zijn borst. Hij was merkwaardig rustig.

'Nee. Ik ben al zo vaak gestorven. Maar ik heb nog maar een keer met jou de liefde bedreven, dus daar wil ik me op richten. Joaquim kan dat nooit meer van ons afnemen.'

'Gaan we dood, denk je?'

Hij ademde in en uit, in en uit. Hij had nog nooit zo intens de warmte van de zon gevoeld. 'Lucy, daar wil ik niet aan denken. Ik wil alleen maar aan jou denken. Maar als ik er iets over móét zeggen, dan zou het zijn dat ons een hoop ellende te wachten staat of dat we gaan sterven. Ik ga liever dood, en eerlijk gezegd zou ik nu gelukkig kunnen sterven.'

'Echt waar?'

'Ja.'

Ze legde haar hoofd weer op zijn borst. 'Zei je nou net Lucy tegen me?'

Hij keek naar haar en schermde zijn ogen af tegen de zon zodat hij haar goed kon zien. 'Grappig. Ik kijk nu naar jou en ik kan alleen jou zien.'

Ze schudde het hoofd. 'We liggen midden op het water. Er is niets anders te zien.'

Hij lachte en trok haar boven op zich en knuffelde haar. Hij kuste haar in de nek en toen op de mond. 'Lucy,' zei hij. 'Lucy.' Hij haalde zijn schouders op. 'Ach weet je, dat is eigenlijk een prima naam.' Hij kuste haar op de kin. 'Lucy. Dat ben jij.'

Tegen de tijd dat de zon recht boven hen stond was Lucy licht verbrand en had ze dorst. Hij had dat ook, maar geen van beiden wilde het ter sprake brengen.

'Ik geloof dat er toch een nadeel aan dat wachten kleeft,' zei ze.

'Vertel op.' Hij trok haar op zijn schoot.

'Ik ben straks helemaal verbrand, en we hebben straks ook gigantische dorst, en dat zal niet fijn zijn. Ik zal dapper doen en jij gaat je zorgen maken, en dan zul je iets doen waar je later spijt van krijgt.'

'Je hebt gelijk.' Hij kuste haar op de wang. 'We kunnen elkaar maar beter uitkleden en genieten van wat we nog hebben.'

'Ik wil niet dat hij ons doodt.'

'Ik ook niet.'

'En we kunnen hier niet eeuwig blijven zitten.'

Hij knikte. Hij wilde haar niet vertellen dat het er niet inzat dat Joaquim lijdzaam zou blijven wachten als de zon onder was gegaan. Hij had nooit veel geduld gehad.

Ze was een tijdje stil. Hij pakte haar voeten. 'Mag ik je wat vragen?' vroeg ze.

'Maar natuurlijk.'

'Hoe is de verdrinkingsdood?'

Hij keek haar verbaasd aan. 'Hoe bedoel je?'

'Nou, hoe gaat dat? Doet het pijn? Duurt het lang? Is het erger dan bijvoorbeeld doodgeschoten te worden?'

'Oké.' Hij dacht er even over na. 'Het is me twee keer gebeurd. Maar wel al lang geleden. Ik ben ook twee keer doodgeschoten. Dat was wat minder lang geleden. Over het algemeen geef ik de voorkeur aan de verdrinkingsdood.'

Ze wreef haar handen. Ze likte over haar droge, gebarsten lippen. 'Dan is dat het ergste wat er kan gebeuren, toch? En natuurlijk is dat erg, maar altijd nog beter dan dat hij zijn zin krijgt en ons kan vermoorden. Wat vind je ervan? We springen gewoon hier vanaf en gaan zwemmen.' Ze gebaarde naar de open zee. 'We bereiken China of niet.'

Hij tuurde in de richting van China.

'Nou?'

'Volgens mij komt er iets aan.'

'Pardon?'

'Er woedt een storm in de verte en die komt deze kant op. Ik weet niet of we daar iets aan hebben.'

'Hoe kan dat nou gunstig voor ons zijn?'

Hij dacht even na. 'Je raakt niet zo erg verbrand dan. En als we wat regen op kunnen vangen, hebben we ook minder dorst.'

Opeens weerklonk er een schot en ze schrokken er allebei van. 'Volgens mij heeft hij het wel gehad met wachten,' zei Daniel.

Ze ging dichter tegen hem aan liggen, en hij wist wel waarom. 'We moeten gaan,' zei ze. 'Kom op. Je wilt toch niet dat hij zijn zin krijgt?'

Hij was als verdoofd. Hij wilde haar aanraken en met haar praten en haar ruiken en haar zien lachen. Hij wilde niet sterven. Hij wilde niet dat het afgelopen was. Maar hij moest zichzelf tot de orde roepen. Het maakte hem niet zoveel uit wat er met hem gebeurde, maar wel wat er met haar gebeurde.

'Wil je het echt doen?' vroeg hij.

'Ja.' Ze stak haar benen over de rand en hij volgde haar voorbeeld. Ze bleef heel dicht bij hem in de buurt, hield hem voortdurend vast.

'Wil je het echt doen? Je gelooft onvoorwaardelijk alles wat ik je heb verteld en je wilt naar China zwemmen?'

Ze keek hem recht in de ogen. 'Ja.'

Ze meende het ook. Hij moest dus ook serieus zijn. 'Wacht even, Lucy. Denk er goed over na. Als hij me neerschiet, kun jij gewoon naar hem toe gaan. Misschien dat hij zich dan voorlopig gewroken heeft. Misschien dat hij je dan geen kwaad doet. Je kunt weer terug naar Amerika gaan en een geregeld leven leiden. Dat zouden we beter kunnen doen.'

'Hoe kun je dat nu zeggen?' Ze draaide zijn grote teen hardhandig om. 'Dat gaat echt niet gebeuren. En denk je nu werkelijk dat hij me met rust laat? Denk je dat hij me een geregeld leven zou laten leiden?'

Hij kon niet liegen. 'Nee, dat denk ik niet. Maar het zou kunnen.'

Ze beet op haar lip. 'Ik vind dat net zo'n gunstig vooruitzicht als de rest van de opties die we hebben. Maar goed, ik ga zonder jou toch nergens naartoe. We zwemmen samen naar China. En als het moet, dan sterf ik liever samen met jou dan door te leven zonder jou.'

'Dat zei je ook toen je nog Constance was en toen heb ik je ervan af weten te houden.'

Ze keek hem veelbetekenend aan. 'Daar trap ik dus niet meer in, Daniel.'

Ze pakte zijn hand. 'Zullen we?'

'Ik wil niet dat het afgelopen is,' zei hij.

'Het is een begin,' zei ze met een overtuiging waar hij jaloers op was.

Ze draaiden zich naar het westen. Hij kuste haar. 'Op naar China,' zei hij.

Ze knikte. Haar kin trilde en ze durfde niets te zeggen uit angst dat ze in snikken uit zou barsten.

'Ik hou van je,' zei hij.

Ze keek hem nog een keer met betraande ogen aan. Ze hield zijn hand zo stevig vast dat hij zijn vingers niet meer kon voelen, en toen ze sprong, sprong hij ook.

Toen ze het water in gleden werd er weer geschoten. Hij wilde haar hand blijven vasthouden, maar zo kon ze moeilijk zwemmen. Ze had natuurlijk ook last van haar schouder. Ze zwommen alsof ze een doel voor ogen hadden, maar hij wist dat ze het niet lang vol zouden houden.

De zon stond nog aan de hemel, maar in de verte zag hij een bliksemflits en hij nam aan dat dat hun einde zou betekenen, als het tenminste niet daarvoor al afgelopen was. Hij zag haar roze benen in het water, het slordige jasschort. Hij schoof het einde nog steeds voor zich uit, maar het kwam angstaanjagend snel op hem af.

Hij dacht ook weer aan Joaquim. De golven werden hoger en woester, waardoor hij vanaf het strand moeilijker op hen kon richten. Nog een meter of honderd verder en ze zouden buiten zijn zicht en bereik zijn. Hij ging na wat Joaquim kon doen.

Joaquim kon hen achternakomen in een boot, maar het weer werkte niet mee. Geen enkele booteigenaar zou zijn boot in een storm eropuit sturen. Misschien dat Joaquim al een boot had. Of hij zou een boot kunnen stelen. Maar als hij het strand maar even verliet, zou hij hen niet meer in de gaten kunnen houden. Hij geloofde vast dat ze op een bepaald moment wel aan land zouden komen. Hij wist dat er niets anders op zat. Het enige waar hij geen rekening mee kon houden, was dat ze bereid waren te sterven. Waar zij naartoe gingen kon hij hen niet volgen.

Ze hadden een meter of vijfentwintig gezwommen toen hij zag

dat ze buiten adem was en hij was bang dat ze pijn leed. Hij ging langzamer zwemmen en bleef toen een minuut watertrappelen. Het viel niet mee om niet kopje-onder te gaan. 'We kunnen het rustig aan doen, hoor,' zei hij tegen haar. 'China loopt heus niet weg.'

'Hij kan ons hier toch niet raken?'

'Dat lijkt me niet. Ik kan hem zelfs niet meer zien.'

'Dan zijn we nog met z'n tweetjes.' Ze rilde.

'Ja, met z'n tweetjes.' Hij legde zijn arm om haar heen. 'Hoe gaat het met je schouder?'

'Dat lijkt me nog wel het minst erge op dit moment.'

Hij knikte. Konden ze dit gedeelte maar overslaan, want het zou niet leuk zijn. Het zeewater werd kouder en daardoor zou hun lichaam langzamer gaan werken, en ook de dood zou langzamer intreden.

'En als we het nu niet halen?' vroeg ze hijgend. 'Hoe ga je dood?' Ze leek meer vastbesloten dan bang.

'Je geeft jezelf niet over,' zei hij. 'Je laat je gewoon meenemen. Je gaat door totdat je wordt meegenomen.'

'Duurt het lang?'

Hij wilde niet gaan uitleggen hoe een verdrinking in zijn werk ging. Dat zou haar alleen maar bang maken. 'Een paar minuten. Je bent sterk en je lichaam zal zich verzetten, maar zal ik je wat vertellen?'

'Nou?'

'Als het heel erg wordt, heel veel pijn doet, als je er absoluut niet meer tegen kunt en je doodsbang bent, dan word je overspoeld door een vredig gevoel, iets wat je nog nooit eerder hebt meegemaakt.'

Ze keek hem vol hoop aan. 'Is dat bij iedereen het geval?'

'Bij jou wel.'

Er daalde een eigenaardige rust op hen neer. Ze zwommen onder water, en kwamen af en toe boven voor lucht. Hij bleef in haar buurt en hield haar in de gaten. Hij werd bijna gehypnotiseerd door de trage schoonheid van haar lichaam onder water. Hij wist niet of hij haar nu moest helpen of haar moest laten rusten. Hij wilde het niet te lang rekken. Hoe erg het ook was, er was ook iets moois aan de deinende golven om hen heen waar het zonlicht nog steeds op speelde. Hij dacht aan zijn eerste leven in Antiochië, als vijfjarig kind dat tijdens een aardbeving in de rivier dreef. Hij dacht dat hij toen de eeuwigheid had gezien en vroeg zich af of hij het met haar weer zou zien.

Ze was bijzonder sterk. Haar lichaam had steeds weer energie, dat kon hij zien aan haar benen en haar gezicht. Hij wist dat ze geen pijn meer had.

En toen, na verloop van tijd, ging het moeizamer. Ze ging langzamer zwemmen. De slagen waren niet meer zo netjes. Hij had er ook last van. Hij vond het voor zichzelf niet erg, maar het was pijnlijk om haar zo te zien. Hij wilde niet kijken, maar hij wilde zichzelf ook niet sparen. Hij was er verantwoordelijk voor.

En toen opeens, toch nog onverwacht, gaf ze het op. Onder water, in het diffuse zonlicht, wendde ze zich tot hem. Ze glimlachte niet, maar het leek er wel op. Ze was niet bang. Ze leek eerder vol vertrouwen. Ze vertrouwde op hem en in wat hij haar had beloofd. Ze geloofde in hem.

Zo voelde je je dus als er van je werd gehouden. Hij weerde het niet af zoals vroeger, maar dronk het in. Hij wilde het helemaal in zich opnemen.

En toen, tot zijn schrik, stak ze haar armen omhoog en zonk ze. Hij keek toe alsof het in slow motion gebeurde. De zonnestralen schitterden om haar heen. Haar haar was een uitwaaiende goudblonde wolk en haar vingers waren gespreid.

Ze zonk. Hij zag haar achterhoofd, haar gespreide vingers die nu ter hoogte van zijn borst waren. Ze werd door de hongerige donkere oceaanbodem naar beneden getrokken. Ze liet het zonlicht en hem achter zich en hij kon geen vin verroeren.

Je moet haar laten gaan.

Waarom? schreeuwde een stem in zijn hoofd tegen hem, zodat hij weer bij zijn positieven kwam.

Omdat we ons op deze manier kunnen redden. Dit wilden we. Hier hebben we al die eeuwen op gewacht.

Wat betekenden al die eeuwen? Het waren herinneringen aan dagen en jaren en maanden. Ze stelden niets voor. Ze bestonden alleen maar in zijn hoofd en verder niet. Kon hij er wel zeker van zijn? Had hij een echte, tastbare reden om te denken dat hij weer opnieuw geboren zou worden? Zij geloofde in hem. Maar geloofde hij in zichzelf? Was hij zo zelfverzekerd dat hij haar daar het slachtoffer van zou laten worden?

Misschien was hij wel gek. Misschien lag het wel zo eenvoudig. Hij hoorde in een inrichting thuis bij alle andere mensen die net als hij dachten. Waarom zou hij beter zijn? Alleen maar omdat hij zijn idiote waanbeelden voor zich hield?

Hoe wist hij nou zeker dat hij voor dit leven vele andere had gehad? Dat kon hij niet zeker weten. Hoe kon hij nou weten of hij nog meer levens zou hebben? Dat kon ook niet. Stel dat hij zijn geheugen had verzonnen om om te kunnen gaan met een leven waarin hij in de steek werd gelaten en mishandeld? Beschadigde mensen deden rare dingen. Hoe wist hij nu zeker dat hij niet gek was? Dat wist hij niet. Het was heel goed mogelijk dat hij het allemaal had verzonnen en haar erbij had betrokken.

Hij wist wel dat het allemaal maar verhalen waren. Maar stel dat ze niet waar gebeurd waren? Kon hij dat risico wel nemen? Kon hij haar echt op basis daarvan laten sterven?

Gedachten betekenden niets. Herinneringen betekenden niets. Ze waren niet tastbaar. Ze kostten geen tijd. Je kon ze allemaal op een speldenknop kwijt. Je kon je hele leven in een paar tellen in twijfel trekken.

Hij keek naar de wolk haar die nu ter hoogte van zijn knieën was. Ga het niet rekken. Laat haar niet lang lijden. Haar strottenhoofd zou zich sluiten en haar hart en longen en hersens zouden al snel onwillekeurig gaan tegenstribbelen en het zou het er niet makkelijker op worden als hij haar vasthield.

Dit was het meisje van wie hij hield. Dit was zijn sterke, mooie meisje.

Hij had op het mooiste moment van zijn leven de liefde met haar bedreven en nog niet zo lang geleden haar hele lichaam onder de kussen bedolven, en nu stierf ze onder zijn ogen.

Nee, hoorde hij in zijn hoofd, en het weergalmde door hem heen. Alle spieren en zenuwen werden erdoor gesterkt. Nee. Ze zou hem niet verlaten. Nee. Hij liet haar niet gaan.

Nee. Er kwam een herinnering naar boven. Hij had haar eerder zien sterven. Hij had haar zien sterven omdat hij haar had vermoord. Hij had haar huis platgebrand en toegekeken terwijl ze stierf, en sindsdien moest hij daar elke dag aan denken en over dromen. Nee. Hij zou niet weer alleen maar toekijken terwijl ze stierf.

Het kan niet anders. Er is geen andere mogelijkheid.

Nee! Als er geen mogelijkheden waren, dan creëerde je er een. Als er geen opties meer waren, dan verzon je er een. Je kon het niet zomaar laten gebeuren. Dat had hij al lang genoeg toegestaan.

Hij zag geen eeuwigheid. Hij zag alleen het meisje en het heden en een piepklein kansje. Hij verbrak de eigenaardige verdoving. Hij wist wat hij moest doen. Het was pure hersenvoodoo en lichamelijke marteling om van haar weg te blijven. Hij dook en pakte haar beet. Met zijn armen om haar middel zwom hij naar boven. Dit was zijn lichaam, en het was een goed, sterk lichaam. Het hield net zo veel van haar als hij, omdat hij ook zijn lichaam was. Niet meer en niet minder.

Hij hield haar al watertrappelend vast. Haar hoofd lag op zijn schouder. Ze bewoog niet. De adrenaline spoot door zijn aderen toen hij in haar nek naar haar hartslag voelde.

Ze was niet dood. Er zat nog geen water in haar longen, maar haar strottenklepje was wel dicht en het was even spannend totdat het weer openging en ze naar adem snakte.

'Je gaat niet dood,' zei hij tegen haar. Zijn stem brak. 'Ik zei dat ik je zou laten gaan, maar dat kan ik niet.'

Hij stak zijn armen onder haar oksels door over haar borst, zoals hij in Fairfax bij reddend zwemmen had geleerd, en trok haar mee. Hij zwom de storm in omdat hij nergens anders naartoe kon. De zon verdween en de regen kwam met bakken tegelijk neer. Hij hoopte maar dat het onweer naar de kust toe zou drijven, bij hen vandaan.

Hij zwom zo hard mogelijk. Hij wist niet waar hij naartoe ging of wat hij behalve de zee en de regen aan zou treffen. De stroming trok hem naar het noorden, en aanvankelijk ging hij daar tegenin, maar uiteindelijk zwom hij maar mee. Hoe wist hij nou welke kant hij op moest?

Als hij zich onder hoge druk bevond stelde hij zich voor dat hij van bovenaf op de aarde neerkeek. Maar nu zag hij hen daar, twee kleine bleke hoofdjes in een grote, woeste zee.

Zijn longen waren rauw en zijn ledematen deden pijn, maar hij kon het niet langzamer aan doen. Hij wilde het niet opgeven. Je krijgt haar niet, wilde hij zowel tegen de onverschillige oceaan als tegen Joaquim zeggen. Ik bescherm haar.

Hij kon haar niet anders beschermen dan door te blijven zwemmen. Hij moest vechten. Meer kon hij niet doen. Geen herinneringen, geen ervaringen, geen gaven. Hij had een wil. En hij wilde doorgaan tot hij niet meer kon.

De zon was door de storm onzichtbaar geworden en dus ging hij zonder veel bombarie onder. Hij wist dat hij ondergegaan was omdat het opeens donker was en hij bijna niets meer om zich heen kon zien. Hij had al heel lang geen gevoel meer in zijn lijf. Zijn benen waren verdoofd. Zijn armen waren er nog, maar dat wist hij alleen maar doordat hij Lucy vasthield en haar meesleepte. Zijn lichaam spaarde zuurstof voor zijn hersenen en andere vitale organen, maar ook die kregen niet genoeg. Zijn hersenen waren een waas geworden. Hij had allang verdronken moeten zijn. In zijn warrige bewustzijn was hij bijna jaloers op de keren dat hij rustig was verdronken.

Toen hij weer een blik op Lucy wierp, kwam hij erachter dat haar ogen wijd opengesperd waren en dat ze verward keek. Ze bewoog zich niet. Ze liet zich door hem meeslepen.

Zijn gezicht was als verlamd en hij kon zijn mond amper open krijgen en maar nauwelijks iets zeggen. 'Dag, schatje,' wist hij krakend uit te brengen. Hij hoopte maar dat hij haar niet bang had gemaakt met zijn rare stem.

Ze knipperde een paar keer met haar ogen. 'Waar zijn we mee bezig?' vroeg ze zachtjes.

'We zijn niet aan het sterven,' zei hij.

Ze keek naar boven. 'Het regent,' zei ze.

'Dat weet ik.'

'Zijn we echt niet dood?'

Zijn mond bewoog wat soepeler. 'Het is verdomme te hopen van niet,' zei hij.

De donder rommelde, maar er volgde geen bliksemflits. De wind blies de golven over hen heen en elke keer weer zag hij haar proesten en weer ademhalen.

Wat hebben we gedaan? vroeg hij zich af.

Zijn hart begaf het bijna. Het was al vergroot door liefde en lust, en nu kwamen onderkoeling en een hartinfarct er nog bij. Normaal gesproken verloor je het bewustzijn als je hart het begaf, maar hij hield verbeten vast aan het bewustzijn. Hij kon niet goed meer nadenken, maar voor haar wilde hij bijblijven. Begeef het nu nog niet, smeekte hij zijn hart.

Ze keek omhoog. Af en toe was er door de wolken heen een glimp van de maan te zien, en daar keek ze naar. Haar gezicht was prachtig, opgeheven in het maanlicht. Ze had hem genoeg vertrouwd om te willen sterven, en waarschijnlijk had ze er net zoveel vertrouwen in dat ze rustig, eindeloos door zouden blijven zwemmen in de woeste oceaan.

Hij meende iets anders dan de wind en het gebeuk van de storm op te vangen, maar zijn hersenen konden niet bevatten wat het was.

Lucy zei iets, maar hij kon haar niet verstaan.

Hij dwong zijn slapende arm haar dichter naar zich toe te trekken.

'Is dit ons laatste uur?' bracht ze proestend uit.

Zijn tanden klapperden aan een stuk door. Zijn lichaam beefde. 'H-hoezo?'

'Kijk dan.' Hij volgde haar blik naar boven. Daar was een witte lichtflits door de regen te zien en hij hoorde ook weer het geluid. Hij keek er dom naar. Gedachten zaten te springen om gedacht te worden, maar hij kreeg het niet echt voor elkaar.

'Zie jij het ook?'

'E-en zeemeeuw.'

Hij vloog een paar keer boven hen rond, zich waarschijnlijk afvragend of hij hen kon opeten. Daniel zag welke kant hij uit vloog en ging erachteraan. Hij kon nog niet helder denken, maar zijn lijf leek te weten dat zeemeeuwen nooit ver van de kust af gingen, en al helemaal niet in zulk slecht weer. Ze moesten altijd een plek hebben om te landen.

Daniel deed nog meer zijn best. Hij wist blindelings dat hij de zeemeeuw achterna moest gaan. Hij mocht hem niet uit het oog verliezen. De vogel scheerde en stuiterde en draaide door de wind, en Daniel sloeg hem jaloers gade. We zijn er niet op gebouwd om te vliegen of te zwemmen, dacht hij. Hoe kunnen we je nu volgen?

'Hij moet ergens landen,' bracht hij moeizaam uit.

'Hoe weet je dat?'

'D-dat weet ik gewoon.'

Ze keek hem aan en vroeg bezorgd: 'Hoe kan dit nou?' Ze schreeuwde naar hem boven het gebrul van de golven uit. 'Hoe kun je nog steeds zwemmen, Daniel? Daar snap ik niets van.'

Hij wist het ook niet. Hij wist zelfs niet of hij nog wel zwom. Hij was blij dat zijn benen nog steeds schopten, ook al voelde hij ze niet meer. We moeten blijven leven, wilde hij tegen haar zeggen, maar hij had geen lucht meer om het uit te kunnen brengen.

Hij kon nauwelijks nog zien. Zijn ogen waren open, maar zelfs met de grote vormen had hij moeite. Gelukkig had zij ook haar ogen open.

'Daniel, ik zie wat,' riep ze.

Hij keek naar haar. Hij deed een poging zijn blik scherp te stellen.

'Daar, voor ons uit. Iets donkers in het water. Net een grote rots. Zie jij het ook?'

'I-ik geloof het niet.'

'Kun je nog even doorgaan? Het is heel dichtbij!' Ze bewoog haar benen ook om mee te helpen.

Pas toen hij er bijna tegenop botste kon hij het onderscheiden. Met een zucht van uitputting tilde hij haar op de rots en hij keek toe terwijl ze de ruwe steen op klom. Hij had alleen nog de energie om opgelucht te zijn.

Hij legde zijn handen op de rots om zich op te trekken. Hij deed zijn ogen dicht. Ik rust even uit, dacht hij. Even op adem komen.

Voor hij wist wat er gebeurde, gilde ze naar hem. 'Daniel! Daniel, kom snel hier!'

Hij was een tikje afgedreven. De stroming had hem meegevoerd. Nog een minuutje, zei hij doezelig tegen zichzelf, dan ga ik wel weer terug.

'Daniel! Daniel! Doe je ogen open. Kijk me aan. Kom terug. Het komt goed met ons! Hoor je me wel?'

Ik ben zo moe, dacht hij.

'Ik spring weer in het water als je niet terugkomt, hoor!' gilde ze naar hem. 'Dat meen ik. Dan verdrinken we maar, als je dat zo graag wilt.'

Hij knipperde met zijn ogen. Hij zag haar met haar witte benen de rots af klauteren. Waarom deed ze dat? Waarom doe je dat? wilde hij haar vragen, maar hij kreeg zijn mond niet open. In zijn verwarring vond hij het toch een slecht idee. Hij zwom met veel moeite haar richting op. Dat moet je niet doen. Hij ging naar haar toe en legde zijn hand op haar enkel. 'J-j-je verd-drinkt straks nog.' Hij kwam amper uit zijn woorden en zijn hersens werkten ook niet meer goed.

'Klim op de rots, Daniel, anders spring ik ook in het water en verdrinken we allebei!' Ze had haar hand om zijn pols geslagen. Dat voelde hij. Ze legde zijn handen op een plat stuk rots. 'Kan die? Bij me blijven, hoor! Ik tel tot drie. Ja? Een. Twee.'

Zijn oogleden vielen weer dicht.

'Daniel!' Ze kneep zo hard in zijn arm dat hij zijn ogen weer opendeed.

Hij zag haar ogen nu heel goed, pal voor de zijne. 'Een, twee, dríé!'

Hij trok zich al grommend moeizaam op de rots. Stukje bij beetje kroop hij verder de rots op. Net zo lang tot zijn voeten uit het water waren, en op dat moment gaf zijn lichaam het op. Hij stortte in en had het gevoel dat hij doodging, en dat was niet zo gek, want hij had het uiterste van zijn lijf gevergd.

Petacalco, Mexico, 2009

Ze wreef over zijn rug en wachtte tot de dag aanbrak. Af en toe prikte ze met haar vinger in hem of legde ze haar hand op zijn borst om zich ervan te verzekeren dat hij nog leefde. Zo nu en dan kreunde hij vergenoegd.

Het was inmiddels licht genoeg voor haar om te zien hoe groot de rots was. Er waren drie uitsteeksels en wat geulen waar het regenwater in was blijven staan. Ze wilde er dolgraag van drinken, maar Daniel was op haar benen ingestort en ze wilde hem nog niet wakker maken. De rots was hier en daar rood en zwart. Er groeiden een paar kronkelige klimplanten op en er lag een hele laag vogelpoep op. Een handvol zeemeeuwen was aan de andere kant aan het zeuren en het roddelen. Het was een heldere lucht en het werd nu snel licht, maar er was nergens land te bekennen. Daniel had een heel eind gezwommen.

Het was een ijzingwekkende nacht geweest. Het was beter om het stukje bij beetje te bevatten, vond ze. Een ding tegelijk. Het eerste waar ze aan dacht was dat ze zonk. Ze was toen bereid om te sterven, maar hij niet.

Ze wist niet hoe het hem was gelukt. Urenlang, nadat zij al lang niet meer kon, was hij blijven zwemmen. En dan moest hij haar ook nog mee slepen.

Ze zouden het redden. Ze had niet gedacht dat het hen zou lukken, maar hij had het voor elkaar gekregen. Ze zouden het met het regenwater een paar dagen op de rots uit kunnen houden. De lucht was helder en het water rustig. Er kwam vast wel iemand langs. Uiteindelijk zouden ze worden opgepikt.

En dan? Wat zou er dan met hen gebeuren?

Hij ging op zijn rug liggen. Ze boog zich over hem heen en kuste hem op de mond. De rots lag niet echt lekker. Hun benen waren al helemaal opengehaald. Je moest wel halfdood zijn om erop te kunnen slapen, en dat klopte wel zo'n beetje bij hem.

Ze vroeg zich af of hij een nachtmerrie had, want zijn gezicht vertrok van pijn en hij schokte en verkrampte. Voordat hij zich ontspande was zijn gezicht een masker van bezorgdheid. Ze wreef zachtjes over zijn buik en borst. Kon ze maar iets doen om de nachtmerrie te stoppen.

De zon stond eindelijk hoog genoeg om zijn stralen op zijn gezicht te werpen en hij werd met moeite wakker. Hij knipperde een paar keer met zijn ogen voordat hij zijn blik op haar kon richten. 'Jij bent het,' zei hij.

'Ik ben het.' Ze kuste hem op het voorhoofd en de slapen.

'Ik ben gelukkig. Waar zijn we?'

'We zijn een zeemeeuw achternagegaan naar een rots. Weet jij daar nog iets van?'

Hij dacht even na. Hij kneep zijn ogen dicht en deed ze toen weer open. 'Nee.'

Ze schudde het hoofd en glimlachte naar hem. 'Je raakt je toverkracht kwijt, schatje.'

Hij glimlachte zwak.

Ze streek liefdevol zijn haar glad. 'Je hebt vast overal pijn,' zei ze.

Hij knikte.

Ze trok voorzichtig zijn hoofd op haar schoot en hield het vast. 'Echt, Daniel, ik snap niet hoe je het voor elkaar hebt gekregen. Ik dacht dat je geheugen je toverkracht was, maar volgens mij ben je dat kwijt en heb je nu een andere, namelijk een speciale zwemkracht.'

'Het doet pijn als ik lach,' zei hij.

'Dan zullen we het over nare zaken hebben.'

Hij knikte. Hij stak zijn hand uit naar de rits van haar jasschort. 'Dat ding kan ik me nog wel herinneren.'

'Het jasschort, bedoel je?'

'Ja, wat een mooi ding. Ik vind het mooi om hem bij je uit te trekken.'

'Maar dat is niet echt naar.'

Hij schudde pijnlijk het hoofd. 'Dat is het fijnste wat me ooit is overkomen.'

Ze boog zich over hem heen en kuste hem ondersteboven op de mond. Toen ze weer overeind kwam had hij zijn ogen open en keek hij ernstig. 'Ik moet je iets vertellen.'

'Goed.'

'Weet je wanneer ik je voor het eerst heb gezien?'

'Nee.'

'Ik was soldaat en heb je huis afgebrand.'

'Wanneer was dat?'

'In het jaar 541.'

'Daar weet ik niets meer van.'

'Je bent gestorven, dat spijt me heel erg.' Hij trok haar hoofd naar zich toe en begroef zijn neus in haar nek. Het was bijna vijftienhonderd jaar geleden, maar ze kon merken dat hij zich er nog heel erg voor schaamde, en dat zou ze niet zomaar naast zich neerleggen. Hij ademde weer rustig en liet haar hoofd los. 'Dat wilde ik je graag zeggen. Ik moet er altijd aan denken. Ik wil je dat al zo lang vertellen.'

'Ze wreef zachtjes over zijn borst. 'Ik ben blij dat je me het verteld hebt.'

'Echt waar?'

'Ja, want nu kan ik jou zeggen dat het in orde is.'

'Hoe kan het nu in orde zijn?'

Ze sloeg haar ogen neer. 'Je hebt het meer dan goedgemaakt, mijn liefste.'

'Hoe bedoel je?'

'Je hebt me meer gegeven dan je van me hebt afgenomen, liefste. We staan gelijk. Je mag het nu loslaten.'

Een paar uur later zat hij naast haar toen hij opeens een motor hoorde op het stille water. 'Een boot,' zei tegen haar, net voordat die in het zicht kwam.

Het was een vissersboot en hij kwam hun richting op. Ze kwamen allebei overeind en zwaaiden met hun armen. Lucy bleek heel hard te kunnen fluiten. Het deed hem pijn aan zijn oren, maar hij was wel diep onder de indruk. 'Kun je me dat ook leren?'

De kapitein zag hen en voer op hen af. Er waren nog twee bemanningsleden aan boord en een net vol vissen. Hij nodigde ze meteen aan boord. Daniel was vergeten hoe gek ze eruitzagen tot hij de blik in hun ogen zag.

'We zijn in de problemen gekomen,' zei hij in hoogdravend Spaans.

'Dat zie ik,' zei de kapitein. 'Gaat het?'

'Ja. Kunt u ons aan land brengen?'

'Ja, natuurlijk. We kunnen jullie in Petacalco afzetten. Vandaar kun je naar Guacamayas of Lázaro Cárdenas gaan.'

'Mooi. Heel erg bedankt. Als ik geld had gehad, had ik u wat gegeven.'

De kapitein keek naar zijn boxershort en leek zijn lachen in te moeten houden. 'Je houdt van weinig bagage, zie ik.'

Ze zaten achter in de boot. De kapitein had Daniel zijn mobiele telefoon gegeven en na de reis van een uur naar Petacalco had hij een auto geregeld waarmee ze naar Guacamayas konden rijden, daar had hij een huurauto besteld en een vlucht van Colima naar New York, voor diezelfde avond.

Ze sprak geen Spaans en keek hem ongelovig aan. 'Je hebt geen geld, geen creditcard en geen identiteitsbewijs. Hoe krijg je dat allemaal voor elkaar?'

'Je hebt alleen maar het creditcardnummer nodig en een goede telefoonverbinding.'

'Hoe kom je aan die nummers, dan?'

Hij wees op zijn hoofd. 'Ik heb een goed geheugen, hè?'

Luchthaven John F. Kennedy, New York, 2009

Hij zat twee uur lang bij de United-balie op een bank met zijn gezicht naar de muur. Hij had met het pasgekochte mobieltje transport geregeld terwijl Lucy met haar hoofd op zijn schoot lag te slapen. Toen hij klaar was wachtte hij tot ze wakker werd en daarna gingen ze naar een bar in de hal ernaast, waar ze bij het raam de vliegtuigen konden zien landen en opstijgen. Hij had vanwege de goeie ouwe tijd een glas whisky voor hen besteld.

Ze had een spijkerbroek en een bloemetjesblouse aan en een trui en een bodywarmer en sokken en laarzen en ook echt ondergoed. Ze had een koffer gevuld met kleren die ze in de afgelopen paar uur hadden gekocht. Kennedy was net een winkelcentrum, maar dan niet zo mooi. Hij had haar laten beloven en zweren dat ze het jasschort nooit en te nimmer zou wegdoen en het voor hem aan zou trekken als ze elkaar weer zouden zien.

Hij gaf haar een opgevouwen stuk papier. 'Hier staat alles in, oké?'

Ze knikte. Hij had het al een paar keer gezegd.

'De nummers die je nodig hebt staan al in je telefoon.'

'Mooi.'

'Weet je al wat je tegen je ouders en Marnie gaat zeggen?'

'Daar zit ik nog op te broeden,' zei ze.

Hij knikte. 'Tickets, routebeschrijving, paspoort, travellercheques en geld zitten allemaal in de envelop.'

'Jouw geld,' zei ze.

'Ik heb het aan jou gegeven, dus is het van jou.' Het geld was nog wel het minste. Hij had de dag ervoor in Mexico een buitensporig hoog bedrag aan twee vervalste paspoorten uitgegeven.

'Ben je rijk?' vroeg ze hem.

'Ja.'

'Erg rijk?'

'Ik zet al heel lang een appeltje voor de dorst weg.'

'Dat had ik op school nou nooit van je gedacht.'

'Gelukkig maar. Hoezo eigenlijk niet?'

'Als je zo rijk bent zou je toch af en toe wel nieuwe schoenen kunnen kopen.'

Hij lachte. Hij zag de lichtbruine suède schoenen in de slaapkamer van de bungalow in Mexico weer voor zich, toen hij ze in zijn hartstocht uit had geschopt. 'Zonde dat ik ze kwijt ben. Daar zal ik het ook eens met die klootzak van een vorige broer van me over hebben.'

Ze greep zijn hand en hield die tegen haar wang. 'Daniel, ik wil niet dat je het doet.'

'Weet ik. Ik doe het ook liever niet. Ik wil niet van je gescheiden zijn, en ik zal er alles aan doen om dat te vermijden, maar het kan nu eenmaal niet anders.'

'Misschien hadden we maar beter samen kunnen verdrinken.'

Hij pakte haar handen en kuste ze overal. Hij kuste de tere binnenkant van haar pols en elke vinger.

'Het is heerlijk weer waar je naartoe gaat. En ik beloof je dat er niets met je zal gebeuren.'

'Hoe weet je dat nou?'

'Omdat Joaquim daar niet naartoe durft te gaan. Ze zouden hem zo doorhebben.'

'Waarom ga je dan niet met me mee?'

'Zodra ik alles heb afgehandeld, kom ik je halen. En dan kunnen we overal wonen, waar je maar wilt. Je kunt je studie in Charlottesville afmaken, we kunnen naar Washington verhuizen, we kunnen in Californië, Peking, Bangladesh gaan wonen. We kunnen ook weer naar Hopewood gaan en bij je ouders intrekken.'

Ze moest ondanks alles lachen.

'Waar je maar wilt.'

'En verder?'

'We kunnen doen wat we willen. We kunnen gaan trouwen. We kunnen ook niet trouwen en in zonde leven. We kunnen een baan zoeken. Of niet werken. We kunnen lekker nietsdoen. We kunnen een penthouse kopen in een wolkenkrabber. We kunnen in een paalwoning midden op het water trekken. We kunnen elke dag vrijen.'

'Twee keer per dag.'

'Drie keer.'

Ze trok haar wenkbrauwen omhoog. 'Drie keer per dag?'

'We hebben een hoop in te halen.'

Ze knikte. 'We kunnen samen oud worden.'

'Dat zou ik fijn vinden.'

'Misschien zelfs een of twee kindjes krijgen.'

Ze liet zich zo meeslepen door hun droom dat hij haar niet wilde teleurstellen. Hij wist dat het niet aan zijn gezicht was te zien. 'Ik weet niet of dat wel gaat lukken,' zei hij.

Ze wilde hem vragen waarom niet, maar door de luidspreker werd haar vluchtnummer omgeroepen.

Hij pakte haar koffer en ze liepen snel door de hal naar de gate. De eerste klas was al bijna klaar met instappen.

'Hier moet je zijn,' zei hij.

'Dit is de eerste klas.'

'Dat klopt.'

'Nee, toch?'

'De zwemvakantie in Mexico was nu niet bepaald luxe. Ik hoop het hier enigszins goed mee te maken.'

'Ik heb liever wat minder luxe, als we maar samen zijn.'

'Logisch. Maar we zullen gauw weer bij elkaar zijn. Ik ga alvast plannen maken voor onze eerste echte vakantie. Ik neem je mee naar Boedapest en Athene en ik wil dat je Turkije weer bezoekt. Volgens mij kun jij je het lang niet zo goed herinneren als ik.'

Ze schudde het hoofd.

'We zullen in een paleis in Istanbul verblijven en dan naar Pergamon gaan, waar je een onvoorstelbare rondreis krijgt.'

Ze knikte. De tranen stonden haar in de ogen, en hij nam haar in zijn armen. 'Als hij er niet meer is, Lucy, kunnen we alles doen wat we maar willen. Maar tot die tijd zijn we gevangenen en kunnen we niets doen. Ik wil niet wachten tot er wat gebeurt. Dat heb ik al te lang gedaan. Ik word verslagen of ik zie er vanaf, en ik sterf omdat ik ervan uitga dat er dan wel weer een ander leven komt dat vast beter zal zijn. Maar niets kan mooier zijn dan dit leven, want hier heb ik jou.'

Ze hield hem stevig tegen zich aan. Ze snikte in zijn oksel. 'Waar ga je naartoe?'

'Ik ga naar hem op zoek. Ik ga hem uit de weg ruimen voordat hij dat bij ons doet.'

'Hoe kan dat bij iemand zoals hij? Kan dat überhaupt wel?'

'Volgens mij wel. Vast wel. Ik moet uit zien te vogelen hoe, maar een vriend van mij kan me daarbij helpen.'

Ze keek hem aan. 'Je maakt me bang met dat soort praatjes. Hij is kwaadaardig en jij niet. Ik ben bang dat je niet terugkomt.'

'Ik kom wel terug.'

'In dit leven dus.'

'In dit leven.'

'Hoe weet je dat nu zeker?' Ze huilde radeloos. De passagiers van de tweede klas stapten al achter in het vliegtuig.

'Omdat ik iets heb om voor te leven en hij alleen maar wraak wil. Omdat ik kan zien en hij niet.'

'Oké, maar hij heeft waarschijnlijk wel tien pistolen en vijf bommen en een heel assortiment aan messen.'

'Nou, dan koop ik dat ook. Ik ben slimmer dan hij, Lucy. Ik heb tijd gehad om erover na te denken, en dat zal in mijn voordeel werken. Ik ben groter dan hij, en ik vertik het nog langer het slachtoffer te zijn. Ik zal niet meer van hem wegvluchten.'

'En als je nu niet terugkomt? Dan blijf ik net als Constance en Sophia en alle anderen met een gebroken hart achter.'

'Ik was degene met het gebroken hart, Lucy. Ik heb er langer mee rondgelopen dan wie dan ook.'

Ze keek hem peinzend aan. 'Mag ik je wat vragen?'

'Maar natuurlijk.'

'Hebben we ooit... je weet wel... iets samen gedaan?'

Hij genoot van de blos op haar wangen. 'Verkering gehad?' vroeg hij haar plagend.

Ze glimlachte. 'Ja. Hebben we ooit verkering gehad?'

'Nee. Nooit.'

'Echt niet?' Ze veegde met de rug van haar hand haar ogen droog. 'Dat zou ik me echt wel herinneren.'

'In al die duizenden jaren niet?'

'Nee.'

'Ik heb het dus niet over seks, maar zelfs niet... nou je weet wel.' Ze onderbrak zichzelf omdat ze moest lachen. 'Je hand in mijn broekje?'

'Nee, echt niet. Zelfs niet aan je borsten gezeten. We hebben amper een keer gezoend.'

'Kijk aan. Dan kunnen we nu wel trots op onszelf zijn, vind je niet?'

Hij lachte en tilde haar op. 'Als ik daardoor niet in leven blijf om naar je terug te keren, Lucy, dan weet ik het ook niet meer.'

Paro, Bhutan, 2009

De omgeving was nog mooier dan hij had beloofd. Het klooster lag op een afgelegen heuvel in het oosten van de Himalaya, boven de vallei waar de rivier de Paro door stroomde. Elke ochtend keek ze over de vallei uit naar de glanzend witte pieken in de verte die zo waanzinnig hoog waren dat ze meer bij de lucht dan bij de aarde leken te horen.

Lucy werd door de monniken behandeld als een zeer geëerde gast, en voor zover ze wist kwam dat doordat haar verblijf was geregeld door een Indiase vrouw, een zeer goede vriendin van Daniel die, vreemd genoeg, Ben heette.

Ze begreep waarom Daniel haar daar graag wilde hebben. Ze had nog nooit zo'n aanbidding van de geest meegemaakt, en hun geloof in reïncarnatie was de spil van hun leven. Ze kozen hun hoofdlama niet vanwege zijn afkomst maar door de jongen te zoeken die de reïncarnatie van de oude lama was. Ze snapte heel goed waarom Joaquim daar niet naartoe zou gaan.

Ze maakte een paar leuke dingen mee. Samen met haar enthousiaste gids Kinzang, die twaalf was, was ze naar de hoofdstad Thimphu geweest, en naar een wedstrijd boogschieten, en naar een plaatselijke markt. Ze had wandeltochten door de vallei gemaakt en dingen gezien die ze niet voor mogelijk had gehouden. Rijstvelden, orchideeën die op de berg bloeiden, een klooster met de naam Tijgersnest dat boven op een klif was gebouwd. Ze had met de monniken in de tuin van het klooster gewerkt en de naam van tientallen onbekende planten in het Dzongkha geleerd. Ze kreeg weefles van een vrouw uit het dorp, en dat vond ze leuk, en ze had het al snel onder de knie. Ze droeg de nationale kleding, de *kira*.

Maar over het algemeen bleef ze in het klooster, ze las, schreef brieven, wiedde de tuin, en leerde mediteren. De monniken waren erg aardig en leerden haar geduldig allerlei dingen, maar ze spraken zelden en wat ze zeiden kon ze niet verstaan. Ze was geïsoleerd en ze was eenzaam. Ze miste haar ouders en ze miste Marnie. Ze had hun verteld dat ze een beurs had gekregen – een kans die ze niet voorbij kon laten gaan – om de tuinen in Himalaya te bestuderen en dat ze alleen per post bereikbaar zou zijn.

Maar het meest miste ze Daniel. De pijn van zijn afwezigheid hing over haar heen als een wolk en dreef overal achter haar aan. Hij drong in haar ogen en haar neus en haar mond en haar oren en tastte de lucht om haar heen aan.

Elke brief die ze van hem kreeg las ze honderden keren, om elk gevoel, elk snippertje informatie, elke eventuele geur of molecule van hem dat mee was gereisd in zich op te nemen. Ze tuurde uren achter elkaar naar de lijst die hij op het vliegveld voor haar had gemaakt. Het was een domme lijst, maar hij had wat van zijn drankje erop gemorst toen ze samen aan de bar zaten, en nu legde ze haar vinger op de bruine veeg en had het gevoel dat hij echt was.

Na een maand had ze pijn in haar maag gekregen. Ze dacht dat het door het yakvlees of de boterthee of de grote hoeveelheden Spaanse peper in het eten kwam. Het eten was over het algemeen heerlijk, maar ze kon niet overal tegen. Ze had een paar ingrediënten uit haar voedsel geschrapt totdat ze bijna niets meer at, en daar kreeg ze nog meer maagpijn van. In de tweede maand besefte ze dat ze na Mexico niet meer ongesteld was geweest en telde een en een bij elkaar op.

En toen werd ze bang. Waar Daniel dus geen rekening mee had gehouden voor hun leven samen was een kindje. Dat wilde hij dus niet. Ze had geen idee waarom niet, en ze wist niet wat ze daaraan kon doen. Ze kon het hem niet vertellen. Ze probeerde het, maar ze kon het niet. Ze was drieëntwintig, ongehuwd en zat in haar eentje in het buitenland. Ze zou de baby niet moeten krijgen, maar ze wist niet hoe ze het tegen moest houden. Ze schreef hem de ene na de andere brief met de bedoeling hem op de hoogte brengen, maar uiteindelijk deed ze dat niet.

Na twee maanden in Paro, kreeg ze geen brieven meer van hem. Ze bleef hem elke dag schrijven, maar de hoop dat hij ze zou lezen nam na verloop van tijd af. Het deed haar pijn aan hem te denken.

De toekomst leek zich eindeloos voor haar uit te strekken, maar ze kreeg steun uit onverwachte hoek. Allereerst waren er de brieven van Marnie, vol vragen en twijfels die Lucy niet kon beantwoorden, maar ook vol liefde. Het was bijna wonderbaarlijk dat Marnie van haar kon houden zonder dat ze het begreep. Een wonder en een leermoment.

Dan waren er de brieven van haar vader. Hij beschreef vol humor de taferelen uit de burgeroorlog die hij naspeelde, en maakte zich zorgen om haar. In de huidige tijd van mobieltjes en e-mails, had ze nooit beseft hoe goed hij kon schrijven. Hij mocht dan afstandelijk overkomen, op schrift was hij een stuk liefdevoller. Ze vroeg zich af of hij ooit een brief aan Dana had geschreven.

Als laatste was er het zware gevoel in haar buik. Smaken en geuren werden er zuur door maar toch gaf het haar een eigenaardig gevoel van gezelschap. Ze was niet echt alleen. Het kindje was van hem en haar samen, of hij nu wel of geen baby wilde. Ze hoopte maar dat het niet het enige was wat ze van hem zou hebben.

Je hebt het me beloofd, zei ze elke ochtend en avond en duizenden keren daar tussendoor in haar hoofd tegen hem. Ik hou van je. Ik geef je niet op.

New Orleans (Louisiana), 2009

Mijn allerliefste Lucy,

Misschien lukt het me niet om deze brief vandaag of zelfs morgen op de post te doen, maar ik denk altijd aan je. Ik ga je niet precies vertellen waar ik nu zit. Maar ik ben veilig en ik zal je alles vertellen als het achter de rug is. Er is zo veel wat ik je niet kan schrijven of wat zelfs maar gedacht kan worden.

Ik zie nu wat onze tegenstander allemaal kan, en het is veel meer dan ik me had voorgesteld. Maar wat ik wil doen, moet gebeuren. Dat besef ik nu nog beter. Het volstaat niet hem te vermoorden. Ik weet nu dat ik het groter moet zien. Ik weet wat ik moet doen en hoe.

Dus hoe vermaak ik me, wilde je weten?

Ik denk aan jou. In een kira en met je handen in de aarde in de kloostertuin. Ik denk aan je terwijl je je schoenen en sokken uitdoet en je voeten in de visvijver steekt. Ik denk aan jou terwijl je je haar achter je oren strijkt. Ik denk aan je terwijl je thee drinkt. Ik denk aan je terwijl je slaapt. (Nee echt. Dat vind ik dus leuk om te doen, en het kan me niet schelen wat jij daarvan vindt.) Ik denk aan alle onderdelen van je lichaam, en nee, niet alleen de onderdelen waarvan jij denkt waar ik aan denk. Ik zie het litteken op je schouder voor me, en ik zie mezelf dat kussen alsof ik het zo beter kan maken. Ik zie ons samen. Ik zie ons drie keer per dag de liefde bedrijven. (Dat heb je beloofd.) Ik zie je als dit achter de rug is urenlang in mijn armen liggen terwijl ik je vertel

318

wat er allemaal is gebeurd. Het is een lang verhaal, en tegen die tijd een mooi verhaal, want ik weet hoe het afloopt.

Meer kan ik nu niet zeggen. Je bent bij me, Lucy, in mijn gedachten, in mijn overdenkingen, in mijn lustgevoelens, in mijn onhandige momenten, in mijn overwinning en zelfs in mijn pijn. Wat ik zie, zie ik ook met jouw ogen, en doordat jij bij me bent ben ik beter en gedrevener dan ik zonder je zou zijn.

Ik weet dat er geen echte informatie in deze brief staat, en dat spijt me. Daar kun je me achteraf een stomp voor geven. Maar het is als een gebed voor mij. Ik bid dat, zelfs als je dit niet krijgt (of de brief die ik je gisteravond heb geschreven of die ik morgen en overmorgen en overovermorgen zal schrijven), je zult weten wat erin staat: dat ik er nog ben en dat ik bij je zal zijn, waar je ook bent, en dat niets ter wereld me bij jou vandaan kan houden. Ik kom terug. Mijn liefde voor jou is waarachtiger dan alles wat ik in mijn lange, lange leven heb gekend.

Liefde eist alles op, zeggen ze wel eens, maar het enige wat mijn liefde opeist is dit: dat je me blijft vertrouwen, wat er ook gebeurt, en hoe lang het ook mag duren, dat je je ons zult herinneren en dat je nooit wanhopig zult zijn.

Voor altijd de jouwe,
Daniel

Dankwoord

Met veel genegenheid bedank ik Jennifer Rudolph Walsh, die de muze voor dit verhaal was. Ook mijn redacteur Sarah McGrath dank ik hartelijk voor haar zeer gewaardeerde bijdrage. De twee ferventste lezeressen en raadgeefsters Margaret Riley en Britton Schey ben ik ook zeer dankbaar. Dan ben ik veel dank verschuldigd aan Tracy Fisher en Alicia Gordon voor hun steun bij dit boek. Verder ben ik het hele fantastische team bij Riverhead en Penguin erkentelijk, onder wie Sarah Stein, Stephanie Sorensen, Geoff Kloske en Susan Petersen Kennedy.

Jane Easton Brashares en Bill Brashares, mijn prachtige en inspirerende ouders, wat ben ik jullie dankbaar. En lest best bedank ik mijn geliefde gezin: Sam, Nate, Susannah en Jacob. We kunnen als de besten trampolines bouwen.